KABOUL BEAUTÉ

Deborah Rodriguez

KABOUL BEAUTÉ

Document

Traduit de l'anglais (Etats-Unis)
par Danièle Mazingarbe

Titre original : *Kaboul Beauty School*

Publié aux Etats-Unis par Random House, un département de The Random House Publishing Group, une filiale de Random House, Inc., New York

ISBN 978-2-258-07404-0

Je dédie ce livre à mon père, John Turner, qui est mort le 5 juin 2002 alors que je faisais mon premier séjour en Afghanistan.

Papa, je n'ai pas pu te parler de l'Afghanistan et de l'école. Tu m'as quittée trop tôt. Je sais que tu aurais aimé Sam, mon mari – il te ressemble, à sa façon afghane. Je sais que tu t'inquièterais pour moi, mais que tu serais aussi très heureux de me voir accomplir mon rêve. Tu me manques.

« Heureusement je suis une
Lady Mariam de mon temps.

Je possède la conscience,
L'intelligence et le talent
Mais suis condamnée à passer mon
Existence
En captivité derrière
Les barreaux de la prison de la vie
Comme une criminelle.

Je veux exprimer mes sentiments
Mais personne ne semble me reconnaître

On me demande de rester cachée
Dans le noir
Pourquoi ?
Parce qu'il leur est facile de m'humilier et de m'exiler

Ils m'ont couverte de la tête aux pieds
Ont amputé mes jambes
Etouffé ma voix

Oh !
Je veux qu'on me connaisse
Non pas comme une femme
Mais grâce à mon savoir

Que les années passent
Qu'ils trouvent mes écrits

Un jour ils se demanderont de qui
Sont ces mots uniques

Peut-être qu'à ce moment-là ils me connaîtront
Comme une femme
Qui peut faire quelque chose

Je l'espère encore... »

Farida ALIMI

1

Aujourd'hui, mes clientes arrivent au salon juste avant huit heures. D'ordinaire, je serais encore dans mon lit, m'efforçant de grappiller quelques minutes de sommeil. Je maudirais sans doute encore le coq du voisin pour m'avoir réveillée à l'aube, je pesterais contre les marchands de légumes qui empruntent la rue à trois heures du matin avec leurs charrettes à cheval brinquebalantes et contre le mollah voisin qui psalmodie son interminable appel à la prière de quatre heures et demie. Mais nous sommes le jour des fiançailles de Roshanna, et je suis fin prête pour me mettre au travail. J'ai déjà fumé quatre cigarettes et bu deux tasses de café instantané que j'ai préparées moi-même, car la cuisinière n'est pas encore arrivée. Ne croyez pas que ce soit une tâche facile, j'éprouve encore une certaine difficulté à faire bouillir de l'eau en Afghanistan. Je dois poser une allumette enflammée sur chacun des brûleurs du vieux réchaud à gaz capricieux, je tourne un bouton au hasard et je recule pour voir quel brûleur s'enflamme comme une torche. Puis j'y pose une casserole et je prie pour que les bactéries flottant dans l'eau de Kaboul périssent dans l'ébullition.

La belle-mère de Roshanna est la première à pénétrer dans le salon. Nous échangeons le salut traditionnel afghan : nous nous étreignons les mains et nous embrassons trois fois sur les joues. Mon amie la suit, minuscule fantôme bleu sous la burqa qui la recouvre de la tête aux pieds, avec juste un carré de filet devant les yeux. Mais le filet est de travers, et elle se cogne contre le chambranle de la porte. Elle rit, agite les bras sous le tissu ondoyant, et deux de ses belles-sœurs l'aident à entrer. A l'intérieur, elle arrache la burqa et la jette sur un des séchoirs à cheveux.

— On se croirait au temps des talibans ! s'exclame la jeune femme, qui n'a plus porté la burqa depuis leur départ de Kaboul à l'automne 2001.

Roshanna confectionne presque tous ses vêtements – des ensembles tuniques-pantalons satinés ou des saris couleur pêche et orchidée, vert anis et bleu paon. Elle ressemble à un papillon, ce qui tranche sur le gris poussiéreux de Kaboul et les tenues sinistres des autres femmes dans la rue. Mais, aujourd'hui, elle respecte la tradition, comme toutes les jeunes filles le jour de leurs fiançailles ou de leur mariage. Elle a quitté la demeure de ses parents cachée sous une burqa et réapparaîtra six heures plus tard, les paupières lourdement maquillées, avec des faux cils comme des ailes d'oiseau, une coiffure impressionnante et des vêtements clinquants. En Amérique, cette tenue la ferait passer pour une drag-queen. Ici, en Afghanistan, pour des raisons que j'ignore encore, elle évoque la virginité.

La cuisinière arrive juste après et chuchote qu'elle va faire le thé ; Topekai, Basira et Bahar, les esthéticiennes, surgissent dans le salon, enlèvent leur foulard. Le moment est venu de nous mettre au travail : il s'agit de transformer Roshanna, vingt ans, en une mariée afghane traditionnelle, un processus joyeux et propice aux bavardages qui va durer toute la journée. La plupart des salons prennent jusqu'à deux cent cinquante dollars pour cette mise en beauté de la mariée, soit près de la moitié du revenu annuel moyen d'un Afghan. Mais, non contente d'être son ancien professeur, je suis aussi la meilleure amie de Roshanna, la première que j'ai eue dans ce pays, bien que nous ayons vingt ans de différence. Je l'aime beaucoup, et je me réjouis de pouvoir lui faire ce cadeau.

Nous commençons par les parties du corps de Roshanna que personne ne verra ce soir à part son mari. Les Afghans jugent la pilosité laide et sale ; elle devra donc être épilée complètement, ne garder que sa longue chevelure brune soyeuse et ses sourcils. Ses bras, ses aisselles, ses jambes, son visage et son sexe devront être débarrassés du moindre poil, pour que son corps soit aussi doux et lisse que celui d'une fillette prépubère. Au bout du couloir, une pièce est consacrée à l'épilation – la seule existant en Afghanistan, je dois le préciser. Roshanna fait la grimace en s'asseyant sur le lit.

— Tu aurais pu t'en charger toi-même chez toi, dis-je pour la taquiner, ce qui fait rire les autres.

De nombreuses mariées, trop timides ou trop craintives pour se faire épiler le pubis dans un institut, s'arrachent les poils à la main, ou avec du chewing-gum, ce qui, dans les deux cas, est terriblement douloureux. De plus, il est difficile de réaliser soi-même le brésilien, c'est-à-dire l'épilation totale du pubis, même si vous êtes l'une des rares femmes de ce pays à posséder un grand miroir, comme c'est le cas de Roshanna.

— Au moins, tu sais que ton mari est en train d'en faire autant, dit Topekai avec un regard malicieux.

Les filles se mettent à rire à cette évocation : le marié lui aussi doit s'épiler de la tête aux pieds.

— Il lui suffit de se raser ! gémit Roshanna, qui rougit et baisse les yeux.

Elle ne veut pas critiquer devant sa belle-mère ce nouveau mari, dont elle n'a pas encore fait la connaissance, et risquer sa désapprobation. En relevant les yeux, elle me sourit d'un air inquiet.

Sa belle-mère ne semble pas l'avoir entendue. Elle est en train de parler à voix basse avec une de ses filles. Quand elle a terminé, elle pose sur Roshanna un regard fier et possessif.

La belle-mère a choisi Roshanna pour son fils un peu plus d'un an après que Roshanna a ouvert son propre salon, une fois obtenu le diplôme couronnant la première session de formation de l'école d'esthétique de Kaboul, à l'automne 2003. Cousine lointaine de la jeune fille, elle est venue pour une permanente et a été séduite par sa personnalité courageuse et énergique. En sortant du salon de Roshanna, elle a commencé à prendre des renseignements sur la jeune fille, lesquels se sont avérés extrêmement favorables.

Le père de Roshanna étant médecin, la famille a mené une vie privilégiée jusqu'à son exil au Pakistan en 1998. Il n'a pas été autorisé à y exercer la médecine – une histoire classique chez les réfugiés – et a dû travailler comme cireur de chaussures. A leur retour à Kaboul, il était en si mauvaise santé qu'il ne pouvait plus exercer. Ce qui ne l'a pas empêché de continuer à remplir ses obligations paternelles et d'accompagner Roshanna partout. La belle-mère n'a pu détecter la moindre rumeur désobligeante à propos de Roshanna, sinon peut-être son amitié pour moi. Mais cela n'a pas suffi à la rebuter. Les étrangères n'étant pas soumises aux mêmes règles que les Afghanes, nous sommes autorisées à aller et venir à notre guise entre le monde des hommes et celui des femmes, deux mondes qui demeurent radicalement séparés. Quand nous faisons quelque chose d'interdit, comme serrer la main d'un homme, cela devient un outrage pardonnable car parfaitement prévisible. La belle-mère a peut-être même jugé que j'étais un atout, un lien avec l'Amérique riche et puissante. Aux yeux des Afghans, tous les Américains sont riches. Et nous le sommes, c'est vrai, du moins au sens matériel. La belle-mère a donc décidé que Roshanna deviendrait la première épouse de son fils aîné, un ingénieur vivant à Amsterdam. Cela n'a rien d'insolite. En Afghanistan, presque tous les premiers mariages sont arrangés, et il revient généralement à la mère de l'homme de choisir la jeune fille. Libre à lui ensuite de prendre une deuxième ou une troisième épouse, mais ce premier agneau virginal compte presque autant pour sa mère que pour lui.

Je remarque que Roshanna se recroqueville sous le regard de sa belle-mère ; je fais sortir toutes les autres de la salle d'épilation.

— Aimeriez-vous que je vous fasse des mèches ? dis-je à la belle-mère. Personne d'ici à New York ne fait ça mieux que nous.

— Mieux qu'à Dubaï ? s'inquiète la belle-mère.

— Mieux qu'à Dubaï. Et pour beaucoup moins cher.

De retour dans la pièce principale, je m'assure que les rideaux sont parfaitement tirés pour qu'aucun passant ne puisse apercevoir les femmes nu-tête. Cela pourrait me coûter la fermeture de mon salon, et même celle de l'école d'esthétique. J'allume des bougies afin d'éteindre le plafonnier. Avec le courant nécessaire pour l'appareil à cire, les lampes faciales, les sèche-cheveux et tout l'équipement, je voudrais éviter de faire sauter les plombs. J'installe la belle-mère et les membres du cortège, l'une pour une manucure, l'autre pour une pédicure, une autre encore au bac de lavage. Je m'assure qu'elles aient du thé et tous les magazines de mode périmés en provenance des Etats-Unis que je peux récupérer, puis je m'éclipse pour aller fumer une cigarette. Habituellement, je fume dans le salon, mais le regard de Roshanna, juste avant que je referme la porte de la salle d'épilation, m'a fait battre le cœur plus vite. Elle détient un terrible secret, que je suis la seule à partager, du moins jusqu'à présent.

En Afghanistan, les fiançailles et le mariage donnent lieu à des réceptions somptueuses. Les familles économisent pendant des années, s'endettent même lourdement, et dépensent sans compter pour en faire un moment inoubliable. Il n'y a pratiquement aucune vie sociale dans ce pays : pas de boîtes de nuit ni de salles de concert, seulement quelques restaurants, et ceux qui ont ouvert depuis la chute des talibans sont en majorité fréquentés par des Occidentaux. Les rares cinémas accueillent surtout des hommes. Si une femme y pénètre, comme je l'ai fait après avoir insisté pour qu'un ami m'y emmène, elle devient l'attraction, et tous les hommes enturbannés assis dans la salle se retournent pour la dévisager. Il n'existe quasiment aucun événement festif permettant aux hommes et aux femmes de se retrouver. Lors des grandes réceptions données à l'occasion des fiançailles et des mariages, hommes et femmes occupent deux étages différents, chacun avec son orchestre ; lors de réunions de moindre importance, ils sont au même étage, séparés par un rideau. Mais, dans les deux cas, ils revêtent leurs plus beaux atours. Durant mon premier séjour à Kaboul, j'étais étonnée par le nombre de magasins vendant des robes de mariée. Il doit y en avoir deux par pâté de maisons. Des mannequins grandeur nature y sont alignés dans la vitrine, l'air hautain, dominant la rue dans leurs robes multicolores parsemées de strass et noyées de tulle. Avec leur grande taille et leur type européen, on dirait des Barbie géantes. Au début, ces poupées me permettaient de me repérer et de retrouver mon chemin jusqu'à la maison d'hôtes. Je m'imaginais qu'elles étaient mes guides protecteurs.

Lorsque la mère du marié est venue pour la première fois leur rendre visite avec des gâteaux, des bonbons d'importation et divers autres présents, afin de demander sa main, les parents de Roshanna ont commencé par secouer la tête en signe de refus, mais la proposition ne leur déplaisait pas. Dire non fait partie du rituel, cela signifie que la jeune fille est si précieuse qu'on ne peut pas envisager de la voir quitter la maison. C'est aussi la première étape du processus de marchandage. Au cours des mois suivants, les pères n'ont cessé de discuter le montant de la dot en espèces, le nombre de robes que la famille du marié ferait faire par son tailleur pour la jeune fille, la quantité de tissu qu'ils alloueraient à sa famille pour de nouveaux vêtements, et la valeur des bijoux en or que les parents du marié offriraient à Roshanna. Son père a habilement négocié. La dot en espèces payée à la famille est de dix mille dollars, et elle recevra cinq mille dollars en or ainsi que de nombreuses parures, comme il convient à un mariage de son rang. Roshanna n'a pas eu son mot à dire. Comme pour tous les premiers mariages en Afghanistan, il s'agit d'une question d'argent, une transaction entre les pères. Elle était impatiente de se marier. En fait, c'est une des rares jeunes filles à Kaboul qui voulaient vraiment se marier.

Dès l'instant où j'ai rencontré Roshanna durant mon premier séjour à Kaboul, au printemps 2002, le premier après la chute des talibans, j'ai perçu chez elle une profonde tristesse. Pourquoi ai-je été à ce point attirée par elle, alors que les histoires tristes sont légion à Kaboul ? La tristesse y est omniprésente. Tant de gens ont perdu des êtres chers au cours des vingt-sept années de guerre ; ils ont perdu leurs maisons et leur travail, perdu des villes et des familles entières, perdu jusqu'à leur dernier rêve. Et même quand ils croient avoir retrouvé le bonheur, il arrive encore qu'un bombardement ou l'explosion d'une mine vienne anéantir tout espoir. Au milieu de tant de malheur, Roshanna m'avait attirée par son apparente gaieté, sa chaleur, son exubérance, ses vêtements chamarrés et son sourire éclatant. Elle voulait tellement être heureuse que cela me faisait mal quand sa tristesse transparaissait.

Au bout de quelques semaines, elle m'a raconté son histoire. J'avais remarqué qu'elle s'animait quand un certain jeune homme venait dans les locaux de l'organisation non gouvernementale où elle était secrétaire, et moi bénévole. Je crus d'abord qu'elle était triste parce qu'il ne s'intéressait pas à elle, mais je notai qu'il la regardait depuis l'autre extrémité de la pièce avec la même lumière dans les yeux. Je commençai à la taquiner.

— Tu as un petit ami ? chuchotai-je.

Mais elle s'éloigna en rougissant.

— On ne se marie pas par amour ici, me dit-elle quand je l'eus interrogée à plusieurs reprises. Je devrai épouser l'homme que mes parents auront choisi.

Roshanna et le garçon ne pouvaient pas étaler leurs sentiments au grand jour – rien n'était d'ailleurs possible entre eux, car on ne se fréquente pas à Kaboul comme on le fait en Occident. La mère du jeune homme aurait pu en parler à la mère de Roshanna, et ils auraient alors fait un mariage d'amour. Mon imagination s'enflammait. Quand je lui fis part un jour de mes élucubrations, elle m'entraîna dans un couloir sombre.

— C'est impossible, Debbie, dit-elle, le regard brillant dans la pénombre. J'ai déjà été fiancée à quelqu'un d'autre. Les parents de ce garçon ne le laisseraient jamais m'épouser.

— Pourquoi cela pose-t-il un problème que tu aies déjà été fiancée ? Tu n'as pas le droit de changer d'avis ?

— Tu ne comprends pas, insista-t-elle. Nous avons signé le nika-khat lors des fiançailles.

Cette union manquée a eu lieu pendant que les talibans étaient encore au pouvoir. La famille de Roshanna menait la vie misérable des réfugiés dans un camp situé juste de l'autre côté de la frontière pakistanaise. Roshanna avait alors seize ans et, grâce à son intelligence, elle a trouvé le moyen de progresser dans le camp. Elle a appris l'anglais et des notions d'informatique, ce qui lui a permis de trouver un poste de secrétaire dans une organisation humanitaire internationale. Elle avait souvent l'occasion de traverser la frontière pour revenir en Afghanistan, accompagnée par son père, bien sûr, pour les besoins de l'organisation.

Ce qui l'amenait à se retrouver au contact des talibans, alors au sommet de leur pouvoir. Il leur arrivait souvent d'enlever des jeunes filles nubiles et de les contraindre au mariage avec l'un des leurs. A cette époque, de nombreuses familles afghanes refusaient de laisser leurs filles sortir de la maison. Malgré ces précautions, il arrivait que les talibans entendent parler de l'existence d'une jolie fille – ou soient renseignés par quelqu'un souhaitant s'attirer leurs faveurs. Ils enfonçaient alors la porte de la maison pour la kidnapper.

Les parents de Roshanna se trouvaient face à un dilemme. Ils avaient besoin de son salaire, mais craignaient qu'on ne la leur « vole » et qu'elle ne finisse prisonnière à jamais d'un homme haïssable. Ils détestaient les talibans. Comme de nombreuses familles afghanes, quand les talibans étaient entrés en ville, en 1996, ils les avaient accueillis avec un optimisme circonspect. Avant leur arrivée, Kaboul était déchirée par les factions moudjahidin qui avaient battu les Russes avant de se retourner les unes contre les autres dans une lutte sanglante pour le contrôle du pays. Les parents de Roshanna étaient des musulmans profondément conservateurs, ils souhaitaient voir leur pays revenir à la normale, et les talibans paraissaient déterminés à y ramener l'ordre. Mais ils furent bientôt horrifiés par leur violence de plus en plus grande.

Soucieux d'assurer la sécurité de Roshanna, ses parents firent comme de nombreuses familles à l'époque : ils se mirent à la recherche d'un homme au sein de leur tribu, espérant la marier avant que les talibans s'aperçoivent qu'elle était célibataire. Apprenant l'existence d'un cousin non marié en Allemagne, ils crurent être arrivés au bout de leurs peines. Avec les talibans aux aguets, les familles des jeunes filles ne pouvaient pas se permettre de marchander la dot, ni les robes, ni les bagues en or. Un accord fut rapidement trouvé, avec une dot réduite. Les familles voulant que le mariage ait lieu sans tarder, le jeune homme revint aussitôt en Afghanistan pour les fiançailles. La vraie cérémonie devait se dérouler en Allemagne quelques mois plus tard, mais ils signèrent le nika-khat le soir même de son retour.

Le nika-khat est le contrat de mariage établi selon la loi islamique, qui, davantage que le mariage lui-même, légalise l'union et permet aux jeunes gens de se considérer comme mari et femme. En temps normal, le nika-khat se signe bien après les fiançailles, de façon à laisser à la famille du jeune homme le temps de réunir les fonds nécessaires à la dot, aux vêtements et au mariage. Les parents de Roshanna préférèrent lui permettre de devenir l'épouse légitime de cet homme avant le mariage, en signant le nika-khat lors des fiançailles. La famille du jeune homme avait insisté sur ce point, pour qu'elle ne puisse pas changer d'avis une fois qu'il serait retourné en Allemagne. Chacun s'accordait sur le fait que cela lui serait plus facile d'émigrer en étant son épouse légitime. Mais, quelques jours plus tard, son nouveau mari partit, sans un mot, sans raison apparente, et sans elle. Elle en fut accablée et humiliée, mais le pire était à venir. Deux semaines plus tard, elle apprit que le cousin avait divorcé d'elle en rentrant en Allemagne.

— C'est tellement facile pour un homme, me dit Roshanna. Il lui suffit de dire trois fois « Je divorce », en présence de témoins. Nous avons appris par la suite qu'il avait déjà une amie ou une première épouse en Allemagne. Une fois rentré là-bas, il a décidé de s'opposer à ses parents et de continuer à vivre avec cette femme.

Roshanna termina son récit en sanglots, et je la berçai contre moi, comme je le faisais avec mes enfants. Malgré mon peu d'expérience de l'Afghanistan, je savais quel affront la jeune fille avait essuyé. On ne divorce pas pour « incompatibilité » en Afghanistan. Si votre mari veut divorcer, c'est que vous êtes en tort. Les gens chuchoteront que vous êtes paresseuse, ou entêtée, ou mauvaise cuisinière, ou, pire que tout, que vous n'étiez pas vierge. J'adore les Afghans, mais il faut savoir qu'ils sont les rois du commérage. Ma devise, étant coiffeuse, pourrait être « Racontez-moi tout ! » : j'adore recueillir les secrets et les rumeurs de toutes sortes qui bruissent dans les salons, et je me considère même comme une experte en la matière. Le récit du mariage manqué de Roshanna et la tare que cela constituait avaient dû alimenter les boutiques de thé et les magasins des alentours. Elle me le confirma, ajoutant que beaucoup d'hommes sur son lieu de travail se plaisaient à confondre divorcée et prostituée, profitant de la moindre occasion pour la pousser dans des coins sombres et poser les mains sur elle. Son père la suppliait de démissionner. C'est pourquoi, quand je lui appris que je voulais revenir à Kaboul pour y créer une école d'esthétique, elle sauta sur l'occasion. Mais, en ce jour de 2002, j'eus le cœur brisé en comprenant que cette fille adorable avait perdu toute chance d'être choisie comme première épouse. Elle ne pouvait plus espérer autre chose que de devenir la deuxième ou troisième épouse d'un homme beaucoup plus âgé qu'elle. Elle aussi en était consciente, et elle pleurait à chaque fois que nous en parlions.

Du moins, je croyais que c'était ce qui la faisait pleurer…

La mère de l'ingénieur surgit dans son salon deux ans plus tard, et le destin de Roshanna en fut bouleversé. Lorsque cela se produisit, j'étais rentrée en Amérique, ayant toujours l'intention de repartir pour l'Afghanistan dès que possible. Roshanna et moi correspondions par Internet. Du jour au lendemain, le ton de ses messages changea radicalement. Elle avait toujours espéré se marier avec un homme issu d'une bonne famille et avoir des enfants : son souhait était sur le point de se réaliser.

J'étais heureuse pour elle et je préférai ne pas évoquer le problème de sa première union. Il paraissait impossible que la famille de l'ingénieur n'en ait pas entendu parler, surtout compte tenu de leur lointaine parenté. Peut-être évoluait-il dans des cercles totalement différents. Ou appartenait-il à une famille progressiste se souciant peu du fait qu'un mufle ait sali sa réputation. Cette famille avait peut-être fait fi des rumeurs et compris que Roshanna serait l'épouse la plus parfaite dont un homme pouvait rêver. J'espérais que c'était le cas.

Avant les fiançailles, il y eut une autre réception, pour célébrer la signature des accords et marquer la fin des négociations familiales. Roshanna m'y convia en tant qu'invitée d'honneur, et, comme je venais de rentrer à Kaboul, j'étais ravie de pouvoir partager ce grand jour avec mon amie. La réception se déroula dans une grande maison des anciens faubourgs de Kaboul. Des hommes et des femmes des deux familles pénétrèrent les uns après les autres à l'intérieur, puis les hommes restèrent en bas tandis que les femmes montaient à l'étage dans une salle au buffet somptueux. Quand la belle-mère arriva, elle donna un panier de bonbons importés à la mère de Roshanna, puis nous embrassa trois fois sur les joues, Roshanna, sa mère et moi, ainsi que les sœurs de Roshanna. Les sœurs du marié et sept tantes et cousines l'imitèrent, à tel point que ma nuque commença à me faire souffrir. Puis la belle-mère passa un collier en or au cou de Roshanna : énorme, comparable aux récompenses que les lutteurs reçoivent à la fin des combats. Chacune des sœurs et des tantes du marié enfila un anneau aux doigts de Roshanna, la couvrant d'or jusqu'à la dernière phalange. J'entendis rire en bas, dans la pièce des hommes, puis applaudir. J'allai sur le palier voir ce qui se passait, mais une des sœurs du marié me ramena en arrière.

— Ils signent les papiers, m'expliqua-t-elle.

Son père tendait probablement au père de Roshanna la grosse enveloppe contenant la dot.

Puis les parentes du marié se mirent à frapper dans leurs mains et à chanter, tandis que l'une d'elles tapait sur un petit tambour. La belle-mère et l'une des belles-sœurs déplièrent quelque chose qui ressemblait à un immense parapluie recouvert d'un filet orné de fleurs. Elles le levèrent, les autres femmes de la famille du marié s'approchèrent en dansant pour prendre les bords du filet, puis elles le placèrent au-dessus de la tête de Roshanna et l'encerclèrent, tout en continuant à chanter et à danser au rythme du tambour. Roshanna se retrouvait au centre d'un joyeux carrousel. La pièce tournait autour d'elle, et elle restait immobile, portant nerveusement la main à ses cheveux, les lèvres pincées, son teint pâle contrastant avec l'arrière-plan formé par les tenues multicolores de sa belle-famille. Au fond de la pièce, sa mère et ses sœurs se serraient les unes contre les autres, contemplant les danseuses d'un air triste.

Si j'avais su alors ce que je sais maintenant, j'aurais compris pourquoi Roshanna avait l'air si désespéré au cours de cette cérémonie. Les mariées afghanes ne sont pas supposées afficher une mine réjouie. De la même façon que ses parents repoussent la première offre de mariage pour montrer combien leur fille est précieuse et gardent l'air sombre pendant toutes les cérémonies du mariage, la jeune fille ne doit pas non plus paraître se réjouir de cette union. Elle doit au contraire montrer combien elle est triste de quitter la maison de ses parents pour celle de son mari. Sa tristesse est un signe de respect envers sa famille. Pourtant, je ne crois pas que toute cette tristesse soit feinte. La mariée quitte l'amour de sa famille pour une existence qui peut lui apporter autant de douleur que de plaisir. Il arrive qu'une belle-mère se transforme en tyran après le mariage, exigeant que la femme de son fils fasse office de domestique, balaie le sol, aille chercher le bois pour le feu et lui frictionne les pieds. Il arrive également que le mari se révèle un despote. Ou qu'il fasse seulement de brèves apparitions à la maison, à l'heure des repas, se consacrant à son travail et à ses amis. L'épouse devra lui servir son repas sans espérer qu'il lui adresse la parole ou lui propose de s'asseoir avec lui.

Quand la danse fut terminée, j'allai rejoindre la malheureuse Roshanna. Je lui pris la main ; j'aurais voulu la protéger, mais je ne pouvais m'empêcher de craindre pour son avenir. Elle me regarda d'un air terrorisé et se pencha vers moi, tandis que sa belle-famille continuait à chanter et à taper dans ses mains.

— Dis-moi que je ne rêve pas, chuchota-t-elle d'une voix rauque. Que vais-je faire ?

Ce fut à cet instant que je devinai son secret. Elle n'était plus vierge.

Cette nuit-là, je ne pus dormir ; j'imaginais par quelles affres elle devait passer. Le lendemain, quand elle arriva à l'école d'esthétique, nous nous précipitâmes vers un endroit tranquille. Elle s'adossa au mur et se mit à pleurer. Ses joues furent bientôt striées de khôl.

— Mon premier mari, celui qui vit en Allemagne, il m'a violée le lendemain de nos fiançailles ! dit-elle d'une voix haletante.

Elle n'avait jamais eu le courage de le dire à ses parents. En Afghanistan, il y a toujours une cérémonie de consommation lors d'un mariage : le couple passe sa première nuit ensemble, tandis que la famille attend à l'extérieur la preuve que la jeune fille était bien vierge. C'est la façon correcte de sceller un mariage, la coutume qu'on respecte depuis toujours. Mais, à la première occasion, son cousin l'avait contrainte à un rapport sexuel rapide, avant de déguerpir.

Roshanna se sentait tellement honteuse qu'elle n'avait même pas osé m'en parler.

Et voilà qu'à présent elle allait de nouveau épouser un homme vivant à l'étranger. Une nouvelle fois, le marié et un représentant de sa famille à elle signeraient le nikakhat lors de la réception de fiançailles, car son mari, qu'elle n'avait toujours pas rencontré, repartirait pour Amsterdam quelques jours plus tard. Il n'avait pas l'intention de revenir en Afghanistan pour le mariage – cela arrive très souvent, aussi étrange que cela paraisse –, et sa famille souhaitait que la cérémonie de consommation se passe juste après les fiançailles.

Au cours des quelques mois qui se sont écoulés après la signature du contrat, j'ai évidemment repensé à tout cela. Mais j'ai fini, suivant l'exemple de Roshanna, par faire comme si cela n'existait pas, car je ne voyais pas de solution miracle. Elle non plus, si elle avait toujours l'intention d'épouser l'ingénieur d'Amsterdam. La famille de celui-ci ne l'accepterait jamais comme première épouse si elle apprenait qu'elle n'était pas vierge. Quand elle venait au salon, nous nous contentions de parler de ses robes pour les fiançailles et le mariage, des mets qui seraient servis, de la liste des invités. Nous abordions des sujets anodins. Nous nous régalions des commérages colportés par mes clientes, qui se dispersaient dans l'atmosphère comme un parfum puissant. Même seules, nous nous interdisions d'évoquer ce qui risquait d'arriver à la cérémonie de consommation. Cette seule pensée me rendait malade.

Le jour des fiançailles est enfin arrivé ; elles seront suivies par la consommation. Dans la pièce principale du salon, je vérifie si les mèches de la belle-mère de Roshanna prennent bien, j'aide les belles-sœurs à choisir un vernis à ongles assorti à leurs robes. Puis je retourne à la salle d'épilation, où les draps sont parfaitement repliés au pied du lit. Je trouve Roshanna dans la pièce consacrée aux soins du visage, livrée, sous le faisceau d'une lampe, au regard attentif de Topekai. Celle-ci lui a déjà épilé un sourcil en lui donnant la forme gracieuse d'un arc, et elle est occupée à éliminer les poils rebelles de l'autre à l'aide d'un fil – une technique ancestrale utilisée par les esthéticiennes afghanes, qui consiste à entourer chaque poil d'un fil. Topekai tient une extrémité du fil dans sa bouche, et le reste autour de ses doigts comme dans un jeu d'enfant. Au coin de l'œil de Roshanna, une larme s'est formée. Topckai lève les yeux au ciel. Elle croit que Roshanna pleure car elle lui fait mal, mais je sais la vérité.

Quand Roshanna descend enfin, son visage est si propre qu'il paraît mis à nu. Les autres femmes applaudissent quand elle entre dans la pièce, heureuses pour elle que sa première épreuve de la journée soit terminée. Elle s'évente le visage et sourit. Bahar se précipite pour aller chercher une cuvette d'eau chaude ; après avoir pris soin des pieds de Roshanna, elle s'occupera de ses mains, tandis que je termine de coiffer la belle-mère. Puis je m'occupe de Roshanna, à qui Basira a lavé et séché les cheveux. Je sépare des mèches avec un peigne à queue et les tire en arrière à l'aide d'épingles à cheveux, avant de plonger la main dans un pot de gel pailleté d'or.

J'en enduis une mèche et je fais une grosse boucle au sommet de sa tête. Tout le salon retient son souffle pour voir si elle va s'effondrer, mais elle ne bouge pas. Je répète l'opération avec d'autres mèches jusqu'à former une masse de boucles scintillantes, comme un tas de bracelets en or. J'arrange ensuite d'autres mèches pour qu'elles s'entrelacent avec les grosses boucles dorées en les faisant tenir avec du gel rouge, vert ou bleu. Chacune vient me faire ses suggestions : pourquoi pas des boucles qui onduleraient sur les joues comme des serpents ? Mais j'ai déjà utilisé toute la chevelure de Roshanna pour faire les grosses boucles au sommet de son crâne : Basira me propose alors de couper quelques mèches de ses propres cheveux pour les coller sur les joues de la mariée. Roshanna refuse.

A la fin, tout le monde s'attroupe autour de moi pour me voir appliquer le maquillage. D'habitude, on enduit le visage de la mariée avec un épais fond de teint blanc mat, presque comme celui d'une geisha, mais je n'aime pas l'effet produit, et d'autant plus aujourd'hui : j'aurais l'impression d'effacer le visage de mon amie. Je me contente d'une couche légère, et je lis dans les yeux de Roshanna qu'elle m'en remercie. J'applique ensuite une ombre à paupières verte assortie à sa robe, que j'estompe sur les tempes. Sous les sourcils, je mets une ombre à paupières pêche nacrée, puis je souligne l'arc de ses sourcils avec un crayon noir en les prolongeant sur le côté.

J'ai peur de trembler pour l'opération suivante, aussi je tends à Basira le flacon de khôl. Elle demande à Roshanna de lécher le bâton à khôl, le trempe dans le flacon et souffle pour chasser l'excédent de poudre. Puis Basira insère le bâton dans le coin intérieur de l'œil de Roshanna, lui demande de le fermer, et elle déplace le bâton de façon qu'il dépose le khôl le long de la paupière inférieure et de la paupière supérieure. Si l'opération se déroule bien, le bâton glisse sur la paupière sans jamais toucher la surface de l'œil. Pendant que Roshanna ferme les yeux, Basira en profite pour lui fixer une paire d'immenses faux cils. Quand elle rouvre les yeux, elle bat des cils si vigoureusement que l'une des belles-sœurs se met à rire.

Ensuite, je souligne les lèvres de Roshanna d'un trait brun-rouge foncé avant de les remplir d'un rouge vif. J'applique encore quelques touches d'un fond de teint plus foncé pour mettre en valeur les contours de son visage, ainsi qu'un peu de blush, avant de reculer pour juger mon travail. La belle-mère prend Roshanna par le menton et l'inspecte. Elle est satisfaite, mais s'interroge pour savoir s'il ne faudrait pas une ligne de strass juste sous les sourcils de Roshanna, comme elle l'a vu sur une autre mariée quelques semaines auparavant. Non, lui disent ses filles, ce serait trop. Roshanna est bien ainsi. Je me dépêche alors d'aller me maquiller à mon tour et me changer.

Bientôt, j'entends klaxonner à l'extérieur et des hommes crier ; le gardien de la résidence vient frapper à la porte du salon. Nous sortons regroupées comme un essaim autour de Roshanna, les sœurs du marié protégeant de leurs mains la couronne de boucles, la belle-mère soulevant le bas de la robe pour qu'elle ne traîne pas dans la poussière, tout en prenant garde qu'on ne voie pas ses jambes. Les cousins du marié montrent fièrement la voiture nuptiale. Ils ont passé la journée à la décorer avec du tissu et des fleurs, si bien qu'elle ressemble à une énorme pièce montée. Roshanna et les femmes de la famille du marié s'entassent dans la voiture et m'invitent à les rejoindre.

A peine entrées dans la salle de réception, la mère du marié et ses sœurs emmènent Roshanna poser pour les photos. La pièce qui sert de studio a un néon aveuglant au plafond, et j'ai du mal à distinguer mon amie parmi tout ce brillant, cet or et ces paillettes. Le photographe la mitraille sous tous les angles. Il veut qu'elle prenne un air à la fois innocent et séduisant, comme les stars de cinéma des années 1940 ; la seule différence est que ses sœurs aînées, en nage, tiennent un coran au-dessus de sa tête. Roshanna aperçoit une de ses sœurs à côté de moi : elle nous fait une grimace, puis joint les mains sous son menton et affiche un sourire ébloui, à la manière des héroïnes des films de Bollywood, si populaires en Afghanistan.

— Faut-il que je me mette à chanter ? demande-t-elle en plaisantant, car c'est ce que font les stars de Bollywood aux moments les plus imprévisibles.

Le photographe pose ses appareils et se met à crier : il veut qu'elle prenne l'air hautain qu'ont les mannequins dans les magasins.

L'homme de l'art termine enfin et commence à ranger son équipement. Roshanna ne le quitte pas des yeux, comme si elle était désolée que ce moment de distraction soit passé. Ses sœurs et sa mère s'affairent autour d'elle, puis une de ses sœurs ouvre la porte menant à la salle de réception, et on entend le brouhaha des invités. Roshanna tourne son visage livide vers moi.

— Viens avec moi, supplie-t-elle en me tendant la main.

Je m'approche et prends sa main tremblante. Nous franchissons la porte.

La pièce brille de tant de feux que j'en ai la tête qui tourne. D'immenses lustres déversent des larmes de cristal sur des centaines de femmes vêtues comme des mannequins glamour. Velours, brocarts d'or, glands, perles et soie brodée rivalisent sur une même robe. Tandis que nous progressons sur une longue allée de tissu blanc menant à une arche parsemée de roses, je découvre un autre visage des femmes de Kaboul, elles que l'on voit au quotidien habillées comme pour un enterrement. Ici, elles ne reculent devant rien pour mettre leurs formes en valeur, avec des jupes fendues, des décolletés plongeants et des talons d'une hauteur vertigineuse. J'apprendrai plus tard que c'est là que de nombreuses femmes trouvent des épouses pour leurs fils ; ce jour-là, je suis tout simplement éblouie par le spectacle. Comme le sont les femmes qui filment la foule en panoramique et incitent chaque table à prendre la pose et à sourire. L'une d'entre elles marche à reculons juste devant nous avec une caméra de la taille d'un tronc d'arbre : je souris comme si j'étais une star chargée de présenter les Oscars. Roshanna garde les yeux baissés ; sa mère et ses sœurs nous suivent et jettent des pétales de rose sur notre passage. L'une des sœurs de Roshanna tient toujours un coran au-dessus de sa tête, mais elle faiblit dangereusement, et le coran n'est pas loin d'aplatir les boucles de Roshanna. Sur le côté, un orchestre joue.

Quand nous sortons de l'arche, je constate que la pièce est divisée en deux par un immense rideau – toutes les femmes étant de ce côté, j'en déduis que tous les hommes doivent être de l'autre. Comme pour m'en apporter la preuve, un homme passe la tête par une fente du rideau et regarde les femmes avec lubricité, mais on le tire en arrière et le rideau retombe. Nous nous dirigeons vers une estrade dressée sur le côté de la salle, où sont installés deux fauteuils dorés, semblables à des trônes. Sur une table devant eux repose un coffret à bijoux ; un projecteur est braqué sur les fauteuils. Tandis que nous approchons de l'estrade, le rideau frémit, et un homme surgit. Eblouie par tant de lumière, j'ai du mal à distinguer ses traits.

— Je crois que c'est le marié, dis-je à Roshanna, qui garde les yeux baissés.

Nous continuons à marcher vers l'estrade, portées par le brouhaha de la foule et l'orchestre qui marque le rythme ; Roshanna tremble tellement qu'il devient difficile de lui tenir la main.

Enfin, les traits de l'homme sur l'estrade se précisent ; son visage est pâle et hébété. Soudain, la belle-mère se matérialise à nos côtés et fait monter Roshanna sur l'estrade. Elle prend la main du marié et la met sur celle de Roshanna, qui tressaille comme si cette main était brûlante. Puis tous les membres de la famille montent sur l'estrade, et je cède la place à la foule des photographes. Des flashs crépitent, des caméras ronronnent, et tous se bousculent pour obtenir le meilleur angle. Je me hisse sur la pointe des pieds pour voir comment Roshanna supporte tout cela, et je résiste à l'envie de crier : « Souris ! » Mais elle garde un air triste, comme les autres membres de sa famille. Le mari n'a pas l'air très gai non plus. Il paraît sonné, comme si quelqu'un l'avait frappé quelques minutes auparavant et qu'il venait d'être tiré de sa torpeur par les photographes.

Puis les mères font descendre les fiancés de l'estrade et les conduisent à travers la foule jusqu'à une porte au fond de la pièce. Des femmes assises aux tables voisines se lèvent pour me faire signe de venir m'asseoir près d'elles.

J'interroge une femme avec un bijou en strass dans les cheveux car elle semble parler un peu anglais.

— Où sont-ils partis ?

— Ils font connaissance, répond-elle. Et les membres de la famille en font autant.

— Vont-ils revenir ici pour dîner ?

— Non, pas devant tout le monde. C'est leur premier repas en tant que mari et femme.

L'orchestre se remet à jouer. Les femmes se lèvent pour voir la mère du marié et ses sœurs s'avancer sur la piste de danse. Elles exécutent des pas gracieux, comme les motifs d'un kaléidoscope s'assemblent et se séparent. Parfois, la mère est au centre, son corps massif couvert de pourpre et étonnamment léger. Puis c'est au tour des filles de prendre sa place, et elles dansent en ondulant des hanches, les bras tendus sur les côtés, leurs innombrables bracelets tintinnabulant et scintillant dans la lumière. La famille de Roshanna reste assise à l'écart, visages tristes contrastant avec la gaieté ambiante.

Puis la musique change et la danse devient plus suggestive. Les sœurs du mari se déhanchent avec ardeur et se passent les mains sur le visage en mimant le plaisir sexuel. Même la mère se prend au jeu et les imite pendant quelques mesures ; ma voisine de table insiste pour que je les rejoigne. Jamais je n'aurais cru ces femmes capables de ce genre de danse, elles qui se hâtent dans les rues de la ville – quand par chance elles sont autorisées à sortir – drapées de couleurs sombres, le regard baissé. Elles se secouent, se cambrent et jettent leurs hanches en avant. Celles qui ont les cheveux longs les font tournoyer, s'en drapent le visage, puis les écartent pour révéler une bouche entrouverte et un regard de braise. Leurs bras ondulent, leurs mains bougent comme si elles caressaient un amant. Elles dansent ensemble, puis se séparent, mais quand elles se retrouvent, elles effleurent les hanches de l'autre, se baissent jusqu'au sol, et se relèvent en se frôlant. Dans la foule, j'aperçois des hommes qui tiennent des femmes par la taille, les font tournoyer et se pressent contre elles. Je me demande si la police ne va pas envahir la salle et les arrêter pour avoir enfreint la séparation des sexes. En réalité, ce ne sont pas des hommes, mais des femmes habillées en hommes, qui se conduisent comme des hommes, à la place des hommes.

Je quitte la piste de danse, car ce spectacle devient presque difficile à supporter. Un autre homme a passé la tête par le rideau. Comme cela devait arriver, une grande main apparaît pour le saisir par les cheveux et le faire reculer, mais cela attise ma curiosité. Je m'approche du rideau et me ménage un espace pour regarder. L'ambiance est aussi déchaînée de l'autre côté, et je sens l'odeur puissante de la transpiration masculine. Les hommes dansent ensemble, faisant onduler leurs bras, balançant leurs hanches, et bougent leurs pieds frénétiquement tout en caressant le corps de leur partenaire. Stupéfaite, j'écarte un peu plus le rideau pour mieux voir.

Les hommes n'éprouvent visiblement aucune réticence à se toucher, à danser ensemble. Ils semblent parfaitement à l'aise entre eux et n'hésitent pas à prendre des poses suggestives. Je me demande ce qui arriverait si les deux côtés de la salle étaient rassemblés, et si des hommes et des femmes parvenaient à s'éclipser ensemble, mais soudain je n'ai plus le temps de m'interroger. Des hommes m'ont vue épier par le rideau et ils l'ouvrent en grand. Je me retrouve penchée en avant, comme prise dans une guillotine. J'ai l'impression que tous les hommes se retournent pour me regarder et crient. Toute rouge, je bats en retraite.

Du côté des femmes, la danse a commencé à ralentir, car le repas s'annonce. Chaque table, couverte d'une nappe rouge, est prévue pour une vingtaine de personnes, mais les mets qu'on apporte pourraient en nourrir au moins quarante. Tranches de kebabs en piles, pâtes farcies de poireau et nappées de sauce à la viande, bols remplis de toutes les préparations possibles à base d'aubergines, riz aux noix et aux raisins. Le service me semble interminable, les plats arrivent sans arrêt : la famille doit s'assurer que personne ne quitte la fête sans être gavé. Il n'y a pas de couverts sur la table, tout le monde mange avec les doigts. J'admire la façon dont les femmes parviennent à manger sans laisser échapper la moindre goutte de sauce ou le moindre grain de riz. Un filament de chou trempé dans le yaourt atterrit sur mes genoux ; je m'en débarrasse promptement, mais la nourriture ne cesse de tomber sur mes vêtements, à tel point que quand les serveurs viennent enlever les assiettes, je ne me sens pas rassasiée ! Dès que les plats ont disparu, les femmes autour de moi se lèvent, m'embrassent et commencent à partir.

Je me demande comment je vais rentrer chez moi, lorsqu'une sœur de Roshanna se précipite dans ma direction. Roshanna veut que je me joigne aux invités d'honneur et à la famille du marié pour aller chez ses parents. Nous sortons et nous entassons de nouveau dans la voiture nuptiale au côté d'une Roshanna en état de choc et de six femmes en robes étroites et talons hauts. Quand nous démarrons, une voiture derrière nous klaxonne, se range à notre hauteur, et un homme avec un Caméscope se penche par la vitre du passager. Une course folle commence alors car notre chauffeur essaie d'empêcher l'autre véhicule de rouler à côté de nous. Nous fonçons à toute vitesse dans les rues de Kaboul, les piétons et les cyclistes s'écartent, les pneus crissent dans les virages. Nous dépassons un autobus et, j'ose à peine en croire mes yeux, nous empruntons un sens interdit, en roulant à moitié sur le trottoir. Nous évitons de justesse un paisible buffle couvert de poussière près d'un groupe d'hommes en pleine dispute. Le chauffeur se vante d'avoir semé l'homme à la caméra, mais, au détour d'un virage, ils se retrouvent face à face. Le cameraman se penche tellement par la vitre que je suis certaine qu'il va tomber, pourtant il parvient à ses fins : il filme notre chauffeur en train de reculer frénétiquement au beau milieu de la circulation tandis que toutes les femmes à l'arrière de la voiture hurlent de rire, sauf Roshanna. La conduite à Kaboul n'est jamais une promenade de santé, croyez-moi, mais j'ai bien cru que notre dernière heure était arrivée.

Sur le seuil de la maison, nous ôtons nos chaussures, puis nous entrons dans le salon. Roshanna et son mari prennent place sur les deux seuls fauteuils, et nous nous installons sur les coussins. Je fais un signe à Roshanna et lui souris, mais elle ne me répond pas. Son mari et elle sont assis très droits, imperturbables, comme des mannequins. La sœur de Roshanna me prend par le bras et me conduit jusqu'à elle, tapote un coussin, et je m'assieds près de mon amie, qui me jette un regard avant de se perdre à nouveau dans le vague. Je ne reconnais pas ma Roshanna dans cette femme aux yeux morts et à la posture rigide. Mais je sais que la cérémonie de la consommation approche : la peur la paralyse. On dirait qu'elle ne respire même plus.

On nous sert du thé et des gâteaux. Les invités bavardent entre eux. Mon dari – le dialecte persan parlé en

Afghanistan – n'étant pas suffisant, je ne peux pas les comprendre, et la seule personne dans la pièce parlant anglais, en l'occurrence Roshanna, reste muette. Puis la famille du mari et les amis commencent à partir par petits groupes, et je me lève, à la fois soulagée que cela soit terminé et culpabilisée à la pensée de quitter mon amie. Une nouvelle fois, sa sœur se cramponne à moi. Elle secoue la tête en parlant. Sa mère s'approche également et me tire par le bras. Je ne comprends pas ce qui se passe, jusqu'à ce que Roshanna se tourne vers moi.

— S'il te plaît, reste, chuchote-t-elle en posant ses doigts froids sur mon poignet.

La mère de Roshanna se tourne vers les mariés. Elle leur fait un signe et ils se lèvent, mais Roshanna prend son talon dans le coussin et trébuche. En suivant sa mère dans le couloir, Roshanna marche d'un pas mal assuré. Elle heurte le mur, comme si elle avait bu. Pourtant la loi musulmane a été parfaitement respectée : on n'a pas servi d'alcool au cours de la réception. Quant à moi, je songe avec nostalgie à la bouteille de Johnnie Walker Red qui m'attend chez moi. J'entends une porte claquer à l'arrière de la maison, puis on me conduit avec quatre autres femmes jusqu'à une chambre d'invités. Nous nous allongeons sur les coussins, dans nos vêtements de fête, et, l'une après l'autre, les femmes s'endorment. Je reste éveillée la dernière. Je guette le moindre bruit dans le couloir, mais tout est tranquille. Malgré mes craintes, je finis par m'endormir.

Quelqu'un me secoue pour me réveiller. La mère de Roshanna est debout près de moi, agitant un mouchoir blanc ; sa longue natte brune se balance au-dessus de ma tête. Elle parle à toute vitesse en serrant le coran contre sa poitrine. De temps en temps, elle s'interrompt et couvre le saint livre de baisers. Une sœur de Roshanna fait une grimace et tente de m'expliquer.

— Pas de sang, chuchote-t-elle.

Je me souviens que le mouchoir taché de sang est supposé constituer la preuve de la virginité de Roshanna.

La mère de mon amie continue à parler à toute vitesse, puis elle me prend la main et glisse le mouchoir dans mon poing serré. La sœur de Roshanna et elle m'entraînent dans le couloir, malgré ses protestations. Elles ouvrent la porte de la chambre nuptiale : dans une quasi-obscurité, je distingue Roshanna accroupie sur un coussin contre un mur. Son mari est assis sur le lit, il détourne le visage. La mère de Roshanna entraîne sa fille hors de la pièce et referme la porte, me laissant seule avec le mari.

— Cela ne marche pas, dit-il soudain en anglais.

Je ne suis pas certaine de bien comprendre ce qu'il veut dire ; il paraît troublé, pas courroucé. A-t-il du mal à avoir une érection ? La pénétration est-elle douloureuse pour elle ? Bien qu'il ait quarante ans, se peut-il qu'il ne sache pas comment s'y prendre ? Qu'à force d'entendre répéter que le sexe est sale et honteux, il n'ait jamais eu de relation avec une femme ? Toutes ces questions me dépassent, n'en déplaise aux Afghans, qui pensent que les Américains ont le pouvoir de tout résoudre. Je tente une approche.

— Parfois cela ne saigne pas, même lorsque la jeune fille est vierge, dis-je. Il suffit qu'elle travaille trop dur ou qu'elle soit tombée dans l'escalier, pour qu'il n'y ait pas de sang.

Il acquiesce en gardant son regard sombre fixé sur le sol. Je poursuis :

— Parfois, il est difficile d'avoir des relations quand la jeune fille est nerveuse. Il faut s'y prendre avec douceur, la caresser très doucement pour qu'elle puisse se détendre.

Il ne dit rien. Je ne veux pas lui montrer les parties du corps où il devrait la toucher. Je me contente de me caresser le bras en ajoutant, dans un effort désespéré pour me faire comprendre :

— Comme quand vous caressez un chien qui a peur.

C'est la seule chose qui me soit venue à l'esprit, mais il me jette un drôle de regard. C'est alors que je me remémore ce que m'a dit un ami afghan : les musulmans n'aiment pas les chiens, car l'un d'eux aurait mordu le Prophète.

— Je sais tout cela, dit-il, pris d'une soudaine agitation. Mais cela ne marche pas.

Puis la mère de Roshanna frappe à la porte, et elle ramène sa fille dans la pièce. Elle lui lisse les cheveux puis me sourit comme si j'avais tout arrangé.

— Au revoir, au revoir ! dit-elle en me poussant hors de la pièce.

L'une des sœurs me reconduit à la chambre d'invités tandis que la mère s'installe devant la porte de la chambre nuptiale.

Dans la chambre d'invités, les femmes se sont réveillées et m'attendent. Je suis sûre qu'elles se damneraient pour avoir un dictionnaire dari-anglais afin de pouvoir me questionner. Je me contente d'agiter la main comme si le problème survenu au bout du couloir était insignifiant, puis je reprends place sur mon coussin. Je les ignore jusqu'à ce qu'elles se taisent et s'endorment ; puis je m'endors à mon tour. Mon sommeil est agité : je me retrouve dans la voiture en route pour le mariage et le chauffeur emboutit tous les véhicules sur son passage.

De nouveau, on me secoue. C'est encore la mère de Roshanna, qui agite le mouchoir immaculé, embrasse le coran, le serre contre sa poitrine, tout en se balançant d'avant en arrière. Elle gémit, pleure et nous parle à toute vitesse, à moi et à ses filles. En l'entendant, elles me pressent une nouvelle fois de me lever. La mère paraît encore plus terrifiée que la fois précédente. J'ignore combien d'essais seront accordés à Roshanna avant que le mari décide que sa famille a été trompée, qu'elle n'est pas vierge, et représente une source de honte et d'humiliation. J'essaie de me comporter comme si cela n'était pas grave, comme si le couple avait simplement besoin de quelques conseils supplémentaires.

— Laisse-moi parler à Roshanna seule à seule, dis-je au mari.

Il quitte la chambre, et je prends mon amie dans mes bras. Elle frissonne.

— J'ai peur, murmure-t-elle. Je souffre tellement quand il entre en moi que je m'écarte. Je ne peux pas m'en empêcher.

— Essaie de te décontracter, lui dis-je. Respire lentement. Cela fera moins mal si tu réussis à te détendre.

Puis je lui donne le conseil que tant de femmes qui n'apprécient pas l'acte sexuel mettent en pratique : couche-toi, écarte les jambes et pense à autre chose. Je lui assure qu'après deux ou trois fois elle ne sentira plus rien et que, comme moi, elle finira même par y trouver du plaisir. Elle me regarde comme si j'essayais de la convaincre qu'elle finira un jour par aimer manger du verre.

— Encore une chose, lui dis-je. Si cela se reproduit, demande à me parler. Mais cette fois, ne laisse pas ta belle-mère prendre le mouchoir.

Puis je l'embrasse et m'éloigne. Je regarde ma montre : les beaux-parents reviendront après l'appel à la prière du matin. Ils s'attendront à voir du sang sur le mouchoir.

Cette fois, je ne parviens pas à dormir. Comme prévu, la mère de Roshanna revient dans la pièce au bout d'une demi-heure, en pleurant, en embrassant le coran et en m'implorant de parler une nouvelle fois à sa fille. Cette fois, je suis prête, mon sac est caché sous ma robe. De retour dans la chambre nuptiale, je demande à Roshanna le mouchoir blanc et je sors une pince à ongles de mon sac.

— Que vas-tu faire ? demande-t-elle.

Je serre les dents et m'entaille le doigt sous un ongle jusqu'à ce que le sang apparaisse. Je l'essuie soigneusement avec le mouchoir, que je lui tends.

— Voilà la preuve de ta virginité, lui dis-je. Cache-le sous ton coussin et sors-le la prochaine fois qu'il te pénètre.

De retour dans la chambre d'invités, je m'endors ; lorsque je me réveille, le ciel commence à pâlir. La maison est en plein chaos. J'entends la mère de Roshanna gémir et crier. Les portes claquent, les gens se rassemblent dans le couloir, tout le monde parle en même temps. Je m'arrache à mon coussin en titubant, terrifiée à l'idée que le mari ait découvert le mouchoir ensanglanté ou qu'il lui ait trouvé quelque chose d'anormal.

Je me précipite dans le couloir : la mère de Roshanna pousse des cris de joie.

— Vierge ! me hurle-t-elle d'un air triomphant en agitant le mouchoir taché de sang. Vierge !

2

Je suis partie pour l'Afghanistan en mai 2002, le premier printemps après la chute des talibans. Je ne me doutais pas que, près de cinq ans après, j'y serais encore, occupée à faire des permanentes en spirale et à populariser l'art d'épiler le pubis. Deux mois avant le 11 Septembre, j'ai suivi une formation aux secours d'urgence, dispensée par une organisation humanitaire non gouvernementale, la fondation Care for All. Je les ai ensuite persuadés de me laisser partir avec la première équipe envoyée par l'organisation en Afghanistan. Je pensais y passer un mois à panser des blessures, à poser des attelles, à escalader les ruines et à aider des gens encore cachés par peur des talibans. En prévision de ce voyage, je fis l'acquisition de ma première paire de bottes militaires dans un surplus de l'armée. J'allais certainement être logée sous la tente et ne jamais pouvoir prendre de douche ; la moitié de ma valise fut remplie de lingettes afin de me permettre de faire ma toilette tous les jours derrière un arbre.

Mais rien ne se passa comme je l'avais prévu.

Je fis la connaissance de mes coéquipiers à l'embarquement de l'aéroport de Chicago, grâce aux petits chapeaux rouges qu'on nous avait demandé de porter pour nous repérer. Nous prîmes un avion à destination du Pakistan et, de là, un vol des Nations unies pour Kaboul. Je passai le plus clair du voyage à dormir, à lire et à regarder par le hublot, sans rien voir, la plupart du temps, à cause des nuages, sauf à quelques reprises quand nous survolâmes des montagnes. Les sommets surgissaient, pareils à des dents abîmées, et l'avion paraissait soudain fragile dans cet environnement hostile. Quand il entama sa descente vers Kaboul, nous nous pressâmes tous aux hublots pour voir ce qui nous attendait. Nous découvrîmes la vaste cuvette entourée de montagnes où se trouve la ville, une immense plaine verte – mille huit cents mètres au-dessus du niveau de la mer – avec de grandes zones habitées aux formes irrégulières. A cette hauteur, on ne pouvait pas encore distinguer les cicatrices de la guerre. On aurait dit que Kaboul était faite de cases, comme une grille de mots croisés.

Quand nous touchâmes enfin le tarmac, cette vision verdoyante s'évanouit. Je ne voyais même plus les montagnes tellement il y avait de poussière dans l'air. Je découvris autour de l'aéroport un spectacle de désolation. Des deux côtés de la piste, le sol était parsemé de trous provoqués par les bombes et les mines. On aurait dit des ampoules qui avaient éclaté, mettant la chair à vif. A proximité s'étendait aussi un immense cimetière de tanks et d'avions déchiquetés au combat. Sur la façade du principal bâtiment de l'aéroport, une pancarte qui semblait peinte à la main disait : BIENVENUE EN AFGHANISTAN. Le bâtiment en question paraissait pourtant ne pas avoir accueilli de visiteurs depuis de nombreuses années : les vitres étaient brisées, les briques marquées par les combats, et des tas de gravats s'amoncelaient à l'extérieur.

Avant d'emprunter la passerelle pour descendre de l'avion, toutes les femmes se couvrirent la tête avec les foulards qu'on nous avait recommandé d'apporter. Au sol, nous passâmes devant des rangées d'hommes à l'air rébarbatif, armés de mitraillettes. Devant un tel accueil, on aurait pu croire que nous étions prisonniers. Je m'efforçai de me redresser – je souffrais du dos après ces deux jours de voyage – et je suivis les autres volontaires à l'intérieur du bâtiment. Je n'avais pas peur. Les gens me demandent toujours si je m'inquiétais de l'accueil que nous réserveraient les Afghans. Allaient-ils nous aimer parce que les Etats-Unis avaient chassé les talibans ou nous détester pour avoir bombardé de fond en comble leur capitale et la campagne environnante ? Allaient-ils partager le fanatisme qui avait conduit les terroristes du 11 Septembre à tuer trois mille personnes à New York, ou le redoutaient-ils encore plus que nous ? Pas un seul instant je ne pensai à cela. J'étais trop excitée de me retrouver là, et j'essayais de ne pas perdre le groupe.

A l'intérieur de l'aéroport régnait un chaos total. Une foule de gens étaient agglutinés autour d'un homme qui vérifiait les passeports, juste avant le retrait des bagages. Une fois cet obstacle franchi, nous constatâmes que nos sacs et notre équipement étaient jetés en tas par des hommes coiffés de longues bandes de tissu nouées en turbans qui avaient la forme de champignons. Des hommes et des jeunes garçons se pressaient autour de nous en nous proposant leurs services pour porter les bagages, mais nos chefs de groupe nous avaient recommandé de nous charger chacun de nos propres sacs et d'éviter les porteurs. Quand trois hommes se précipitèrent sur mon bagage, je secouai la tête. Ils reculèrent, déçus mais respectueux. Je dois dire que jamais, au cours de mes différents séjours dans le pays, je n'ai rencontré d'Afghans grossiers. Même quand ils vous mettent en joue avec un fusil, ils restent polis.

A l'extérieur, une camionnette avec un chauffeur nous attendait. Avant que nous puissions partir, un homme armé d'une mitraillette – il y en avait aussi beaucoup devant l'aéroport – s'adressa au chauffeur en secouant la tête. Je retins mon souffle, me demandant s'il allait nous empêcher de démarrer, mais, quelques minutes après, nous empruntions la chaussée accidentée partant de l'aéroport.

— Pourquoi secouait-il la tête ? demandai-je au chauffeur. En Amérique, cela veut dire non.

Ma question le fit sourire.

— Ici, cela veut dire : « D'accord, allez-y. »

Ma première impression de Kaboul fut celle d'une ville grise. Les murs en ruine, les maisons de brique, jusqu'aux vêtements des gens et au ciel chargé de poussière, tout semblait être de la même couleur. Les routes elles-mêmes étaient de longues bandes de boue grise, avec quantité de trous, des tas de pierres et de terre, et quelques rares zones plates. Toutefois, sur ce fond de gris, des taches de couleurs vives commencèrent à apparaître. Quand nous fûmes sortis de l'aéroport, la rue devint commerçante. Les deux côtés étaient aussi encombrés l'un que l'autre, avec des boutiques bricolées à partir de vieux containers – comme ceux qu'on voyait sur les trains de marchandises aux Etats-Unis –, d'autres à partir de camions brûlés, d'autres de toile goudronnée déployée sur des piquets en bois ou en métal. Même les boutiques les plus misérables arboraient des enseignes multicolores à leur fronton, avec leur nom écrit dans l'élégante écriture dari, si fluide, et, de temps en temps, une enseigne supplémentaire en anglais. Les premiers magasins vendaient du matériel tel que des pneus, des tuyaux en fer-blanc, de gros rouleaux de bourre de coton... Les toits étaient surchargés d'objets aussi divers que des pièces de voiture ou des cruches en plastique.

Puis nous tournâmes dans une rue où toutes les boutiques proposaient des denrées alimentaires. Notre chauffeur zigzagua pour éviter un groupe d'hommes âgés qui discutaient au milieu de la chaussée et frôla un énorme mouton mort, pendu à la devanture d'une boutique, dont la peau et la tête gisaient sur le sol. A côté, un mouton bien vivant était attaché par une corde. J'imagine que le pauvre animal devait prier pour que les gens se contentent de son frère couvert de mouches. Au long des rues, des charrettes peintes de couleurs vives transportaient des fruits et des légumes d'une grosseur extraordinaire. Avez-vous jamais vu des choux-fleurs de la taille d'un ballon de basket ? Ou des melons si gros qu'il faut deux personnes pour les porter ? Certaines boutiques présentaient de grands bacs en plastique blanc contenant des épices et des noix disposées en cônes rouges, dorés, marron, et d'autres, des centaines de marchandises suspendues au plafond telles des raquettes pour la neige. Je compris plus tard qu'il s'agissait du pain plat que les Afghans mangent à tous les repas. Nous longeâmes des magasins qui vendaient des produits en boîtes, en cartons et en sacs pleins de couleurs, disposés de façon tellement artistique que les échoppes paraissaient pleines de paquets cadeaux. Nous n'étions pas là pour faire des courses, mais j'aurais aimé que le chauffeur s'arrête un instant afin que je puisse flâner. Un homme secouait quelque chose dans une grande poêle au-dessus d'un feu : l'odeur du maïs grillé pénétra dans le véhicule. Je m'aperçus que je mourais de faim.

Si les Afghans multiplient les touches de couleur dans leur environnement, eux-mêmes n'en portent guère. Nous dépassâmes des gens à pied, à bicyclette, entassés dans des charrettes, dans des voitures ; plusieurs jeunes gens nous surprirent en s'avançant à cheval, au petit galop, entre les files de voitures. Les seules tenues qui ressortaient étaient les burqas bleues recouvrant les femmes. Elles tranchaient sur le flot noir, blanc, gris et marron constitué par les hommes. La plupart du temps, des enfants étaient accrochés à leurs plis bleus. A part quelques rares silhouettes en burqas, il y avait très peu de femmes dans les rues. Dans les artères très animées, des centaines d'hommes marchaient, poussant des brouettes, marchandant, avec de longs tapis roulés en équilibre sur leurs épaules, hélant les clients, humant des bananes, palpant des grenades, hochant la tête en pleine conversation, mangeant du kebab, tout en nous regardant passer, mais hormis quelques rares touches de bleu, il ne semblait y avoir aucune femme. Constater ainsi l'absence des femmes dans la vie publique me fit froid dans le dos.

Le chauffeur tourna dans une rue où la plupart des bâtiments avaient été détruits. Certains étaient toujours occupés, du moins au rez-de-chaussée. Nous dépassâmes un immeuble occupé en bas par un commerce très animé de casseroles en métal, par un entrepôt au premier étage, et des piles chancelantes de briques au second. De plus en plus de terrains vides s'étendaient entre les bâtiments. Je me demandai pourquoi tant d'enfants jouaient sur les trottoirs plutôt que dans ces espaces libres. J'appris ensuite que ces terrains n'avaient pas encore été débarrassés des mines. Les terribles engins de guerre gisaient toujours là, à quelques centimètres sous terre.

Bientôt, nous laissâmes les boutiques et la foule derrière nous. Nous progressions dans des rues accidentées qui ressemblaient plutôt à des gorges – de chaque côté, les bâtiments étaient entourés par de hauts murs de brique nue, ou enduite de stuc ou de ciment. Les petites cases aperçues depuis l'avion étaient ces résidences cernées de murs. Le seul détail qui semblait les différencier était leurs portes métalliques peintes de couleurs variées, unique note de fantaisie dans un environnement gris. Certains murs étaient surmontés de rouleaux de fil barbelé, dont beaucoup avec quantité de trous, comme s'ils avaient été attaqués par des rapaces : ils avaient dû subir des tirs pendant les combats. On voyait partout des morceaux de papier qui voltigeaient, avec des portraits à l'encre noire d'hommes barbus à l'air sévère. De nombreuses résidences comportaient de petites cabanes sur la rue, de la taille d'une cabine téléphonique, avec des gardes armés de mitraillettes. On ne distinguait rien derrière les murs, sinon parfois des toits, ou des arbres avec des lambeaux de tissu de couleur accrochés aux branches ; quand l'une de ces grandes portes métalliques était ouverte, on apercevait des jardins et des voitures dans les cours intérieures. Notre chauffeur s'arrêta enfin devant une résidence entourée de murs : il klaxonna et la porte s'ouvrit. Je n'allais pas coucher sous la tente, comme je le croyais, mais dans une maison d'hôtes, réservée aux équipes d'humanitaires étrangers et aux bénévoles.

Quand nous fûmes installés, je pus enfin faire connaissance avec mes six camarades de groupe, tous des gens charmants, exerçant des professions médicales. Il y avait trois médecins, une infirmière, une sage-femme et un dentiste. Certains avaient l'expérience des urgences humanitaires. Ils devaient se demander pourquoi la fondation avait cru bon d'envoyer avec eux une coiffeuse. Je commençais d'ailleurs à me le demander aussi. Les jours suivants, tandis que mes compagnons débattaient des problèmes de santé les plus urgents qui se posaient dans la ville et envisageaient d'ouvrir une clinique, j'essayai de me rendre utile. La première occasion qui se présenta fut de faire la lessive pour tout le monde. Quand ils ouvrirent des consultations temporaires – trouver une maison à louer pour y installer une clinique n'était pas chose facile –, je les accompagnai pour prendre la tension des malades.

Un jour, une femme de l'équipe vint me dire qu'elle avait du travail pour moi. Je me sentis aussitôt tout excitée. La mission consistait à préparer des pancartes de bienvenue pour les nouveaux membres de l'équipe qui n'allaient pas tarder à arriver ! Frustrée, je finis par penser que je n'aurais jamais l'occasion de faire quelque chose de vraiment utile. Heureusement, pendant que mes compagnons s'efforçaient de sauver des vies, j'avais commencé à me lier d'amitié avec les Afghans employés dans le complexe. L'adorable jeune fille qui m'aidait à me procurer de l'eau chaude et des cartes de téléphone pour appeler chez moi s'appelait Roshanna ; le bel homme timide qui conduisait la camionnette, Daud.

Au bout de quelques jours, nous nous rendîmes à une réunion organisée avec d'autres étrangers vivant à Kaboul, certains depuis des années. Quand nous arrivâmes à bord de la camionnette, notre chef de groupe nous recommanda de sortir rapidement du véhicule et de nous précipiter dans le bâtiment. Il était inutile d'attirer l'attention sur cette réunion d'étrangers, cible rêvée pour tout partisan des talibans resté en ville. Cent cinquante personnes au moins se pressaient à l'intérieur, occupées à manger des petits gâteaux, à échanger des cartes de visite et à se raconter les projets auxquels elles participaient. En les écoutant, je constatai avec amertume que tous étaient dotés d'une formation spécifique répondant à un besoin urgent dans ce pays. Depuis la chute des talibans, des centaines d'étrangers et des dizaines d'organisations non gouvernementales – les unes importantes comme la Croix-Rouge, d'autres plus petites comme la fondation Care for All – étaient arrivés. Autour de moi, des gens se présentaient comme étant professeurs, ingénieurs, nutritionnistes, agronomes ou experts dans les domaines les plus variés. J'étais la seule coiffeuse.

Vers la fin de la réunion, on demanda à Allen, notre chef de groupe, de présenter l'équipe. Il se leva et exposa à l'assistance le projet de la fondation : l'ouverture d'une clinique de soins. Une salve d'applaudissements salua son discours. Il fut également applaudi quand il offrit les services de l'équipe aux Occidentaux présents dans la salle. Certains souffraient depuis des mois de caries qui attendaient d'être soignées, d'éruptions mystérieuses qui refusaient de disparaître et de maladies diverses qu'ils n'avaient pas pu enrayer. Il présenta ensuite à tour de rôle les membres de notre équipe. L'assistance applaudit à chaque nom. Quand mon tour arriva, Allen m'adressa un grand sourire, comme pour m'assurer qu'il n'allait pas m'oublier.

— Et, pour finir, voici Debbie Rodriguez, dit-il. Elle est coiffeuse à Holland, Michigan, et a reçu une formation...

La salle ne le laissa pas finir sa présentation : elle éclata en applaudissements. Certaines femmes sautaient de joie. Une bonne moitié des gens touchaient leurs cheveux avec soulagement. Allen hésita, puis termina en parlant de la clinique. La réunion ne tarda pas à s'achever. Aussitôt, je me retrouvai assaillie.

— Quelle chance de vous avoir parmi nous ! s'exclama la femme qui s'était approchée de moi la première. Il n'y a pas un seul coiffeur convenable à Kaboul.

Nous avons risqué notre vie pour nous faire faire des mèches, dit une autre. Un jour, j'ai conduit pendant dix heures en empruntant la passe de Khyber pour me faire coiffer au Pakistan. J'avais d'autres courses à y faire, mais j'y allais en priorité pour ça.

Je m'étonnai.

— Il n'y a pas d'instituts de beauté à Kaboul ?

— Je crois qu'il y en avait beaucoup avant les talibans, dit la première femme. Ils les ont pratiquement tous supprimés. Il paraît que certains rouvrent, mais ils sont en piteux état.

— Mes enfants et moi avons attrapé des poux dans un salon afghan, ajouta son amie. En rentrant aux Etats-Unis, nous avons dû utiliser un pesticide industriel pour nous en débarrasser. Cela a pris des mois !

Les gens se pressaient autour de moi pour obtenir un rendez-vous. Ils voulaient connaître mon emploi du temps du lendemain et du jour suivant, et l'itinéraire vers la maison d'hôtes. N'ayant pas la moindre idée du trajet que nous avions suivi pour nous rendre à la réunion, j'essayai de trouver des gens susceptibles de les guider. S'ils m'avaient demandé si j'avais apporté mes instruments, j'aurais pu les rassurer : je voyage toujours avec mes ciseaux, mes peignes, une cape de salon et quelques produits. Ils font partie de moi.

Le lendemain, mes premiers clients se présentèrent à la maison d'hôtes. J'ignore comment ils avaient trouvé leur chemin. On aurait dit que tout le monde s'était donné le mot à Kaboul : une coiffeuse occidentale était arrivée en ville. Journalistes, diplomates, missionnaires, humanitaires, les gens les plus divers voulurent entrer en contact avec moi. On ne pouvait pas me téléphoner pour prendre rendez-vous, mais ils réussissaient généralement à me faire passer un mot m'avertissant de leur visite. Chaque fois que je partais avec l'équipe pour une mission, je trouvais en rentrant ma porte couverte de notes adhésives avec des messages de femmes voulant se faire coiffer.

On avait fini par me trouver des tâches utiles, notamment le soutien psychologique aux enfants, à l'aide de marionnettes. Mais, désormais, dès mon retour à la maison d'hôtes, je trouvais presque toujours un groupe d'Occidentaux m'attendant dans la cour. Je les faisais monter dans ma chambre entre deux missions, pour leur couper les cheveux. Certains venaient avec leurs enfants, et je finissais par coiffer toute la famille.

Une Allemande résidant en Afghanistan depuis sept ans m'apporta un liquide à permanente dans une bouteille marron si vieille qu'elle semblait provenir d'un site archéologique. Les talibans avaient fouillé sa maison à plusieurs reprises, mais ils n'avaient jamais trouvé cette bouteille. Quand je lui avouai que je n'avais pas de bigoudis à permanente, elle me tendit un sac qui en contenait. Je l'installai dans le jardin et posai la permanente. Roshanna et moi lui servîmes du thé et des petits gâteaux, puis je rinçai le liquide avec un seau d'eau.

Entre-temps, je m'étais fait de nombreux amis parmi les Afghans. Tandis que les autres membres de l'équipe accomplissaient leurs tâches médicales, j'appréciais la compagnie de Roshanna, de Daud, le chauffeur, de Muqim, le cuisinier, et de quelques autres. Daud,

Muqim et moi nous asseyions souvent près de la balançoire dans le jardin pour parler et nous balancer, parler et nous balancer encore, si haut que nous pouvions voir par-dessus le mur. Daud et Muqim s'amusaient à sauter de la balançoire quand elle était en l'air pour retomber dans l'herbe, et c'était à qui irait le plus loin. J'avais envie de rire en pensant qu'ils faisaient partie de ces féroces Afghans qui terrorisaient le monde entier.

Un jour, alors que je revenais de ma séance de soutien psychologique dans une école, Daud se saisit de la marionnette qui portait une barbe et un turban.

— C'est Oussama ben Laden ? demanda-t-il.

La marionnette ressemblait vaguement à Ben Laden, mais, dans une vie antérieure, elle avait plutôt figuré Joseph, le père de Jésus. Des catholiques nous avaient donné ces marionnettes, et ma tâche consistait à transformer Joseph, Marie et Jésus en Afghans ordinaires essayant de retrouver un équilibre familial en dépit des séquelles de la guerre. Néanmoins, pour Daud et Roshanna, la marionnette représentant le père de famille était Ben Laden. Roshanna prit la marionnette de Marie.

— Je suis la femme de Ben Laden, plaisanta-t-elle. Je vais aider les Américains à le tuer !

Pendant la demi-heure qui suivit, nous jouâmes « En quête de Ben Laden » au rez-de-chaussée de la maison. Nous infligeâmes de rudes traitements à la marionnette d'Oussama, mais il récupéra rapidement et put redevenir un père afghan le lendemain.

Je coupai également les cheveux de mes amis afghans. Les hommes m'avaient regardée coiffer les Occidentaux – quand il faisait beau, je travaillais dans le jardin –, et ils étaient intrigués par le gel à l'odeur de kiwi que j'utilisais pour fixer certaines coupes. Je leur en mis sur les mains pour qu'ils l'étalent sur leurs cheveux. Cela leur plut tellement qu'ils refusèrent de l'enlever et gardèrent leurs cheveux raidis couverts de poussière pendant plusieurs jours. Je proposai ensuite à Roshanna de lui égaliser les cheveux. Je les raccourcis de quelques centimètres et dégageai des mèches autour de son visage pour que de petites boucles sortent de son foulard. Ensuite, je demandai à Muqim s'il voulait que je lui coupe les cheveux. Après quelques instants de réflexion, il accepta. Je savais que les Afghans ne se font jamais coiffer par des femmes, car hommes et femmes célibataires ne doivent pas se toucher, que ce soit dans un cadre professionnel ou amical. J'évitai de le toucher en lui coupant les cheveux, pour qu'il ne rentre pas chez lui avec le sentiment d'avoir péché. Quand j'eus terminé, il leva vers moi des yeux humides, enamourés.

— Je t'aime, dit-il d'une voix rauque. Je t'aime, je t'aime.

Puis je pointai mes ciseaux en direction de Daud. Il avait la coupe de cheveux typique des Afghans – une sorte de coiffure bouffante courte sur la nuque avec une grande mèche soufflée sur le dessus de la tête, un peu comme Elvis à sa pire époque. Je détestais cela. Daud battit en retraite, mais Muqim, Roshanna et quelques-uns des Afghans qui se trouvaient là décidèrent de s'emparer de lui. Je posai mes ciseaux et me joignis à la poursuite. Nous nous mîmes à courir dans la cour en riant : quand ils l'eurent attrapé, ils le traînèrent jusqu'à ma chaise, lui attachèrent les pieds et lui mirent un bâillon. Après tout ce qu'il venait de subir, je me contentai de lui couper les cheveux légèrement. Alors que j'étais en plein travail, Roshanna arriva avec un Caméscope et me filma en train de menacer Daud avec mes ciseaux, le jeune homme roulant des yeux et remuant la tête en tous sens.

Peut-être cette vidéo sera-t-elle montrée un jour sur la chaîne Al-Jazira, comme preuve des tortures que les coiffeuses américaines infligent aux Afghans.

Un matin où je dévalais les escaliers en sortant de ma chambre, je faillis renverser Allen, notre chef de groupe. Il reprit son équilibre mais continua à me dévisager.

— Quelque chose ne va pas ? demandai-je.

Il rougit légèrement et s'éclaircit la gorge.

— Faut-il vraiment que tu portes un rouge à lèvres aussi vif ? Et tout ce maquillage sur les yeux ?

Je me campai devant lui et le regardai bien en face.

— As-tu vu les femmes afghanes ? Elles se maquillent beaucoup plus que moi.

— Sans doute, admit-il avant de continuer sa route.

Il était évident que ma conduite commençait à énerver certaines personnes de la fondation. Allen avait fini par me considérer comme quelqu'un d'incontrôlable. Cet homme remarquable se consacre à de bonnes actions dans le monde entier, et il n'a pas dû rencontrer beaucoup de femmes comme moi. Ma seule apparence le mettait déjà mal à l'aise. Tandis que toutes les femmes du groupe avaient des coiffures classiques, je portais les cheveux courts et hérissés, teints en roux. C'était la première fois qu'il me parlait de mon maquillage, mais je l'avais déjà vu frémir en m'apercevant. Je me sentais dans mon bon droit en me maquillant ainsi et n'entendais rien changer quand quatre des fondatrices de Care for All vinrent nous rendre visite dans la maison d'hôtes. Ces quatre respectables dames du Texas – aussitôt surnommées par nous les « poupées texanes » – arboraient d'imposantes coiffures, des ongles rutilants et un maquillage digne des stars de séries télé. La discussion s'orienta sur les trousses de secours que nous devions tous porter, qui contenaient des objets aussi essentiels que des cartes indiquant les zones les plus sûres, une boussole, un sifflet, une pépite d'or, et autres accessoires du même genre.

— J'ai surtout du rouge à lèvres dans la mienne, dit une des femmes avec son accent traînant, tout en allumant son ventilateur à piles pour empêcher la transpiration d'abîmer son maquillage.

Je déclarai à Allen que, si nos membres fondateurs se maquillaient autant, je pouvais bien les imiter.

Mais cela n'empêcha pas notre chef de se tourmenter et d'essayer périodiquement de me faire rentrer dans le droit chemin. Ma chance tourna quand, avec l'arrivée d'un deuxième groupe de bénévoles de notre fondation, notre équipe passa de sept à quinze personnes. La maison d'hôtes était à ce point bondée que tout le monde commençait à s'en trouver incommodé. Allen nous demanda si certains d'entre nous accepteraient d'aller habiter à l'hôtel Mustafa jusqu'à la fin du mois. Je ne crois pas qu'il pensait particulièrement à moi, préférant pouvoir me surveiller. Il avait déjà demandé à l'une des filles si elle accepterait de changer. Cette sage-femme à l'apparence classique et raisonnable ne risquait rien en étant loin du groupe. Personne n'aurait jamais pu imaginer qu'elle et moi serions complices, or elle demanda à Allen que je puisse partager sa chambre, en lui promettant de me surveiller. Sitôt installée à l'hôtel, je me retrouvai enfin libre d'aller et venir dans Kaboul.

Mais ma liberté n'entrait pas dans les plans d'Allen. Faute de me trouver des travaux à effectuer avec l'équipe, d'autres membres du groupe imaginèrent avec lui comment m'occuper jusqu'à la fin du mois : en bons chrétiens, ils décidèrent que je devais rester dans ma chambre d'hôtel à prier pour l'équipe sur le terrain. Je suis, moi aussi, une bonne chrétienne, mais il y a certaines choses dont je suis incapable : prier pendant des heures, par exemple. Pourtant, je m'efforçai d'y parvenir. Je restais assise dans ma chambre et commençais à prier, mais il suffisait qu'un vendeur passe sous ma fenêtre en vantant ses navets ou toute autre marchandise pour que je ne résiste pas à l'envie de sortir. J'essayais alors d'écouter de la musique religieuse pour couvrir le bruit de la rue : je choisissais un CD, mettais mon casque et tentais de rester assise tranquille, mais cela ne durait jamais longtemps. Il était préférable que je prie rapidement. Plutôt que de leur consacrer trois heures, je débitais ces prières en trois minutes. Ensuite je sortais, bras dessus bras dessous avec Roshanna, et nous filions jusqu'à Chicken Street, au carrefour suivant.

Autrefois, Chicken Street était la rue où l'on vendait des poulets – tout comme Plumber Street est encore celle des éviers et des tuyaux en cuivre, et Bird Street, celle des canaris et des perroquets. Aujourd'hui, Chicken Street est bordée de magasins offrant des produits traditionnels et de l'artisanat. Roshanna et moi restions collées l'une à l'autre pour ne pas nous perdre dans la foule composée de jeunes garçons en route pour l'école, d'hommes poussant des charrettes pleines d'oranges, de femmes en burqa mendiant de la petite monnaie. Nous étions vite cernées par des adolescents qui criaient : « Prends-moi comme garde du corps ! » Nous leur faisions signe de nous laisser, et ils se mettaient à courir en direction d'un soldat du contingent de la paix qui contemplait un tapis dans une vitrine, avec des mitraillettes et des hélicoptères à la place des motifs géométriques traditionnels. « Prends-moi comme garde du corps ! » criaient-ils au soldat, qui les regardait avec un sourire amusé.

Dans les vitrines des boutiques s'entassaient de somptueux tapis d'une multitude de rouges différents, avec quelques rares couleurs ajoutées pour contraster ; des sacs de chameliers et d'âniers, si beaux que je n'arrivais pas à croire qu'on les utilise vraiment à cet usage jusqu'à ce que je le constate par moi-même ; du mobilier couvert de motifs peints venant du Nouristan, une région du nord de l'Afghanistan ; de magnifiques tissus brodés, depuis les purdah – rideaux servant dans une maison à séparer la partie des femmes des pièces de réception – jusqu'aux couvre-théières ; des gants tricotés en grosse laine, des pull-overs et des chaussettes d'intérieur. Et encore de lourdes parures ornées de pierres semi-précieuses venant du Pakistan et les bijoux de pacotille tintinnabulants portés par les Kuchis, les nomades afghans. Et les hookas, marmites, fouets, et glands de couleur pour natter dans les cheveux. On trouve tout cela à Chicken Street, et beaucoup plus encore.

J'adorais cette rue, et pas seulement pour toutes les merveilles qu'on pouvait y acheter. Les commerçants avaient réussi à rester ouverts pendant la guerre avec la Russie, la guerre entre les moudjahidin et ensuite les mornes années des talibans. A présent, ils étaient fous de joie de voir des étrangers revenir dans leur pays pour admirer leurs marchandises. Je ne pouvais pas acheter grand-chose faute d'argent, mais ils ne semblaient pas m'en vouloir. Dès que nous entrions dans leur boutique, Roshanna et moi, ils abandonnaient leur déjeuner servi sur une nappe dans le fond du magasin, ou leur jeu de backgammon sur le comptoir, pour nous inviter avec force sourires à pénétrer plus avant. La plupart du temps, nous finissions par nous asseoir et nous passions un moment à boire du thé en leur compagnie. Nous repartions souvent avec des pommes, des dragées ou des biscuits importés d'Iran ; ils insistaient pour partager toutes les douceurs en leur possession. En moins d'une semaine, la plupart des commerçants de Chicken Street me connaissaient par mon prénom.

— Mademoiselle Debbie ! criaient-ils quand je passais. Tu veux du thé ?

Je n'aurais pas dû agir ainsi, car la sécurité s'était encore renforcée depuis notre arrivée. La première Loya Jirga depuis la chute des talibans allait bientôt se réunir. Ce « grand conseil », élu par l'ensemble des tribus afghanes, devait choisir le gouvernement de transition en juin 2002. C'est pourquoi tous les murs de Kaboul étaient couverts de portraits d'hommes barbus à l'air sévère : c'étaient les affiches qui restaient après les élections. En raison de la présence de partisans des talibans et d'autres opposants à la Loya Jirga, le niveau de sécurité avait été remonté dans toute la ville, avec une omniprésence des tanks appartenant à la Force de maintien de la paix.

Le couvre-feu tombait à vingt heures et, à dix-neuf heures trente, les gens se hâtaient de regagner leur quartier. La tension était d'autant plus perceptible qu'une nouvelle crise envenimait le conflit permanent entre l'Inde et le Pakistan, avec la crainte qu'un des deux pays ne se risque à déclencher l'arme nucléaire contre l'autre. Notre équipe se réunissait tous les matins pour planifier la journée et discuter des actions en cours ; un jour, un des grands chefs de la sécurité vint nous exposer en quoi consistait cette nouvelle crise. D'après lui, si nous apercevions un nuage noir à l'est, il fallait de toute urgence gagner l'ambassade américaine. Heureusement qu'on nous avait fourni une boussole, sinon je n'aurais jamais été capable de trouver l'est.

Je n'aurais pas dû aller à Chicken Street ; j'aurais dû rester dans ma chambre à prier, mais j'aurais eu l'impression d'être assignée à résidence. Je savais que les chefs de l'équipe cherchaient seulement à me protéger. Ils étaient persuadés que si quelqu'un devait être blessé, ce serait moi. A leur avis, j'étais trop amicale avec les Afghans, et notre situation ne m'inspirait pas assez de crainte. Ce qui était vrai. Je n'avais pas peur, pas plus de l'Afghanistan que de tout ce que j'avais traversé avant. J'avais peur pour les autres, mais pas pour moi.

Mes excursions à Chicken Street finirent par être découvertes. Vers la fin de notre séjour, d'autres personnes de notre groupe, intriguées par cet endroit, décidèrent de braver les mesures de sécurité et de s'y rendre avant de partir. Quand elles demandèrent si quelqu'un de l'équipe voulait se joindre à elles, je sautai sur l'occasion. Nous arrivâmes à Chicken Street flanqués par nos traducteurs et nos chauffeurs, les femmes de l'équipe drapées comme des momies dans des châles, les hommes essayant de se fondre dans la population avec des écharpes du cru et des chapeaux. Un commerçant surgit bientôt de son magasin en criant : « Mademoiselle Debbie ! » Puis d'autres passèrent la tête par la porte de leur échoppe avec un large sourire et me firent de grands signes.

— Il est facile de deviner à quoi tu as occupé ton temps ! remarqua un membre du groupe.

Par la suite, ils renoncèrent à contrôler mes faits et gestes.

— Là ! Je crois que c'est là.

Roshanna désignait une vitrine à la vitre brisée, avec un rideau en dentelle crasseux.

Daud se gara si brusquement le long du trottoir que je faillis tomber sur Roshanna. Je me redressai et examinai la vitrine. Une grande photo défraîchie représentant une femme très maquillée avec un amoncellement de boucles au sommet de la tête y côtoyait une tête à coiffer portant une choucroute blonde, flanquée par deux vases désassortis avec des roses rouges en plastique.

— On ne voit pas de lumière, dis-je. Peut-être est-ce fermé.

Roshanna secoua la tête.

— Tout est noir à Kaboul, Debbie. Ces femmes ne mettent leur générateur en marche qu'en cas de nécessité absolue.

Je pris le temps de me couvrir la tête pour passer de la voiture à la porte de la boutique. C'était la seule porte de la rue à être fermée ; la journée était douce et les commerçants laissaient pénétrer la brise dans leurs magasins. Puis Roshanna saisit la poignée : j'étais sur le point de découvrir mon premier salon de beauté afghan.

Les jours passant, je m'étais attachée à Roshanna – qui avait fini par m'appeler maman –, à Daud et à tous mes amis afghans. La perspective de devoir les quitter m'était insupportable. J'avais l'impression d'être tombée amoureuse de tout le peuple afghan, de sa chaleur, de son humour, de son sens de l'hospitalité et de son courage. Je voulais trouver une solution pour revenir les aider. Et je commençais à avoir une idée.

Une fois que je me fus installée au Mustafa, les Occidentaux qui voulaient se faire couper les cheveux eurent beaucoup moins de mal à me trouver. Le Mustafa a une clientèle constamment renouvelée de reporters, d'humanitaires, de voyageurs – et, selon certains, d'espions et de trafiquants –, qui se montra ravie d'apprendre qu'il y avait une coiffeuse à demeure. Ma porte fut de nouveau couverte de notes sollicitant un rendez-vous. De nouveau, je passai des heures à couper des cheveux, lesquels s'amoncelaient sur le sol. Un jour, une Afghane exilée au Canada depuis vingt-cinq ans vint me voir. Appartenant comme moi à une équipe de soignants bénévoles, elle voulait profiter de son séjour pour vérifier l'état d'un bien immobilier d'un oncle qui avait été abandonné sous les talibans. Elle avait gardé de nombreux souvenirs du Kaboul de sa jeunesse, quand le dernier roi était encore sur le trône, au début des années 1970. D'après elle, c'est en voulant moderniser l'Afghanistan qu'il avait déclenché des réactions hostiles, aussi bien dans la campagne conservatrice qu'en ville, au sein du clergé le plus traditionnel.

— On portait des minijupes dans Chicken Street ! dit-elle. Imagines-tu une seule femme en minijupe à Kaboul aujourd'hui ?

Dans les années 1970, la ville comptait aussi des dizaines de salons de beauté, dont les affaires étaient florissantes.

— Les Afghanes ont toujours attaché beaucoup d'importance à leur coiffure et à leur maquillage. Même sous ces horribles burqas.

Après son départ, Roshanna m'expliqua que les salons de beauté faisaient partie des nombreux domaines d'activités interdits par les talibans – tout comme la musique, la danse, les tableaux figuratifs, les chaussures blanches, les cerfs-volants et la culture de la vigne.

— Quand j'étais petite, ma mère m'emmenait souvent dans le salon de ma cousine, se remémora Roshanna. Pendant qu'elle s'occupait des clientes, elle me laissait servir le thé et balayer les cheveux.

Parfois, la coiffeuse et sa mère chantaient de vieilles chansons ensemble, et elles demandaient à Roshanna de se joindre à elles. Il n'était pas dans les intentions de cette coiffeuse de provoquer les talibans, mais la fille d'une de ses meilleures clientes se mariait et désirait quelques touches d'éclat et de sophistication, comme il sied en ce genre d'occasion, et elle n'avait pas eu le cœur de le lui refuser. Après avoir baissé les lumières, elle coiffa et maquilla la jeune fille avec suffisamment de discrétion pour qu'elles ne soient ni l'une ni l'autre inquiétées. Mais les choses se surent malgré tout.

— Deux jours plus tard, elle a trouvé la devanture de son magasin fracassée, dit Roshanna tristement. A l'intérieur, tout était cassé ou avait été volé. Quant à son mari, il a perdu son travail juste à ce moment-là.

Je m'aperçus alors que je n'avais encore jamais vu de salon de beauté en Afghanistan ; je demandai à Roshanna si Daud et elle pouvaient m'emmener en voir un. Il nous fallut une semaine de recherches pour trouver un salon ouvert sur la rue. Beaucoup de coiffeuses avaient recommencé à travailler, mais elles recevaient chez elles, trop inquiètes, encore, du qu'en-dira-t-on pour suspendre une enseigne ou afficher l'inévitable photo d'une reine de beauté. Nous visitâmes plusieurs endroits qui ressemblaient à des salons, mais ils n'étaient pas en activité. Quelqu'un ayant mentionné celui-ci à Roshanna, nous partîmes à sa recherche, ce qui n'était pas une tâche facile, les rues de Kaboul ne portant pas de nom à cette époque. Le salon nous parut vide. Mais, quand Roshanna ouvrit la porte, je sentis l'odeur de la solution pour permanente. Je regrettais de devoir laisser Daud dehors, mais Roshanna insista énergiquement.

— Aucun homme n'entre ici, dit-elle. Leur présence n'est pas autorisée dans nos salons, car les femmes y sont tête nue.

— Pourtant Daud et les autres Afghans te voient tête nue dans la maison d'hôtes.

— Là-bas, c'est différent : c'est comme un petit morceau d'Amérique, répondit-elle. En ce qui concerne les salons, la règle est très stricte. Si le mari de la femme qui possède ce salon voyait Daud à l'intérieur, il le battrait, ou même le tuerait.

Je lui jetai un regard incrédule.

— C'est vrai, Debbie. C'est pourquoi il y a un rideau derrière la porte : même quand elle est ouverte, les hommes ne peuvent pas voir les femmes à l'intérieur.

— Aucun homme ne peut entrer ?

— Pas même le mari de l'esthéticienne, dit Roshanna. C'est un endroit strictement réservé aux femmes.

Elle m'attira dans un petit vestibule, ferma la porte puis souleva un rideau rose pendu à l'entrée de la pièce. J'étais curieuse de voir en quoi ce salon différait de ceux que j'avais fréquentés aux Etats-Unis. A l'intérieur, c'était plus petit et plus sombre, à peine plus grand qu'une salle de bains. La fenêtre donnant sur la rue était occultée par les rideaux en dentelle, et on ne voyait qu'un seul petit miroir cassé, ainsi qu'une planche de bois brut en guise de comptoir. Sur un mur, je crus distinguer des capes bleues accrochées à des patères, avant de m'apercevoir que c'étaient des burqas que les femmes avaient enlevées en entrant. Mis à part ces quelques différences, il régnait la même atmosphère chaleureuse que dans les salons américains. On entendait des voix de femmes, des rires de femmes ; on sentait qu'elles se détendaient entre elles, se racontaient leur vie et celle de leur entourage. Peut-être était-ce d'ailleurs la véritable raison pour laquelle les talibans s'étaient si vigoureusement opposés aux salons de beauté. Pas parce qu'ils transformaient les femmes en prostituées ou servaient de couverture à des maisons de passe, comme ils le prétendaient, mais simplement parce que ces endroits permettaient aux femmes d'échapper au contrôle des hommes.

Toutes les conversations s'interrompirent quand nous pénétrâmes dans la petite pièce. Deux coiffeuses se retournèrent pour nous saluer. L'une était jeune et mince avec des yeux noirs très enfoncés ; l'autre, plus âgée, avec des cheveux frisottés lui arrivant sous l'oreille. Ayant remarqué que j'étais étrangère, les coiffeuses et leur unique cliente nous adressèrent un *Salaam aleikum* étonné mais courtois – le salut habituel, qui signifie « Que la paix soit avec vous ».

Roshanna s'entretint avec elles pendant quelques minutes.

— Elles sont sœurs, dit-elle. La plus jeune s'appelle Nadia ; l'autre, Raksar. Elles habitent derrière ce bâtiment.

Apprenant que j'étais une coiffeuse américaine curieuse de savoir à quoi ressemblaient les salons afghans, les deux femmes m'adressèrent force sourires. Leur cliente se leva aussitôt et insista pour que je m'asseye pendant que Raksar finissait de la coiffer. Nadia m'apporta du thé. Deux petites filles qui jouaient près des rideaux vinrent se planter devant moi pour me dévisager.

Avant d'aller chercher le thé, Nadia triait une boîte de bâtons avec des élastiques. Je demandai à Roshanna à quoi ils servaient.

— Aux permanentes, répondit Roshanna, qui parut surprise par ma question.

Je demandai à Nadia comment elle procédait : à part l'emploi de bâtons avec des élastiques au lieu de bigoudis à permanente, sa méthode ne différait pas tellement de la mienne, sauf pour la dernière étape. Elle se contentait de renvoyer ses clientes chez elles après avoir appliqué le liquide à permanente. Le produit cessait d'agir quand les cheveux étaient secs, et les clientes revenaient le lendemain pour le rinçage. Avec ce genre de permanentes, il n'était pas étonnant que Raksar ait des cheveux aussi frisés ! La coiffeuse, qui parlait très vite, s'adressa à Roshanna pendant quelques minutes.

— Elle dit qu'elle a ouvert ce salon quand les Russes étaient ici, traduisit mon amie. Elle a dû le fermer sous les talibans, enterrer son miroir et ses produits dans sa cour.

— Depuis combien de temps a-t-elle repris ?

— Seulement deux mois. Son mari a d'abord commencé par le lui interdire, car il voulait qu'elle reste chez elle pour aider sa mère. Mais il a perdu son travail, alors maintenant il accepte.

— Est-ce difficile de se procurer des produits ?

Raksar montra fièrement les quelques peignes, brosses et ciseaux sur la planche de bois. Ce n'étaient pas des instruments d'une qualité professionnelle : les ciseaux ressemblaient plutôt à des cisailles pour tondre les moutons, et les peignes avaient l'air d'avoir été mastiqués par ces mêmes moutons.

En parlant aux deux femmes, je compris qu'elles ne manquaient pas seulement de fournitures : elles semblaient à peine posséder les rudiments du métier. Quand je leur demandai où elles avaient appris la coiffure, elles haussèrent les épaules. Raksar avait travaillé avec une amie dans les années 1980 et transmis ensuite à Nadia ses connaissances. Ni l'une ni l'autre ne savaient faire des mèches. Pourtant, malgré leur manque de formation, elles gagnaient bien leur vie. Environ quatre-vingts dollars par mois pour Raksar, soit au moins deux fois le salaire moyen en Afghanistan. Nadia ne gagnait pas autant mais elle espérait augmenter ses revenus – être chargée des maquillages pour un grand mariage permettait d'accroître considérablement les ressources de la famille. De toute façon, me dit-elle par l'entremise de Roshanna, trouver du travail était difficile, dans tous les domaines. Elle avait été cuisinière dans une maison d'hôtes, mais ses collègues masculins faisaient des commentaires grossiers à son sujet, et elle était partie.

Puis Nadia dit quelque chose à Raksar, et elles eurent un sourire espiègle.

— Elles demandent si tu aimerais profiter de quelques-unes des prestations d'un salon de beauté afghan traditionnel, dit-elle. Elles voudraient partager cela avec toi, car tu es leur sœur d'Amérique.

— Volontiers, dis-je en faisant glisser mon foulard.

Les deux femmes se figèrent en voyant mes cheveux hérissés. Elles tendirent la main pour les toucher. Elles dirent quelque chose à Roshanna, d'une voix admirative – je la regardai en haussant les sourcils.

— Il paraît que tu ressembles à un chat, dit-elle. *Pashak.*

— Miaou ! ajouta Raksar.

J'eus une pensée pour le malheureux Daud qui nous attendait dehors, mais cela ne m'empêcha pas de m'enfoncer dans le fauteuil, bien décidée à me détendre. Je me relevai en voyant Nadia approcher avec un long fil enroulé autour de ses doigts. Mais elle me repoussa doucement en arrière et commença à m'épiler le visage avec le fil. Elle m'épila une grande partie des sourcils, ainsi qu'une moustache dont je ne soupçonnais pas l'existence. J'ouvris les yeux une seule fois quand la douleur devint trop intense : Nadia œuvrait juste au-dessus de mon front, les sourcils froncés, le fil tendu entre la bouche et les mains. Appuyée contre le mur, Roshanna riait à gorge déployée. Quand Nadia eut terminé, je me redressai et passai la main sur mon visage, certaine de le trouver en sang.

Puis Raksar proposa de me montrer en quoi consistait un maquillage à la mode afghane pour un mariage. J'acceptai encore : si je voulais vraiment connaître les salons locaux, il fallait que j'essaie toutes leurs prestations. Elle m'enduisit le visage d'un fond de teint pâle, étala sur mes paupières au moins quatre couches d'ombre, fonça mes sourcils et les prolongea au crayon vers le haut en direction des cheveux, avant de me dessiner une grosse bouche rouge. Le plus désagréable fut l'application du khôl. Elle lécha le bâton, le trempa dans la poudre, souffla dessus légèrement, le posa au coin de chacun de mes yeux, et passa du khôl sur l'intérieur de mes paupières. Je ne pus m'empêcher de me demander à combien de personnes ce même bâton avait servi. Les yeux larmoyants, je me levai pour aller chercher mon foulard. Quand elles me conduisirent devant le miroir, je vis une créature étrange avec une sorte de masque de carnaval qui me regardait.

Je me confondis en remerciements, osant le peu de dari que je connaissais.

— *Tashakur, tashakur*, dis-je en m'inclinant et en leur tenant les mains.

Nous échangeâmes trois petits baisers pour la forme, puis je sortis à l'aveuglette. Daud poussa une exclamation d'admiration en me voyant. Le khôl continua à couler de mes yeux pendant trois jours, si bien que tous les Occidentaux résidant depuis longtemps à Kaboul voulurent savoir comment j'avais réussi en si peu de temps à me faire inviter à un mariage afghan.

En dépit de mes yeux larmoyants, j'étais dans un état de grande excitation. J'avais l'impression d'avoir découvert enfin comment je pourrais aider les Afghans – une action dont moi seule, parmi tous ces Occidentaux talentueux et dévoués que j'avais rencontrés ici, étais capable. Je pouvais aider les femmes afghanes à améliorer leurs salons de coiffure pour mieux gagner leur vie. Mon expérience m'avait prouvé que travailler dans un salon convient particulièrement aux femmes – surtout à celles qui ont un mauvais mari.

Je savais de quoi je parlais. J'étais toujours mariée à un homme tellement odieux que l'Afghanistan, considéré alors par beaucoup comme l'endroit le plus dangereux au monde, me semblait un paradis. Heureusement, il n'avait jamais eu la moindre idée de ce que je gagnais : j'avais ainsi pu mettre de l'argent de côté pour financer ma liberté. Un salon de coiffure pourrait être encore plus profitable pour une femme en Afghanistan, puisque les hommes n'étaient pas autorisés à y mettre les pieds. Ils ne pourraient pas assister aux transactions financières, ni dire à leur femme comment faire marcher leur affaire. J'interrogeai Roshanna sur les différents métiers où les femmes étaient admises. Elle en connaissait qui tissaient des tapis, d'autres qui vendaient des œufs, travaillaient dans des maisons d'hôtes, chez des tailleurs... Ces affaires étaient toutes gérées par le père de la femme, son mari, son frère ou un oncle. Je me voyais revenir en Afghanistan avec plusieurs valises remplies de produits capillaires et de fournitures, et passer une quinzaine de jours dans les salons pour transmettre mes connaissances aux femmes, leur montrer comment élargir la gamme de leurs services et gagner ainsi plus d'argent. Je pourrais également leur enseigner les principes d'hygiène appris à l'école d'esthétique. Si on devait pleurer à un mariage, mieux valait que ce soit sous le coup de l'émotion, et non à cause d'un khôl plein de bactéries.

Quand je fis part de mon idée à un ami américain qui travaillait depuis plusieurs années à Kaboul pour une organisation humanitaire, il ne se moqua pas de moi. Il me reprocha seulement de manquer d'ambition ! D'après lui, je devais ouvrir une école d'esthétique à Kaboul, et il se proposait de m'aider.

Quand je parlai à Roshanna de la possibilité d'ouvrir une école, elle se jeta à mon cou.

— Je veux faire partie de ta première classe, dit-elle. Mon père veut que j'arrête de travailler pour les ONG, à cause des hommes afghans qui me cherchent des ennuis. Je n'aurai plus de problèmes si j'ai mon propre salon.

Avec ce projet de créer une école d'esthétique, j'eus l'impression que tous mes rêves prenaient corps. Mon métier, tout en me permettant de vivre très agréablement, ne m'avait jamais pleinement satisfaite. J'avais toujours désiré participer à quelque chose de plus important, qui me donnerait le sentiment que je contribuais à améliorer le monde.

Pourtant, il ne faisait aucun doute que j'adorais les salons de beauté. J'avais sept ans quand ma mère avait ouvert son premier salon, juste à côté de notre maison. A mes yeux, c'était un endroit merveilleux, avec ses meubles en bois blond, ses miroirs dorés et cette longue rangée de casques, semblables à autant de petits satellites tout ronds en partance pour la Lune. Pour moi, les esthéticiennes étaient les plus belles femmes du monde, avec leurs shorts verts et leurs bottes blanches. J'attendais avec impatience de pouvoir en faire partie.

C'étaient les années 1960 à Holland, dans le Michigan, et toutes les clientes avaient des coiffures bouffantes laquées, soutenues par des postiches. Ma mère me laissait donner les magazines, plier les serviettes et servir le café. Elle aimait m'avoir au salon, car je distrayais les clientes par mon bavardage. Mais, comme j'adorais travailler, elle me fit participer de plus en plus. Je commençai par la préparation des postiches – je les tenais sur les têtes à coiffer pendant qu'elle posait les bigoudis, après quoi je transportais les têtes à travers le salon pour les installer sur des cartons sous le séchoir. Ensuite, je tenais les postiches pour que ma mère les brosse et les transforme en belles coiffures bouffantes. Petit à petit, elle me laissa l'aider à coiffer les clientes. Quand les femmes venaient pour une mise en plis, je me tenais derrière elles pour enlever les épingles à cheveux.

Tout ce qui comptait à l'époque, pour elles, était de sortir du salon avec les cheveux coiffés en une choucroute soigneusement laquée, afin de revenir deux semaines plus tard toujours aussi bien coiffées. Nous vendions des taies d'oreiller en soie afin que les coiffures ne s'abîment pas la nuit, mais certaines n'hésitaient pas à entourer leurs cheveux de papier toilette pour les maintenir. Quand je commençai à laver les cheveux, je remarquai qu'elles insistaient pour que je leur frotte vigoureusement le cuir chevelu. « Frotte jusqu'au sang », disaient-elles. Elles n'avaient pas dû oser se gratter la tête pendant deux semaines. Une fois qu'elles avaient rôti sous le séchoir avec leurs gros bigoudis en plastique, je pouvais les leur enlever. J'adorais le contact de ces cheveux chauds, tellement raidis par la lotion de mise en plis que les boucles restaient intactes jusqu'à ce que ma mère vienne les coiffer.

A quinze ans, je m'inscrivis à l'école d'esthétique, pensant que je pourrais payer mes droits d'inscription à l'université en étant coiffeuse. A ce moment-là, je ne voulais pas exercer ce métier. Je voyais combien ma mère travaillait et à quel point elle rentrait épuisée le soir. J'avais goûté à une vie qui me semblait beaucoup plus amusante. Je voulais travailler dans le domaine de la musique. Ma mère me faisait prendre des cours de piano depuis mes cinq ans. Elle voulait aussi que je fasse de la danse, mais cela n'avait pas duré plus d'une leçon ; j'étais trop grande, incapable de me tenir convenablement sur une jambe ou de rentrer dans un tutu. En revanche, j'adorais la musique et persévérai dans ce domaine. Au lycée, je jouais du piano, de l'orgue, de la guitare et de la trompette. Je soufflais plus fort dans mon instrument que n'importe quel garçon. J'aimais aussi chanter, et je choisis le chant comme matière principale à l'université John Brown dans l'Arkansas. Mais, quand je me retrouvai au milieu d'excellents chanteurs, je compris que je n'étais pas à la hauteur. Puis on me trouva des nodules sur les cordes vocales. Je chantais des airs d'opéra italien avec la voix de James Brown...

Je préférai rentrer dans le Michigan pour travailler dans le salon de ma mère. J'épousai mon amoureux du lycée, et nous eûmes deux beaux garçons, Noah et Zachary. Mais nous étions trop jeunes, mon mari et moi, trop inconscients pour cette vie rangée, et très vite nous commençâmes à nous ennuyer. Je me revois à vingt-six ans, pleurant dans le salon de ma mère et lui demandant ce qui m'arrivait. J'avais tout ce qu'une femme pouvait souhaiter – un mari adorable, une belle maison et une voiture, mais j'étais malheureuse. Comme cela devait arriver, je me retrouvai bientôt seule avec mes enfants.

Puis, un jour, une cliente du salon m'apprit qu'une prison allait s'ouvrir dans les environs. Je m'étais souvent demandé s'il n'aurait pas été préférable pour moi de travailler dans un endroit qui m'assurerait une protection sociale ; d'après cette cliente, les salaires et l'ensemble des avantages dont bénéficiaient les employés étaient tout à fait intéressants. Je postulai pour un emploi à la prison, prévoyant de continuer la coiffure en plus. Sans diplôme, le seul poste auquel je pouvais prétendre était celui de gardienne. Etait-ce vraiment si pénible ?

Cela s'avéra effectivement très pénible.

Au début, tout alla pour le mieux. Pendant mes deux mois de formation dans la prison, je m'entendis très bien avec les autres gardiens comme avec les détenus. Je prévins tout de suite les prisonniers que je n'étais pas là pour les punir ou leur rendre la vie plus difficile : ils s'étaient déjà chargés de le faire. Mon travail consistait seulement à leur faire respecter les règles. Je les traitais avec respect, et j'obtins du respect en retour. Ils semblaient apprécier que je reste la même, au lieu de me transformer pour la seule raison que je travaillais dans une prison. Je continuais à me maquiller et à me parfumer, je me coiffais avec des extensions, et j'avais des ongles écarlates démesurés. Un jour, une bagarre éclata dans une cage d'escalier, et j'appelai à l'aide. Les gardiens avaient des radios, mais pas d'armes – leur nombre étant inférieur à celui des prisonniers, il aurait été facile pour les détenus, en cas de soulèvement, de retourner les armes contre leurs geôliers. En attendant du renfort, je criai aux prisonniers qui se battaient :

— Je ne vais quand même pas risquer de me casser un ongle pour vous séparer !

La bagarre tourna à la mêlée générale. Trois gardiens furent blessés à la tête, et un groupe de prisonniers envoyés à l'isolement. Plus tard, un de ceux qui avaient pris part à la bagarre s'étonna d'apprendre que j'y étais.

— Je l'ignorais, mademoiselle Debbie, dit-il. Vous n'avez pas été blessée, j'espère ?

Je le rassurai, en ajoutant que je l'aurais tué s'il m'avait cassé un ongle.

Au bout de quelques mois, j'arrivai à saturation. J'avais trop bon cœur pour travailler dans une prison. A mes yeux, la plupart des prisonniers étaient de braves garçons, dont certains d'une gentillesse extrême, et quelques-uns des gardiens de véritables brutes qui abusaient de leur pouvoir. Je ne voulais pas finir par leur ressembler, mais je me sentais changer. Je n'aimais pas la façon dont je parlais, parfois. Je n'étais d'ailleurs pas la seule à remarquer ce changement. Un jour, je passai devant la cellule d'un condamné à perpétuité qui n'avait jamais prononcé un mot depuis que j'étais là. Il sifflait toute la journée d'une façon magnifique. Le prisonnier approcha son visage des barreaux.

— Ce n'est pas un endroit pour vous, mademoiselle Debbie, chuchota-t-il. Il ne faut pas que vous deveniez comme les autres.

Cela devait faire un an que je travaillais à la prison quand, un matin, j'arrivai en voiture sous la pluie, appréhendant ma journée. J'assurais la relève ainsi que les fins de semaine ; je ne voyais plus mes enfants. J'avais l'impression de vendre mon âme au diable en échange de la protection sociale et des congés payés. Après l'appel, je me rendis dans le bureau du directeur et donnai ma démission. Le jour de mon départ, les prisonniers défilèrent pour me dire au revoir. Certains pleuraient.

— Bonne chance, mademoiselle Debbie, disaient-ils. Vous allez mener une belle vie maintenant.

Mais je ne savais pas comment faire pour trouver cette belle vie. Je recommençai à travailler dans le salon de ma mère, me sentant souvent déprimée, sans comprendre pourquoi je n'arrivais pas à être heureuse. Je décidai que j'avais besoin de m'amuser. Je m'étais mariée et avais eu des enfants si jeune que je n'étais jamais sortie comme la plupart de mes amies : j'allais devenir la pire des fêtardes de Holland, Michigan. A chaque fois que j'entreprends quelque chose, je m'investis à fond : au bout de deux mois, je connaissais toutes les boîtes de nuit de la région et leurs piliers de bar. Puis, cela ne me suffisant plus, j'achetai un voilier – sans rien connaître du maniement d'un bateau à voile et sans la moindre envie d'apprendre. Je voulais le laisser amarré à Saugatuck, au bord du lac Michigan. Chaque fin de semaine, des gens venus de partout faisaient la fête sur mon bateau ; dès que j'étais quelque part, on savait qu'on allait s'amuser. Mais, quand je me retrouvais seule, il m'était difficile d'échapper à la réalité. A force de m'amuser, je devenais une mauvaise mère. D'ailleurs, la plupart de ces gens n'étaient même pas de vrais amis, ils aimaient simplement se retrouver sur mon bateau.

J'envisageai alors de me tourner vers la religion. Sans être athée, je n'avais pas reçu une formation religieuse suffisante pour pouvoir approfondir ma vie spirituelle. A force de chercher, je finis par trouver une Eglise chrétienne me convenant. Pas n'importe quelle Eglise, évidemment, mais le genre d'Eglise où l'on chantait des cantiques entraînants. Bientôt, cela occupa tout mon temps, et je n'eus plus le loisir de me sentir déprimée. J'avais enfin l'occasion d'exploiter ma créativité et mes talents musicaux. Faute de pouvoir chanter *Aïda* sur la scène du Metropolitan Opera, je devins la star du cours d'art dramatique de l'église. J'écrivis des pièces, les mis en scène, les jouai. Mon ambition était d'insuffler le plus d'humour possible dans mes œuvres, qui, ainsi, n'étaient jamais ennuyeuses.

J'étais loin d'adhérer à tout ce que prônait cette Eglise, mais j'y rencontrai des gens qui m'ouvrirent les yeux et me permirent d'acquérir une autre perception du monde. Bien qu'ayant toujours aimé voyager, j'étais incapable de m'intéresser longtemps aux destinations touristiques où mes amis m'entraînaient, et je finissais par passer le plus clair de mon temps à l'écart des zones trop fréquentées. Lors d'un séjour en Jamaïque, lassée de faire du jet ski et de boire des margaritas sur la plage d'un hôtel protégé par des murs, je pris un bus pour aller en ville. Une jeune femme d'une vingtaine d'années, mère de cinq enfants, m'invita chez elle et nous mangeâmes une soupe faite surtout avec des arêtes de poisson. Je revins la voir tous les jours ; je lui apportais des couches et de la nourriture. Je ressentais enfin une vraie satisfaction. A l'église, je fis la connaissance d'un retraité du nom de Herb Stewart : il parcourait le monde pour collaborer aux projets humanitaires les plus variés. Il me proposa d'aller passer un mois en Inde avec lui.

Un temps, j'étais devenue célèbre en ville sous le nom de Debbie la Folle : Debbie la Folle avec ses coiffures excentriques, ses ongles longs et son maquillage de meneuse de revue. Debbie la Folle avec son bateau, et ses nuits passées à faire la fête. Debbie la Folle qui travaillait à la prison. « La semaine prochaine, je me fais couper les cheveux, disaient les gens. Tu la connais, Debbie la Folle. » Dès lors, Debbie la Folle se mit à voyager autour du monde pour participer à des projets humanitaires. Lors de ce premier séjour en Inde, Herb et moi allâmes de village en village pour aider les gens à installer des puits. Dans une ville, j'appris qu'avait sévi une terrible famine. La famille dont je fis la connaissance me raconta que le pire moment de l'année était les trois mois de la saison sèche. Quand je leur demandai comment je pouvais les aider, ils me dirent qu'ils avaient surtout besoin de riz. Je trouvai quelqu'un qui possédait un camion, et nous nous rendîmes jusqu'à un marché situé dans une région où la sécheresse n'avait pas sévi autant. Là, nous remplîmes le camion de riz. Il n'était pas question que j'en achète pour une seule famille. De retour au village, nous déversâmes le riz sur une aire cimentée et appelâmes les gens à l'aide d'un porte-voix. Quelque cent dollars m'avaient suffi pour nourrir les gens de ce village pendant trois mois.

Au milieu de toutes ces péripéties, je me retrouvai mariée à un prédicateur itinérant dépendant de l'Eglise. Je savais que nous avions des personnalités très différentes, mais je voulais absolument me remarier. Lui étant un homme très religieux et moi souhaitant approfondir ma foi, je pensais que nous réussirions à trouver un équilibre. Mais, peu de temps après le mariage, il cessa de se montrer passionné, pour devenir méchant et d'une jalousie maladive. Si je revenais de l'épicerie avec un quart d'heure de retard, je le trouvais devant la maison à fulminer, et il me suivait à l'intérieur pour me soumettre à un interrogatoire. Il était persuadé que j'étais allée retrouver mon amant pendant ces quinze minutes. Au début, je tentais de le détromper, mais cela ne servait à rien. Un jour qu'il s'était mis à crier, je voulus quitter la maison. Il m'attrapa par les cheveux et me tira à l'intérieur en me cognant contre le mur. Je le repoussai et me précipitai de nouveau vers la porte, ce qui le mit en rage. Il me gifla violemment.

Après cet épisode, j'essayai de ne plus le contrarier, mais j'étais furieuse de m'être mise dans cette situation.

Ma mère m'avait élevée pour que je devienne une femme forte ; comment avais-je pu si mal tourner ? A la maison, l'atmosphère était tendue. Mes fils s'efforçaient de passer le plus de temps possible avec leurs grands-parents. En me comportant comme une épouse soumise, je parvins à éviter les colères de mon mari. Puis un jour, en sortant de l'église, nous allâmes prendre le petit déjeuner chez McDonald's en compagnie d'un de ses amis. Je ne sais plus quelle histoire nous fit rire, cet homme et moi, mais j'avais l'impression de ne pas avoir ri autant depuis des mois. Quand nous arrivâmes à la maison, mon mari devint fou.

— J'ai vu la façon dont tu le regardais ! hurla-t-il. Tu n'es qu'une putain !

Il me poursuivit jusqu'à notre chambre et me gifla d'un revers de main. En tombant, je me cognai la tête sur le montant du lit. Quand j'ouvris les yeux, mes enfants et ma mère étaient à la porte. Ils avaient passé la nuit chez elle, et elle venait de les ramener. J'éprouvai un terrible sentiment, non seulement parce qu'il m'avait battue, mais parce que mes enfants et ma mère en avaient été témoins. Ma pauvre petite mère toute frêle tenta alors de s'interposer, et mon mari la repoussa violemment.

Cette fois, la coupe était pleine. J'étais si furieuse que je trouvai la force de le pousser hors de la maison, après quoi j'appelai la police. Quand la voiture arriva, mon mari était sur la pelouse et criait si fort que les voisins étaient tous sortis pour voir ce qui se passait. Je fis ma valise et celle des enfants, et sortis en détournant la tête, comme un gangster à la sortie du tribunal. Ma mère nous conduisit chez elle en voiture.

J'aurais voulu y rester et ne plus jamais rentrer chez moi, mais mon mari se mit à harceler ma mère, sans tenir le moindre compte du fait que mon père, atteint de démence sénile, souffrait également d'une maladie cardiaque qui ne devait pas lui laisser longtemps à vivre. Mon mari lui téléphonait à la maison, il lui téléphonait pendant son travail, il mettait sa voiture en travers de l'allée du garage pour l'empêcher de passer, insistant pour qu'elle me dise de lui parler de nouveau. Je compris que je ne pouvais pas rester chez ma mère, car jamais il ne cesserait de la harceler ; je confiai mes enfants à leur père et rentrai à la maison.

J'avais l'intention d'attendre mon heure, tout en mettant de l'argent de côté et en préparant mon départ. Je croyais que l'Eglise allait m'aider à m'en sortir. Je mis plusieurs dirigeants au courant de ma situation : ils s'avouèrent navrés de l'épreuve que je traversais mais estimèrent que j'aurais tort de quitter mon époux alors qu'il n'avait même pas commis d'adultère. J'aurais préféré que ce soit le cas.

Puis j'entendis parler d'une organisation à Chicago qui dispensait des formations en matière d'urgences humanitaires. Quand j'annonçai à mon mari que je voulais en suivre une, à mon grand étonnement il accepta de me laisser partir. Il pensait que cette formation me permettrait de trouver à m'occuper quand je voyagerais avec lui dans le tiers-monde. En août 2001, je me rendis en voiture jusqu'à Chicago pour suivre deux semaines de formation avec la fondation Care for All. J'appris ce qu'il fallait faire en cas d'incendie, de tremblement de terre, de glissement de terrain, d'inondation, d'ouragan ou de bombardement. J'appris comment me décontaminer en cas d'attaque à l'arme chimique. J'appris à m'occuper d'enfants atteints de malnutrition et à protéger les gens contre les dangers de l'eau contaminée. Je me familiarisai avec les crises qui agitaient différentes parties du monde. J'appris ainsi où se trouvait l'Afghanistan. Le dernier jour, nous fûmes confrontés à un simulacre de catastrophe. Rétrospectivement, cela me donne le frisson : c'était trois semaines avant les attentats du 11 Septembre, et le scénario proposé prévoyait une attaque de Chicago par des terroristes avec des attentats suicides et des armes chimiques. Nous devions travailler en équipe, monter des tentes, dénombrer les victimes, les transporter à l'endroit désigné, et mettre à l'écart celles pour lesquelles on ne pouvait plus rien. Tout cela était aussi réaliste qu'effrayant.

Puis les terroristes précipitèrent les avions sur le World Trade Center et le Pentagone. Un jour, je trouvai un message sur notre répondeur me demandant si je voulais me joindre à une équipe de secours qui partait pour New York. J'acceptai sans même consulter mon mari et partis dans les plus brefs délais.

Les deux semaines qui suivirent furent parmi les plus pénibles de ma vie. Je rejoignis les nombreux volontaires chargés de s'occuper des pompiers qui fouillaient les décombres pour en sortir les corps – souvent ceux de leurs collègues. Je leur prodiguai des massages calmants et un suivi psychologique. Je les soutenais quand ils pleuraient, lavais leurs pieds sales et brûlés quand ils ôtaient enfin leurs bottes après avoir piétiné les ruines fumantes. Je me rendis utile en de multiples occasions. Parfois, je devais aller pleurer aux toilettes, pour qu'ils ne me voient pas m'effondrer. Mon mari m'appelait au moins cinquante fois par jour sur mon téléphone mobile, et je finis par l'éteindre. Qu'aurait-il fait s'il avait su que je touchais d'autres hommes ? Quand la chaîne Discovery vint pour filmer l'organisation des secours, je me cachai sous une table de massage jusqu'à son départ pour que mon mari ne me voie pas avec les pompiers.

Une fois de retour à la maison, l'angoisse me reprit. Je regardais en boucle les reportages à la télévision sur l'Afghanistan et les talibans. Je fus particulièrement impressionnée par une séquence montrant l'exécution d'une femme dans le stade Ghazi de Kaboul. J'enchaînais la lecture d'ouvrages traitant de l'Afghanistan, tout en pensant que ma vie était aussi surveillée que celle des femmes là-bas. Quand j'appris que la fondation Care for All devait envoyer une équipe à Kaboul l'année suivante, je lui téléphonai tous les jours, en réitérant mon souhait d'en faire partie. Lorsque ma candidature fut enfin acceptée, mon mari l'apprit et m'interdit de partir. Je cachai mon passeport et mes billets d'avion dans le coffre de ma mère pour qu'il ne puisse pas me les prendre. Personne n'aurait pu m'empêcher de partir. Pour la première fois de ma vie, je savais où était ma place.

Le jour où mes amis vinrent me chercher pour me conduire à l'aéroport, mon mari, appuyé contre le mur, me regarda porter ma valise jusqu'à la porte.

— J'espère que tu vas crever là-bas, dit-il.

— Ce sera toujours mieux que de vivre ici avec toi, répliquai-je.

Je pris l'avion pour l'Afghanistan, où mon cœur devait bientôt trouver d'autres personnes à aimer.

3

Une femme imposante dont la tête bruissait de papillotes d'aluminium tapota d'un ongle bleu manucuré le visage de Roshanna.

— C'est ta jeune amie afghane ? demanda-t-elle.

— Laisse-moi voir !

Une autre se saisit de la pile de photos en équilibre sur le genou de la première.

Je me félicitai d'avoir pris la précaution de faire un double des photos de mon voyage et continuai à couper les cheveux de ma cliente. Je n'avais pas le temps de trier une nouvelle fois les photos. J'attendais une cliente pour une permanente.

Mes clientes fidèles ayant attendu que je revienne d'Afghanistan pour prendre rendez-vous, je fus débordée de travail pendant les mois qui suivirent mon retour. Je n'arrêtais pas de raconter mon expérience et de montrer mes photos. Je parlais aussi constamment de mon projet de retourner là-bas pour aider les esthéticiennes afghanes. A ce point de ma réflexion, j'envisageais d'ouvrir un salon pour une clientèle occidentale, en prenant des coiffeuses afghanes comme apprenties. Mes clientes ne trouvèrent pas cette idée extravagante ou trop risquée. Elles manifestèrent la même excitation que moi.

J'ignorais pourtant comment m'y prendre. Je n'avais même pas créé mon propre salon aux Etats-Unis. J'avais toujours travaillé dans celui de ma mère. Pour ouvrir un salon en Afghanistan, je devrais louer un espace et, d'après les humanitaires, les loyers commençaient à monter car les propriétaires s'imaginaient pouvoir pratiquer les prix de New York, même dans les quartiers de Kaboul dévastés par les bombes. Je n'avais pas oublié non plus le liquide à permanente vieux de sept ans ni les ciseaux grands comme un taille-haie : je devrais apporter à Kaboul beaucoup de produits capillaires et de matériel.

— Pensez-vous que je pourrais obtenir des dons de la part de sociétés ? demandai-je à la cantonade.

Un numéro de téléphone figurait au dos d'une bouteille de gel de coiffage Paul Mitchell. Je demandai au standard à qui on pouvait s'adresser pour obtenir des dons. On me passa une personne, puis une autre, jusqu'à ce que je tombe sur un répondeur. Je levai les yeux au ciel d'un air excédé, à l'intention de mes clientes, mais laissai un long message en disant qui j'étais, pourquoi les talibans avaient fermé tous les salons de coiffure en Afghanistan, comment les femmes s'efforçaient de les faire revivre et ce que je voulais faire pour les aider. Le répondeur invitant à laisser un message détaillé, le mien allait les surprendre.

Deux jours plus tard, le téléphone du salon retentit. L'une des employées répondit, puis agita l'appareil dans ma direction.

— Qui est-ce ? criai-je pour couvrir le bruit d'un séchoir. Peux-tu prendre le message ?

J'étais occupée à lisser l'opulente chevelure rousse d'une cliente, et je ne voulais pas que les boucles reprennent le dessus.

— On demande à te parler personnellement.

J'attachai les cheveux de ma cliente au sommet de son crâne et allai répondre.

— Bonjour, mademoiselle la coiffeuse globe-trotter, dit la voix à l'autre bout de la ligne. C'est J. P.

— Qui ?

— John Paul DeJoria, le propriétaire de Paul Mitchell. Parlez-moi un peu de cette école de beauté, ou de ce salon de formation que vous voulez créer en Afghanistan.

En plein milieu du salon, je me mis à lui exposer mon idée. L'enfant d'une cliente pleurait, une femme un peu sourde parlait fort, la porte s'ouvrait et se fermait sans arrêt, mais rien n'aurait pu m'arrêter. Je n'eus pas de mal à le convaincre que c'était un projet intéressant : il me conseilla d'appeler son directeur général, Luke Jacobellis.

— Demandez-lui tout ce que vous voulez, dit-il.

Après avoir raccroché, je revins auprès de mes clientes en riant et en pleurant à la fois. La folie régna dans le salon pendant plusieurs jours.

En fin d'après-midi, quand ma dernière cliente fut partie, je téléphonai à Luke.

— De combien de produits pensez-vous avoir besoin ? demanda-t-il.

— Je n'en sais rien, lui dis-je. Disons pour deux ans, mais je ne me rends pas compte de ce que cela représente dans un pays où l'eau et l'électricité manquent souvent. Je n'y ai passé qu'un mois.

Il me demanda de lui faire une liste idéale. Je pris un catalogue Paul Mitchell et nous fîmes ensemble un point détaillé. A la fin, la liste était conséquente : des shampoings, des après-shampoings, des gels, des bombes de laque, des produits colorants et des liquides à permanente aussi bien que des capes pour faire les couleurs ou des miroirs. Je connaissais bien les produits Paul Mitchell pour avoir vu ma mère les utiliser depuis toujours dans son salon. Je n'avais pas oublié toutes ces permanentes frisottées que j'avais vues à Kaboul : ces produits rendraient leur beauté aux cheveux des femmes afghanes. Avant de raccrocher, Luke me suggéra de faire appel à d'autres sociétés dans le domaine de la beauté : Takara Belmont pour le mobilier de salon, Redken pour d'autres produits capillaires, Orly et O.P.I. pour des produits pour les ongles. La plupart acceptèrent volontiers de faire des dons.

Trois semaines environ après ma conversation avec Luke, un semi-remorque plein de produits Paul Mitchell s'arrêta devant chez moi. Le chauffeur avait l'air troublé quand il frappa à ma porte. Il pensait livrer sa cargaison dans un entrepôt ou dans les réserves d'un grand magasin.

— Avez-vous quelqu'un pour décharger ? dit-il en désignant du pouce l'énorme camion garé en bas de l'allée.

— Je suis toute seule.

Il me jaugea et poussa un soupir.

— Vous n'auriez pas un diable, par hasard ?

— Seulement une brouette.

Je sortis les voitures du garage, ainsi que le chasse-neige et la tondeuse à gazon. Nous transportâmes les dix mille cartons contenus dans le camion jusqu'au garage, pendant que mon mari nous observait depuis la fenêtre du salon. Nous ne les comptâmes pas, mais je suis certaine de ne pas être loin du chiffre. Notre garage prévu pour deux voitures était plein. Quand le camion repartit, je considérai tous ces cartons. Même en payant un supplément, jamais je ne pourrais les transporter avec mes bagages !

Au cours des mois suivants, d'autres camions livrèrent encore du mobilier de salon, des peignes, des séchoirs, des miroirs, des bigoudis à permanente et toutes sortes de produits de base, mais, cette fois, je les fis décharger dans un entrepôt. Mon mari se moquait de moi en voyant tous ces produits capillaires qui encombraient le garage. Si j'essayais de le quitter, il me promettait d'y mettre le feu. Je pourrais alors dire adieu à mon école de beauté de Kaboul. Et, si je ne me comportais pas bien, il laisserait la porte ouverte pour que mes chiens se fassent écraser. Dès lors, je fis profil bas, je m'efforçai de ne pas le contrarier, mais, sans rien dire à personne, je louai un appartement et engageai un avocat.

Je n'avais toujours pas la moindre idée de la façon dont je ferais parvenir tout cela à Kaboul. Puis, un jour, quand je téléphonai à une société recommandée par Luke, mon interlocutrice me dit que quelqu'un l'avait déjà appelée pour obtenir des produits pour une école de beauté en Afghanistan. Je lui demandai le numéro de téléphone et appelai aussitôt : je découvris alors l'existence de la mythique Mary MacMakin, une Américaine qui vivait en Afghanistan depuis une quarantaine d'années.

En 1996, Mary a créé PARSA, une petite organisation caritative destinée à aider les veuves de guerre afghanes contraintes de mendier – conséquence des conflits, car, auparavant, il n'y avait pratiquement aucun mendiant en Afghanistan. Mary est une héroïne en Afghanistan, et *Vogue* lui a consacré un article en 2001. Après la chute des talibans, Mary a constaté que les esthéticiennes afghanes qui voulaient recommencer à travailler étaient handicapées par l'absence de produits et le manque de pratique. Elle a donc souhaité que des coiffeurs américains aident les femmes afghanes à devenir des chefs d'entreprise en ouvrant une école de beauté. Plusieurs coiffeurs ont communiqué leur enthousiasme pour ce projet à tous les industriels de la beauté de New York, les incitant à financer cette école. *Vogue* et Estée Lauder ont investi de grosses sommes, suivies par d'autres sociétés qui ont envoyé de l'argent et des produits pour ce qui deviendrait l'école d'esthétique de Kaboul, Beauté sans frontières, qui ferait partie des programmes gérés par l'organisation caritative de Mary.

J'éprouvai un certain soulagement en apprenant que quelqu'un de beaucoup plus influent que moi travaillait à cette idée. Je me rendais compte que toute seule, depuis Holland, j'aurais beaucoup de mal à mettre sur pied un projet aussi énorme. Je ne tardai pas à me mettre au service de l'organisation, et je promis à l'école les produits (d'une valeur de 500 000 dollars) qui s'entassaient dans mon garage et dans l'entrepôt. L'ouverture de l'école était prévue en juillet 2003, dans l'enceinte de la résidence du ministère des Femmes, un endroit où Mary avait jugé que les femmes se sentiraient en sécurité. Elle était consciente que beaucoup de gens à Kaboul partageaient encore l'avis des talibans : les salons de beauté – et tout ce qui permet aux femmes de se distinguer ou de gagner leur vie – sont une abomination. Je me portai volontaire pour faire partie des enseignantes, aux côtés de quelques esthéticiennes occidentales.

Un container affrété par l'organisation pour transporter les produits devait quitter la côte est en décembre, à destination de Kaboul. Il fallait que ma cargaison y parvienne bien avant cette date. Le propriétaire d'un autre salon de coiffure de la ville avait un ami à la tête d'une société de transports : il mit à ma disposition des camions pour enlever tout le chargement de l'entrepôt. Il ne me restait plus qu'à transporter ce qui se trouvait dans mon garage jusqu'à l'entrepôt. Malheureusement, ce n'était plus mon garage, car j'avais fini par quitter mon mari.

Par une journée grise, mes fils, Noah et Zach, qui n'avaient pas encore vingt ans, louèrent un gros camion de déménagement et se rendirent au garage avec une bande de copains. Mes amies et moi, nous les suivîmes dans nos voitures, avec des brouettes dépassant de nos coffres. Quand le camion se rangea par l'arrière à la porte du garage, mon mari sortit de la maison pour me dire qu'il avait un jugement du tribunal me refusant le droit d'enlever le moindre objet sur la propriété. Voyant que nous allions passer outre, il appela la police, et quelques minutes plus tard des voitures s'arrêtaient devant la maison, toutes sirènes hurlantes. Malgré la pluie qui s'était mise à tomber, des voisins s'approchèrent pour ne rien perdre de l'incident.

Deux officiers de police descendirent de voiture, mais j'étais comme folle : rien n'aurait pu m'arrêter.

— Tout cela m'appartient, et j'ai bien l'intention de l'emporter ! hurlai-je. Vous avez trois solutions : tirer sur moi, m'arrêter ou me laisser tranquille.

Ils battirent en retraite mais nous observèrent à distance transporter les produits dans le camion. Lorsque ce fut terminé, j'avais levé le dernier obstacle majeur avant mon départ pour l'Afghanistan, au début de l'année 2003, pour réceptionner le chargement.

Le container devait arriver à Kaboul fin janvier. J'avais l'intention d'y être pour en prendre possession et surveiller la livraison au ministère des Femmes. Mes clientes se succédèrent jusqu'à l'avant-veille de mon départ, beaucoup insistant pour me donner de l'argent pour mes frais, d'autres apportant des gâteaux à vendre au salon, au profit de l'école. Il y eut de nombreuses réunions amicales à l'occasion de mon départ et des moments d'émotion intenses avec ma mère et mes enfants. Puis survint le premier contretemps : le container n'avait toujours pas quitté le port. Le départ avait été retardé en raison d'une activité accrue dans la région du Moyen-Orient – notamment, je l'appris plus tard, les manœuvres des forces américaines et britanniques avant leur invasion de l'Irak en mars. Au lieu de m'envoler pour Kaboul, je passai une semaine à New York pour suivre une formation de maquillage dispensée par les cosmétiques M.A.C. ; cette société avait donné à l'école pour environ 30 000 dollars de produits de maquillage.

A la mi-février, apprenant que le container avait enfin quitté les Etats-Unis, je me préparai à partir. Une semaine avant la date de mon départ, début mars, un message me parvint : le navire transportant le container était bloqué dans le canal de Suez, une nouvelle fois victime des préparatifs de guerre.

Je bouillais d'impatience de quitter Holland. J'avais multiplié les adieux à ma famille et à mes amis, je n'avais plus de rendez-vous avant la fin avril. Quand j'appris qu'en Jordanie les organisations humanitaires s'attendaient à un afflux de réfugiés en provenance d'Irak, je proposai mes services à l'une d'elles et je m'envolai pour la Jordanie fin mars. Quelques jours après mon arrivée, notre container avait non seulement quitté le canal de Suez, mais il était déjà à Kaboul. Je partis aussitôt pour en prendre livraison et rejoindre les femmes qui partageaient mon rêve.

Mon chauffeur poussa un long soupir d'exaspération. La route de l'aéroport de Kaboul était tellement encombrée que nous avancions au pas. Il préféra rejoindre le chemin de terre parallèle, et nous passâmes le long des boutiques vendant des pièces de voiture, si près que j'aurais pu attraper une courroie de ventilateur par la vitre. Puis il tourna dans une rue latérale encombrée de piétons. Malgré la foule, il roulait à toute vitesse, comme un skieur dans une compétition, slalomant autour des piétons. Après avoir été projetée à plusieurs reprises contre la portière, je cherchai ma ceinture de sécurité, mais elle avait été coupée à ras.

Quand j'arrivai à Kaboul en cette fin mars 2003, je constatai à quel point les choses avaient changé en un an à peine. Certaines parties de la ville avaient gardé leur aspect de ruines antiques, mais de nouveaux bâtiments avaient poussé partout, dont de magnifiques constructions avec des portiques en arceaux, des fenêtres aux vitres réfléchissantes, et une sorte de matière brillante insérée dans le stuc. Les rues que j'avais connues grouillantes de gens, de bicyclettes, de chariots de marchandises, d'ânes et de buffles étaient encore plus encombrées, par les voitures, les 4 × 4 et les tanks. Il y avait des ronds-points aux carrefours, probablement destinés à ralentir la circulation, mais personne ne semblait s'accorder sur le sens dans lequel il fallait les aborder, ce qui créait des embouteillages inextricables. Les routes n'étaient pas en meilleur état que l'année précédente – la plupart en terre, avec d'énormes ornières et des tas de gravats à éviter –, ce qui n'empêchait pas les voitures et les 4 × 4 de rouler à tombeau ouvert. La circulation semblait n'obéir à aucune règle. Deux files avaient vite fait d'en devenir trois, avec des conducteurs malins qui déboîtaient dès qu'ils voyaient une possibilité de passer. Quand j'arrivai au siège de l'organisation de Mary MacMakin, dans Plumber Street, j'avais mal partout et l'impression d'être passée dans une machine à laver.

La maison comportait un salon décoré dans le plus pur style afghan : un beau tapis sur le sol – presque toujours rouge – et des coussins longs et plats, les toushaks, le long des murs. En guise de mobilier, il y avait, en tout et pour tout, quelques tables de bois foncé en piteux état. Pour loger ses nombreux visiteurs, Mary disposait de quelques chambres à l'étage, divisées par des cloisons de contreplaqué. Je jetai ma valise sur le toushak qui m'était dévolu et m'apprêtai à redescendre, quand je remarquai une porte ouverte menant au dernier étage. Le toit de la maison était plat ; sur la terrasse, des vêtements séchaient sur des cordes. Tout autour, des herbes aromatiques poussaient dans des pots en terre. En écartant les vêtements, je m'aperçus qu'à cet endroit on dominait Plumber Street, la rue des plombiers. Elle n'était pas, comme son nom pouvait le laisser prévoir, pleine d'hommes munis de ventouses et de furets, mais ressemblait à toutes les autres, très animée et encombrée, avec des bâtiments dont il était difficile de dire s'ils étaient en construction ou en cours de démolition. On voyait également ce qui se passait dans les cours des deux côtés de la maison de Mary. Dans l'une, une femme accompagnée d'enfants repiquait des plants dans de longs sillons réguliers, juste devant chez elle. Ce spectacle paisible contrastait avec le bruit permanent de la circulation et les bâtiments en cours de construction ou de démolition.

En bas, je fis enfin la connaissance de Mary. Cette grande femme de plus de soixante-dix ans, avec des yeux noirs décidés et des cheveux courts gris ardoise, parlait en dari avec des Afghanes plus vite que moi en anglais. Elle semblait maîtriser les détails de cinquante projets à la fois, sans rien perdre de son calme, de sa courtoisie, de sa dignité et de sa faculté d'indignation à propos de tel ou tel événement survenu dans le pays. Mary n'avait pas encore découvert les locaux de l'école au ministère des Femmes, mais on lui avait assuré que l'endroit serait bientôt prêt à nous accueillir. Quelques minutes après, elle sortit en poussant une bicyclette et s'éloigna tête nue, en pédalant dans la circulation. Les talibans avaient mis cette femme courageuse en prison, mais ils n'avaient pas réussi à entamer sa détermination. Il fallait un sacré culot pour circuler à bicyclette à Kaboul.

Le lendemain matin, je retrouvai avec émotion Roshanna et Daud devant le ministère des Femmes. J'étais accompagnée de plusieurs personnes participant au projet, notamment Patricia O'Connor, une consultante de New York, et Noor, un jeune Australien d'origine afghane, qui avait été recruté par Beauté sans frontières pour s'occuper du programme sur place, entre les séjours des formateurs. Près de la grille, deux hommes avec des mitraillettes s'approchèrent de nous, mais ils se montrèrent aimables et nous firent aussitôt signe d'entrer dans la résidence.

La vue des mitraillettes ne m'impressionnait plus. En venant, nous étions passés devant de nombreuses résidences surveillées à l'entrée par de petits groupes d'hommes en uniforme armés de fusils. Certains semblaient prendre leur travail au sérieux et scrutaient chaque voiture qui passait. D'autres bavardaient avec des amis et gesticulaient avec leurs mitraillettes, tandis que leurs pistolets se balançaient à leur ceinture. D'autres encore avaient l'air de dormir debout. L'un d'entre eux était allongé sur une chaise longue en plastique vert et dormait pour de bon, son fusil en équilibre sur les genoux. Un optimisme certain semblait régner dans Kaboul, et je n'avais pas peur dans les rues. Tous ces fusils ressemblaient plus à des attributs virils qu'à des armes.

Arrivée devant le bâtiment qui devait abriter notre école, je faillis fondre en larmes tant il était beau. C'était une construction basse en marbre, de couleur caramel, entourée d'un grand massif de fleurs circulaire et de trois autres, rectangulaires. Trois sapins se dressaient près du bâtiment, végétation luxuriante pour Kaboul, où les arbres étaient rares, les talibans les ayant abattus pour empêcher les tireurs de se cacher derrière. Les fenêtres paraissaient neuves, avec des meneaux incurvés dans un bois marron doré.

A l'intérieur, les travaux étaient loin d'être terminés : l'endroit n'était pas prêt à recevoir le container plein de produits que nous devions commencer à entreposer le lendemain ! Les murs blanchis à la chaux étaient sales et tachés. Les plafonniers étaient installés, mais pas les interrupteurs : on voyait un peu partout dans les murs des trous avec de longs fils électriques qui en sortaient. Le sol était en ciment, et rien de ce que nous avions demandé en matière de placards, d'armoires et de tables n'avait été fourni. Le travail ne semblait même pas en cours : en fait d'outils, nous trouvâmes de vieilles bicyclettes et une brouette dans la pièce. Noor partit à la recherche des ouvriers tandis que nous réfléchissions à l'endroit où entreposer les produits. La plus grande partie pourrait rester dans le container jusqu'à l'arrivée de la prochaine équipe de coiffeurs, dans quelques mois.

Sauf, peut-être, les produits de coloration, que la chaleur du container risquait d'abîmer, et ceux de maquillage, qui fondraient.

Heureusement, Mary put mettre un espace à notre disposition au troisième étage de la maison abritant son organisation. Stocker les produits de coloration et de maquillage nous obligerait à les déplacer deux fois, mais c'était préférable. Cela signifiait également qu'il faudrait presque tout sortir du container et trier les produits, avant d'y remettre ceux qui pouvaient y rester. Je me proposai pour le faire, estimant que j'étais celle qui connaissait le mieux les produits, mais il me fallait de l'aide.

— Il faut que tu engages des hommes de la mosquée, remarqua aussitôt Roshanna.

Je ne compris pas ce qu'elle voulait dire.

— Pourquoi les mollahs seraient-ils disposés à m'aider ? Je croyais qu'ils honnissaient l'idée même des salons de beauté ?

— Pas les mollahs, dit Rosanna en pouffant de rire. Beaucoup d'hommes attendent à la sortie de la mosquée, dans l'espoir de trouver du travail. Tu verras.

Roshanna et moi prîmes donc la direction de la mosquée ; Noor nous y retrouverait plus tard. Jamais je n'avais eu l'occasion de marcher aussi loin dans Kaboul et j'étais ravie. La marche était pourtant difficile sur les trottoirs aussi accidentés que des sentiers de montagne, surtout avec mes sandales à petits talons : je me tordais les pieds sans arrêt. Perchée sur ses hauts talons, Roshanna, elle, réussissait à évoluer avec élégance. J'avais aussi du mal à résister au plaisir de regarder les vitrines et de jeter un coup d'œil par les portes ouvertes.

Le spectacle était permanent, d'autant plus que je n'avais jamais connu un tel bain de foule. J'étais étonnée par les très nombreux types physiques que je croisais. Les Américains imaginent, pour la plupart, que les Afghans ont tous les cheveux et les yeux noirs, et qu'ils portent des turbans. Pour eux, les Afghans, en majorité musulmans, sont des Arabes. C'est faux. La situation géographique de l'Afghanistan en faisait un point de passage obligé sur la route de la Soie, entre l'Asie et le reste du monde, et, contrairement à la vision qu'on a aujourd'hui d'un pays très isolé, les peuples anciens le traversèrent à de multiples reprises. Certains y vinrent pour faire du commerce, d'autres pour le conquérir, tous y laissèrent leur empreinte. La majorité des Afghans ont des racines turques ou persanes, mais beaucoup d'autres ethnies cohabitent dans le pays. Les visages asiatiques étaient si nombreux dans les rues que je demandai à Roshanna s'il y avait une communauté chinoise à Kaboul. Elle secoua la tête.

— Ce sont des Hazaras, dit-elle. Ils sont venus avec Gengis Khan, il y a huit cents ans.

Je lui désignai de la tête un homme au visage asiatique qui empilait des tapis devant un magasin.

— Il est hazara, lui aussi ?

— Non, ouzbek. Il a également des ancêtres mongols, mais on voit la différence à son calot brodé. Les Ouzbeks fabriquent et vendent la plupart des tapis que tu vois ici.

Tout en marchant, je m'efforçai de distinguer les différents types d'hommes que nous croisions, en notant les différences de leurs traits et de leurs vêtements. La plupart portaient des shalwar kameezes marron ou gris, la tunique avec le pantalon traditionnel resserré en bas, et souvent un veston à l'occidentale. Nous passâmes devant un homme à la peau claire, portant une courte barbe, vêtu d'une longue robe marron et coiffé d'un chapeau de laine marron au bord roulé et quelque chose qui ressemblait à un jabot au-dessus.

— A quelle tribu appartient-il ?

Roshanna le regarda.

— C'est un Tadjik, sans aucun doute. Ils portent tous ce chapeau. Massoud était un Tadjik, et on le voit avec ce chapeau sur toutes ses photos.

— Massoud ?

— Notre grand héros, Ahmed Shah Massoud, celui qui a réussi à chasser les Russes. Il a été victime d'un attentat perpétré par deux Arabes juste avant le 11 Septembre, et il est mort quelques jours après.

Deux hommes me dévisagèrent quand je passai, et je baissai les yeux. J'avais l'habitude que les gens me regardent car j'étais plus grande que la plupart des Afghanes – et des Afghans –, avec des cheveux maintenant blonds et hérissés, qui refusaient de rester cachés sous un foulard. J'avais toujours une mèche qui dépassait. Je ne me conduisais pas non plus comme une Afghane. La plupart d'entre elles gardaient les yeux fixés sur le sol ou sur l'horizon, pour éviter de croiser le regard des hommes. Je n'avais rien de commun avec ces femmes. J'avais même parfois l'impression de porter un chapeau haut de forme avec des rayures, le chapeau de l'oncle Sam.

Je continuai à interroger mon amie :

— Ces deux-là ont la peau très claire, avec des yeux bleus. Est-ce que ce sont des Américains ou des Européens habillés en Afghans ?

— Non, Debbie ! dit-elle avec amusement. Ce sont des Nouristanis, venus des montagnes du Nord. Ils prétendent qu'ils sont les descendants d'Alexandre le Grand. Certains ont des cheveux comme les tiens.

Elle repoussa une mèche sous mon foulard.

— Ils sont blonds comme toi aujourd'hui, ou roux, comme tu l'étais pendant ton séjour précédent.

— Et toi, de quelle tribu es-tu ? Et Daud ?

J'avais du mal à comprendre ces différences : pour moi, ils étaient tous afghans.

— Nous sommes des Pachtouns, dit-elle. Nous formons la plus importante communauté en Afghanistan, celle d'où proviennent la plupart des dirigeants du pays. Nous avons chassé les Anglais au siècle dernier. Le roi qui régnait avant l'invasion des Russes était pachtoun, comme le président Karzai. Et comme les talibans, ajouta-t-elle avec une grimace.

Noor nous attendait devant la mosquée, coincé au beau milieu de quatre files de voitures en stationnement provisoire, dont les conducteurs s'étaient arrêtés pour acheter dans une boutique voisine des kebabs enveloppés dans du pain plat. La mosquée était une construction ancienne au dôme bleu, constellée d'impacts de balles, comme la plupart des bâtiments de Kaboul, et trouée par des éclats de bombes. Tout autour du rond-point devant la mosquée, des dizaines ou plutôt des centaines d'hommes, assis sur leurs talons, bavardaient entre eux, trituraient leurs chapelets ou regardaient passer les voitures avec des yeux avides. Avec leurs vêtements rustiques et leurs turbans volumineux, la plupart semblaient descendus de leurs montagnes depuis peu.

— Beaucoup viennent de la campagne, dit Roshanna. Leurs villages ont été bombardés, ils n'ont plus de travail. Il y a parmi eux des fermiers que la sécheresse a privés de récolte et qui ont l'espoir de gagner un peu d'argent en ville.

Quand Noor descendit de la camionnette, nous nous dirigeâmes vers le groupe le plus proche. En l'entendant annoncer que nous avions besoin d'une dizaine de travailleurs pour transporter des cartons, la moitié des hommes se levèrent d'un bond et nous suivirent jusqu'à la camionnette, dans laquelle Roshanna et moi nous installâmes. Les hommes se précipitèrent sur les portes du véhicule, voulant tous monter à la fois, puis l'un d'eux réussit à s'agripper au siège passager et à se hisser à l'intérieur. Cinq autres s'engouffrèrent dans la camionnette à sa suite ; un nouvel attroupement se forma à la porte, et tout le monde se mit à pousser. Noor, resté à l'extérieur, criait pour les faire reculer. Quelques-uns parvinrent encore à monter avant que Noor claque la porte, et nous partîmes chercher le container. Les hommes s'entassèrent tous d'un côté, pour ne pas s'asseoir à côté des femmes. Ils se parlaient entre eux à voix basse et m'adressaient des signes de tête courtois.

Le container se trouvait à l'arrière d'un complexe hospitalier, avec plusieurs autres contenant du matériel médical. Noor étant appelé à d'autres tâches, il nous laissa, Roshanna et moi, avec les hommes. Quand ils eurent enlevé la grande feuille de contreplaqué qui protégeait la cargaison, nous découvrîmes les cartons contenant nos produits. Il y en avait cinquante mètres cubes.

Je m'avançai pour attraper un carton haut perché, mais les hommes se précipitèrent, bras tendus, l'air surpris. Roshanna se mit à rire.

— Ils n'ont pas l'habitude de voir une femme faire ce genre de travail, dit-elle.

— Nous allons pourtant devoir tous nous y mettre.

Je fis basculer le carton, qui, soudain, me glissa des mains ; des flacons de shampoing se répandirent sur le sol. Les hommes commencèrent à les ramasser, puis posèrent une question à Roshanna.

— Ils veulent savoir pourquoi tu ne t'es pas simplement lavé les cheveux aux Etats-Unis ! me dit-elle en éclatant de rire une nouvelle fois.

Elle devait partir, et je restai seule avec les hommes. Comme il fallait vérifier le contenu de tous les cartons, sur lesquels rien n'était indiqué, j'essayai de les trier à l'intérieur du container. Quand je trouvais un carton de produits de coloration ou de maquillage, je le lançais à l'homme placé derrière moi, et il en faisait autant avec celui qui se trouvait derrière lui, et ainsi de suite jusqu'à l'extérieur, où un autre rangeait les cartons. La première fois que je lançai un carton, l'homme derrière moi le reçut en pleine poitrine, et faillit tomber. Il ne se doutait sans doute pas qu'une femme pouvait lancer une telle charge aussi loin.

Les hommes ne furent pas longs à prendre le rythme. Nous parvînmes à tout trier et à recharger le container, en plaçant près de la porte les cartons qui devaient être transportés chez Mary. A la fin de la journée, je donnai à chacun de mes aides des échantillons de shampoing et d'après-shampoing. Ils durent comparer les produits ensuite, car le lendemain, quand ils revinrent, ils avaient tous une préférence pour telle ou telle odeur et voulaient de nouveaux échantillons. Puis des amis travaillant pour une ONG me prêtèrent leurs voitures et leurs chauffeurs. Le trajet du container à la maison de Mary prenait environ quarante-cinq minutes, et nous dûmes effectuer quinze allers et retours ; nous réussîmes à monter tous les cartons de produits de coloration et de maquillage au deuxième étage en une seule journée. Heureusement, car, le soir, il commença à pleuvoir.

Quand les premières gouttes de pluie se mirent à tomber, Kaboul fut prise d'une excitation extrême. La sécheresse sévissait depuis sept ans, et la terre des rues s'effritait au passage des milliers de voitures, de buffles et de piétons. Au début de mon séjour, en l'absence de pluie, le ciel était clair le matin. Mais, après quelques heures de circulation intense, la poussière et les vapeurs d'essence finissaient par former un brouillard jaune qui masquait le soleil, les montagnes, et jusqu'au sommet des bâtiments les plus élevés. Moi aussi, j'étais heureuse de voir tomber la pluie : à cause de la poussière, j'avais contracté une épouvantable toux dont je ne parvenais pas à me débarrasser. Je toussais toute la nuit, à en réveiller mes compagnes de l'autre côté de la cloison de bois, au premier étage de la maison de Mary. Mais la pluie ne fit qu'aggraver la situation. Les rues devinrent boueuses et les égouts débordèrent, déversant des matières fécales. On ne pouvait pas faire un pas dehors sans se retrouver couvert de boue. Quand la pluie cessait une journée, les rues séchaient, et la poussière était encore pire qu'auparavant. Ma toux ne guérissait pas.

La pluie risquait aussi de retarder une étape majeure de notre projet : la première réunion avec des candidates pour notre école. Les premières femmes auxquelles nous voulions nous adresser étaient des coiffeuses déjà en activité, afin de les aider à développer leur affaire. En l'absence de tout système postal fiable, Noor avait passé plusieurs jours avant mon arrivée à chercher des salons de beauté, afin de distribuer des centaines d'invitations à une réunion chez Mary. Les transports publics étant déjà tout à fait aléatoires par temps sec, nous ne savions pas combien de femmes se risqueraient à affronter la boue et la pluie pour venir, et surtout si elles pourraient échapper à leurs maris et à leurs pères pour se rendre à cet événement singulier, donc suspect : une réunion de coiffeuses.

Du haut du toit de Mary, je regardai la rue en contrebas. Se détachant sur la boue, une grande tache bleue s'avançait dans une grande agitation. Des coiffeuses arrivaient pour la réunion ! La plupart portaient des burqas bleues, quelques-unes des burqas jaune pâle, d'autres encore étaient en vêtements de ville avec des foulards foncés. Je remarquai plusieurs autres burqas se dirigeant avec détermination vers la maison pour se joindre au groupe. Je dévalai l'escalier, folle de joie.

Mary et moi accueillîmes sur le seuil une trentaine de femmes, qui entrèrent en file indienne dans la maison. Elles prirent place sur les toushaks dans le salon, puis roulèrent le devant de leurs burqas : le tissu encadrait leur visage comme d'épais rideaux. Certaines étaient venues avec leur bébé, qu'elles berçaient doucement. Je fis le tour de la pièce avec un plat de gâteaux. Parmi les plus jeunes, il y avait une femme ravissante, avec d'immenses yeux verts, des cheveux bruns et un sourire enchanteur. Elle prit un petit gâteau et posa la main sur mon bras.

— Merci, dit-elle d'une voix singulièrement grave. Merci.

— Comment t'appelles-tu ?

Je cherchai les mots en dari.

— *Namet chest* ?

— Basira.

Elle le répéta plus lentement pour que je saisisse bien toutes les syllabes, et le *r* roulé à la fin.

— Basira.

J'essayai de reproduire l'intonation musicale de sa voix ; et elle se mit à rire.

— Bien, dit-elle.

On voyait qu'elle aimait s'amuser : c'était une candidate idéale pour notre première promotion.

Mary et moi distribuâmes un numéro à chacune des femmes, et nous prîmes leur photo avec les numéros, de façon à savoir ultérieurement de laquelle nous parlions. Nous leur expliquâmes qu'elles allaient ensuite passer des entretiens avec Noor, mais qu'elles ne seraient pas toutes retenues, notre première classe ne pouvant accueillir que vingt élèves. Leur visage étant découvert, Noor ne pouvait pas entrer dans la pièce. Tandis que Mary traduisait mes propos, je leur souhaitai la bienvenue à la réunion. Je me présentai et leur expliquai ce que nous avions l'intention de faire à l'école. Je leur annonçai que j'allais leur poser quelques questions afin de mieux adapter la formation à leurs besoins. Mais je voulais d'abord qu'elles me parlent d'elles.

On aurait dit qu'on venait de faire sauter un bouchon : elles se mirent à parler toutes en même temps. Puis Mary réussit à les calmer, et chacune prit la parole à son tour.

Une femme, qui paraissait beaucoup plus vieille que son âge – ce qui semblait être fréquent à Kaboul –, raconta qu'elle avait travaillé comme coiffeuse avant les talibans et avait repris son métier l'année précédente. Elle portait la burqa depuis quinze ans. La première fois qu'elle l'avait enlevée, le soleil l'avait aveuglée et elle avait dû attendre trois jours avant de pouvoir sortir sans s'abriter les yeux.

Une autre n'était pas autorisée à sortir de chez elle depuis huit ans. Elle était très déprimée et s'ennuyait beaucoup, ce qui l'avait poussée à assister à cette réunion sans en avertir son mari. La seule chance pour qu'il la laisse venir à l'école était qu'il sache combien d'argent elle pourrait gagner. Elle avait l'habitude de couper les cheveux de ses filles à la maison, et leurs professeurs, ayant admiré son travail, étaient venues elles aussi se faire coiffer.

Je désignai Basira, qui me regardait avec de grands yeux.

— Peux-tu nous raconter ton histoire ? demandai-je.

Elle acquiesça, et Mary commença à traduire.

— Cette jeune femme est coiffeuse depuis huit ans, et elle a continué sous les talibans.

Pendant cette période, Basira faisait vivre sa famille, car son mari, fonctionnaire, avait perdu son travail à l'arrivée des talibans. Elle comptait parmi ses clientes les épouses des talibans, qui, bien que ce fût défendu, venaient chez elle se faire coiffer et maquiller pour des mariages. Leurs maris les déposaient comme si elles étaient en visite. Les femmes ressortaient de la maison de Basira, cheveux coiffés et visage maquillé dissimulés sous la burqa, les ongles vernis cachés sous des gants. Un jour, on l'avertit que les talibans allaient venir fouiller sa maison. Elle brisa son miroir en morceaux et l'enterra dans la cour avec tous ses produits, car il était trop dangereux de les jeter aux ordures. Les talibans mirent la maison à sac. Ils battirent son mari et la jetèrent en prison pendant deux jours. Elle pleurait en racontant son histoire, et essuyait ses larmes avec l'ourlet de sa burqa. Je la pris dans mes bras. A vingt-neuf ans, elle avait l'air d'une enfant, passant instantanément du rire aux larmes.

Puis sa voisine prit la parole. Les récits se succédaient. Les femmes avaient pour la plupart une dizaine d'années d'expérience dans la coiffure. Il me restait maintenant à découvrir leur façon de travailler et l'étendue de leurs connaissances techniques, pour pouvoir mettre au point un programme. J'interrogeai les femmes à tour de rôle. Combien de temps laissez-vous agir un liquide à permanente ? Coiffez-vous des femmes qui ont des poux ? Comment traitez-vous une chevelure qui a été passée au henné ? Vous servez-vous du peigne après l'avoir laissé tomber ? L'ambiance changea alors aussitôt. Autant les femmes avaient aimé raconter leurs histoires, autant maintenant elles avaient peur de paraître ignares. Jamais je ne les aurais soumises à une telle épreuve si j'avais eu une meilleure connaissance de la culture afghane. Je les aurais interrogées en privé. Je touchais là à leur honneur, à la fierté qu'elles mettaient à exercer leur travail, et certaines se fâchèrent. C'étaient souvent celles qui en savaient le moins et prétendaient en savoir le plus. Néanmoins, je regrette que cela se soit passé ainsi.

Vers la fin de la réunion, tout le monde paraissait excité par ce projet d'école, moi encore plus que les autres, sachant tout ce que ces femmes allaient apprendre et combien cela les aiderait à faire progresser leur affaire. Je les imaginai testant les produits que nous venions de transporter, humant tous ces parfums exotiques, frottant ces après-shampoings soyeux entre leurs doigts. Avant de partir, elles remirent leur burqa ou leur foulard sur leur tête. Beaucoup m'embrassèrent en prenant congé. Roshanna arriva juste au moment où Basira partait, et les deux jeunes femmes échangèrent quelques mots.

— Je voudrais mieux la connaître, dis-je à Roshanna. Peux-tu lui demander de rester encore quelques minutes ?

Nous nous installâmes toutes les trois sur les toushaks de Mary, et Roshanna se mit à questionner Basira et à traduire.

— Elle vient de Mazar-e Sharif, dans le nord de l'Afghanistan...

Je pris la main de Basira, qui s'était remise à pleurer.

A la fin des années 1990, la guerre contre la Russie faisait rage dans la région de Mazar. Des bombes étaient tombées près de l'école. Son père, qui avait des idées progressistes, voulait que les deux sœurs de Basira continuent à aller en classe – elle-même avait seulement trois ans à l'époque : il emmena toute la famille vivre à Kaboul, où habitait l'oncle maternel de Basira. Le père trouva une belle maison, en faisant ce qu'on appelle un garroul, c'est-à-dire en versant au propriétaire une importante somme d'argent : au bout de cinq ans, la famille pouvait soit reprendre une partie de l'argent, soit garder la maison. Quand ils furent installés à Kaboul, le père retourna à Mazar pour y conclure une affaire, mais il ne revint jamais. La mère de Basira, rongée par l'inquiétude, attendit de ses nouvelles pendant des mois, mais elle dut finalement se rendre à l'évidence : bien que son corps n'ait jamais été retrouvé, il avait certainement été tué par les Russes ou par les moudjahidin. Elle se mit à faire le ménage dans une école. Cinq ans après, le garroul étant arrivé à échéance, la mère de Basira jugea préférable de reprendre l'argent et de chercher une maison moins grande. Avec son maigre salaire, ils n'avaient plus de quoi s'acheter des vêtements convenables. Son frère offrit de se charger de récupérer l'argent à sa place, comme c'est le rôle de l'homme le plus âgé de la famille. Mais, quand la mère de Basira réclama son dû, le frère refusa de le lui donner et la chassa de sa maison. Désormais, la famille n'avait plus ni maison ni argent.

A l'âge de huit ans, Basira allait toujours en classe, mais elle ne pouvait pas habiter avec sa famille. Elle vivait chez une de ses institutrices, chez qui elle faisait le ménage, car sa mère n'avait pas les moyens de la nourrir. Basira souffrait terriblement d'être séparée de sa mère, qu'elle voyait seulement le vendredi, mais l'enseignante était gentille avec elle et la traitait comme sa fille. Basira voulait devenir professeur, elle aussi.

Quand elle eut douze ans, sa mère la fiança avec un fonctionnaire âgé de vingt-neuf ans. N'ayant ni mari ni argent, elle craignait que les gens n'aient une mauvaise opinion de ses filles ou les accusent de se prostituer. Une rumeur courait aussi dans Kaboul : des hommes tentaient d'enlever des jeunes filles pour les vendre à l'étranger. Basira ignorait tout de cela. Ses cousines la taquinaient parce qu'elle était fiancée à un « vieil homme », mais elle, qui jouait encore à la poupée, ne s'en souciait pas. Lors de la réception donnée pour ses fiançailles, elle courut partout dans la salle et chahuta avec les autres enfants malgré sa belle robe de velours. Quand son futur mari se pencha pour lui offrir un anneau d'or, elle crut qu'il s'agissait d'un jeu.

Au cours des deux années qui suivirent, son fiancé vint lui rendre visite avec des cadeaux, mais elle ne fit pas davantage attention à lui. Puis, un jour, elle ressentit une terrible douleur dans les reins et alla chez sa mère pour s'étendre. Quand elle se releva, du sang coulait le long de ses jambes. Elle appela sa mère et se mit à crier qu'elle allait mourir. Non, lui dit sa mère, qui s'était précipitée dans la chambre : le moment était venu pour elle de se marier. A quatorze ans, Basira épousa donc l'homme qui lui avait offert l'anneau d'or. Elle s'en souvenait comme d'un jour horrible. L'esthéticienne lui épila les sourcils avec un fil, et la douleur lui fit venir les larmes aux yeux. Ensuite elle continua à pleurer par peur de ce qui allait arriver. Sa mère s'était contentée de lui dire que son mari lui ferait quelque chose après le mariage qui la ferait saigner de nouveau. Les mères préféraient ne donner aucun détail à leurs filles sur la nuit de noces. Paraître terrorisée était en effet une garantie de virginité. Basira pleura tellement avant le mariage que l'esthéticienne dut la remaquiller plusieurs fois. Plus tard dans la nuit, des hommes de sa famille et le mollah signèrent le nika-khat dans une pièce, tandis que Basira était assise dans une autre, sur les genoux de son ancienne institutrice. Celle-ci regrettait que Basira soit obligée de se marier et de quitter l'école : Basira aurait fait une bonne institutrice.

Quand sa mère la poussa dans une chambre avec son mari, Basira se réfugia dans un coin et se mit à hurler. Ses faux cils se décollèrent, et, de désespoir, elle défit ses belles boucles laquées. Son mari ne la toucha pas pendant trois jours, mais, le quatrième, il insista. La belle-mère de Basira recueillit le mouchoir taché de sang.

Quand Basira fut enceinte de neuf mois, le pays était toujours en guerre ; le conflit ne divisait plus les moudjahidin et les Russes, mais les factions moudjahidin entre elles. Beaucoup de Kaboulis avaient choisi de fuir, et son mari pensait qu'ils devaient quitter la ville en autocar. Les douleurs de l'accouchement commencèrent juste au moment du départ ; son mari et sa belle-sœur l'emmenèrent donc à l'hôpital. L'établissement était fermé, l'équipe médicale partie et l'électricité coupée depuis plusieurs jours, ce qui ne l'empêchait pas d'être bondé, car de nombreux patients espéraient quand même se faire soigner. Basira mit au monde son premier enfant sur le sol d'un hôpital plongé dans l'obscurité. Elle ne cria pas : quand la douleur fut trop forte, elle se mordit le poignet et s'agrippa à sa belle-sœur, laquelle procéda à la mise au monde du bébé. C'était une fille. Son mari s'en réjouit, mais sa joie ne fut partagée ni par Basira ni par aucun autre membre de la famille.

Basira eut une autre fille pendant la guerre civile, et une autre encore sous le règne des talibans. Les douleurs pour la troisième survinrent après le couvre-feu de vingt-trois heures, et personne ne voulut la conduire à l'hôpital sans autorisation officielle. Elle souffrait tellement qu'elle était obligée de marcher, et elle sortit malgré tout. Sa famille étendit les toushaks de la maison sur le trottoir, et elle mit au monde sa troisième fille près des marches menant à l'entrée. Après cette fille, elle eut enfin un garçon.

Elle voulait venir à l'école parce qu'elle ne savait ni couper les cheveux ni faire des couleurs. Elle ne voulait pas être pauvre comme sa mère, au point de devoir envoyer ses enfants vivre chez les autres.

A ce point de son récit, nous étions toutes les trois en larmes. Jamais je n'avais entendu raconter avec autant de détails une aussi triste histoire. La famille de Roshanna avait traversé des moments difficiles, comme toutes les familles afghanes. Mais ils avaient triomphé des épreuves, étaient restés soudés, et elle avait un bon métier. L'histoire de Basira me bouleversa. Je comprenais enfin pourquoi elle ressemblait à une enfant. On aurait dit une adolescente candide refusant de devenir adulte.

Ce soir-là, je me sentis plus déterminée que jamais à ouvrir cette école : pour Basira, et pour toutes les autres jeunes femmes comme elle. Mon seul souci était d'en assurer la continuité. Laisser Noor s'en occuper seul ne me paraissait pas une bonne solution : il ne connaissait rien à la coiffure et ne pourrait pas pénétrer dans l'école en présence des femmes. Personne à Kaboul n'était suffisamment qualifié pour prendre l'école en charge à plein temps. En allant me coucher, je me demandai si je pourrais abandonner mes clientes plus longtemps, disons six mois, pour rester travailler ici. Pourrais-je supporter d'être loin de ma mère et de mes fils pendant ce temps, et réussirais-je à me débrouiller aussi bien que Mary ? J'en doutais. Il fallait pourtant que quelqu'un de l'équipe demeure à Kaboul pour veiller à la bonne marche de l'école.

— Réveille-toi !

J'ouvris les yeux : Mary était penchée au-dessus de moi. Après avoir fini par m'endormir sur un toushak du salon, je me souvenais d'avoir été réveillée à quatre heures trente par l'appel à la prière du mollah. Ma toux avait tellement empiré pendant la nuit que mes quintes faisaient trembler les cloisons. En dépit de mes efforts pour les étouffer, j'entendais mes compagnes se retourner dans leur lit. J'avais décidé de descendre pour essayer de dormir quelques heures. Je devais partir quelques jours plus tard, et je craignais que la compagnie aérienne ne m'autorise pas à monter à bord. L'inquiétude concernant l'épidémie de SRAS était à son niveau maximal, et les compagnies mettaient en quarantaine les gens qui toussaient beaucoup. J'étais suffisamment triste de quitter l'Afghanistan, je ne voulais pas me retrouver, ici ou au Pakistan, confinée dans une pièce isolée remplie de cas suspects.

— Réveille-toi, Debbie, répéta Mary en me voyant refermer les yeux. Je veux te montrer quelque chose.

La lumière provenant des fenêtres était faible, et la rue calme. On ne devait pas être loin de l'aube.

— Quelle heure est-il ?

— Habille-toi, dit Mary en se dirigeant vers la porte. Tu as besoin de prendre l'air.

Sans même m'en rendre compte, je me retrouvai dans un taxi sortant de la ville. Quand je lui demandai ce qui se passait, elle secoua la tête d'un air mystérieux. Un de ses assistants afghans – un garçon nommé Achtar, dont le bras avait été mutilé dans un accident – était assis à côté du chauffeur, et me souriait. Le taxi roula longtemps ; nous dépassâmes les derniers vendeurs de kebabs, les pompes à essence et les étals de pastèques, puis nous nous engageâmes sur une route de montagne. La voiture finit par s'arrêter et nous descendîmes. Je ne comprenais pas pourquoi, car il n'y avait rien à cet endroit, sinon la montagne et la route. Mary et Achtar prirent un petit sentier entre les rochers, et je les suivis. Nous marchâmes longtemps avant d'arriver à un pont de pierre enjambant un torrent : tout était vert au-dessous de nous. En contrebas du cours d'eau, des jeunes filles marchaient avec des seaux sur la tête. J'aperçus un village au loin. Plusieurs hommes s'avancèrent sur le sentier dans notre direction et ils échangèrent quelques mots vifs avec Mary. Je lui demandai ce qu'ils avaient dit.

— Territoire taliban, répondit-elle.

Nous laissâmes derrière nous d'autres champs et franchîmes d'autres ponts. De nouveau, des hommes nous rattrapèrent et apostrophèrent Mary, mais elle leur répondit sur le même ton.

— Territoire taliban, répéta-t-elle en haussant les épaules quand je l'interrogeai.

Nous arrivâmes enfin à un village très ancien, où une rue étroite serpentait entre des groupes d'habitations ceints de murs.

J'étais dans un état lamentable. Je n'avais pas bu mon café du matin, ma tête était nue, et mon pull-over beaucoup trop court. Je n'étais pas à ma place dans cet endroit, mais Mary continuait à avancer comme si de rien n'était. Nous arrivâmes enfin à la maison d'Achtar, une cabane de briques artisanales séchées au soleil.

— Il a fabriqué les briques lui-même, dit Mary tandis qu'Achtar désignait les petits morceaux de paille pris dans les briques. Il a également construit la cabane, poursuivit-elle. Il en est très fier, car, avant, sa famille vivait sous une tente.

Achtar nous invita à entrer : son père nous attendait, assis sur le tapis, l'image même du patriarche, avec sa barbe blanche descendant jusqu'à la poitrine, un turban noir entouré d'un tissu à carreaux bleu vif, et des yeux gris perdus dans le vague. Il était aveugle. La mère d'Achtar entra dans la pièce avec une grande théière. Elle me parut frêle, à peine plus grande que le garçon. Malgré ma crainte de contracter une dysenterie, il eût été impoli de refuser le thé. Je le bus, pendant que Mary parlait. J'avais l'impression de vivre un rêve, assise ici en compagnie de ce garçon, de cette femme minuscule et de cet aveugle. L'air frais et pur des montagnes apaisait ma toux. Malgré les bâtiments ravagés par la guerre et les récits affligeants des rescapés des bombardements, une certaine magie se dégageait de l'Afghanistan. Je ne savais toujours pas si je pourrais y vivre comme Mary ni si je serais capable de me sentir aussi à l'aise qu'elle parmi les Afghans.

Avant de repartir, j'eus l'occasion de découvrir un autre endroit extraordinaire. La rumeur ayant commencé à circuler parmi les Occidentaux qu'un pub irlandais – le premier bar de l'ère post-taliban – avait ouvert à Kaboul, nous décidâmes de nous y rendre.

Après avoir vainement tourné en voiture dans le quartier indiqué, nous aperçûmes une porte devant laquelle se pressait un groupe de costauds armés de mitraillettes, sans le moindre turban : ce devait être l'endroit que nous cherchions. Avant d'ouvrir la porte, ils vérifièrent nos passeports, nous fouillèrent et nous firent apposer notre signature sur une feuille. Dès l'entrée, je me retrouvai transportée à des milliers de kilomètres. Il y avait un jardin avec des tables et des parasols, et à l'intérieur un bar, avec des tables de billard et des jeux de fléchettes. L'endroit était bondé de clients du monde entier qui parlaient une langue différente à chaque table. Les propriétaires s'étaient engagés auprès des autorités à ne pas servir d'alcool. En revanche, on pouvait acheter des bons, qu'on échangeait ensuite contre des boissons. Nous nous amusâmes beaucoup ce soir-là, heureux d'échapper pour quelques heures à Kaboul, cette ville poussiéreuse, encombrée.

Deux jours plus tard, quand nous retournâmes au pub, tout avait disparu. Plus de gardes. Des portes fermées. Par une fente dans le mur, nous distinguâmes un bâtiment sombre et vide. J'appris qu'on avait menacé les propriétaires d'une bombe : l'argent qu'ils pouvaient gagner avec leur oasis occidentale ne valait pas qu'ils courent un tel danger.

4

Je m'approchai du chevalet et traçai un grand cercle rouge sur une feuille de papier.

— Rouge, annonçai-je.

Les femmes me regardaient avec de grands yeux attentifs.

Anisa traduisit en dari, et elles acquiescèrent d'un signe de tête.

— Très facile jusqu'ici, n'est-ce pas ? ajoutai-je. Je parie que vous auriez pu me le dire !

En entendant Anisa, les vingt femmes en uniforme bleu pâle se mirent à rire. Du dernier rang, Roshanna leva le pouce en signe de victoire.

Après cinq mois d'une attente interminable, j'étais enfin revenue à Kaboul pour enseigner ma matière dans le programme de Beauté sans frontières : la coloration. J'étais tellement ravie d'être de retour que j'avais l'impression d'afficher en permanence un sourire béat. Avec Anisa, une coiffeuse canadienne d'origine afghane, bénévole comme moi, nous avions du mal à croire que nous collaborions à la mise en œuvre de cet extraordinaire projet.

Je pris une profonde inspiration et dessinai de chaque côté du cercle rouge des cercles bleu et jaune. Puis je mélangeai les couleurs pour obtenir un cercle orange entre le rouge et le jaune, un vert entre le jaune et le bleu, et un violet entre le rouge et le bleu. Je traçai des lignes noires reliant le cercle rouge et le vert, le jaune et le violet, l'orange et le bleu. On aurait dit une marguerite de toutes les couleurs. Avec mes trois pots de couleurs primaires, je voulais leur expliquer comment elles pouvaient transformer une brune en rousse avec des reflets blonds. Ou des reflets verts si tel était le désir de la cliente.

J'étais arrivée quelques jours plus tôt. Noor était venu me chercher à l'aéroport, désolé de m'apprendre qu'aucune chambre n'était réservée pour moi. Cela m'importait peu. Je lui demandai de me conduire à l'école : j'étais certaine de trouver une chambre dans la maison d'hôtes la plus proche. Il y en avait une en bas de la rue du ministère des Femmes, dans une grande maison blanche d'une propreté impeccable avec des lapins et un coq courant dans la cour. Quand je voulus prendre une douche le soir, il n'y avait pas d'eau chaude. Le contraire m'eût étonnée.

Le lendemain matin, je marchai jusqu'à l'école : l'endroit m'apparut aussi agréable que je l'avais espéré. Les murs étaient d'un blanc crème, avec des photos pleines de couleurs et des produits en exposition partout. En entendant les voix de femmes, leurs rires mélodieux, tandis qu'elles prenaient soin les unes des autres, je reconnus l'ambiance d'une école d'esthétique. Ces bruits me remplissent de bonheur ; c'est comme si j'entrais dans un bain chaud ou que j'ouvrais la porte d'un four plein de petits gâteaux. L'une des coiffeuses américaines, d'origine afghane, était en train d'expliquer la technique de la coupe aux ciseaux sur les cheveux d'une étudiante. Lorsque j'entrai, elles me regardèrent toutes avec un grand sourire et Roshanna sortit du groupe pour se jeter à mon cou. Les vingt étudiantes portaient un uniforme bleu et ne ressemblaient plus aux créatures inquiètes en burqa rencontrées lors de la réunion chez Mary. Je cherchai des yeux Basira, mais Noor ne l'avait pas sélectionnée.

Je dis aux femmes combien je me réjouissais à l'idée de travailler avec elles, puis je m'installai au fond de la salle pour observer ce qui se passait. Dans l'après-midi, les étudiantes me regardèrent travailler avec quelques-unes des coiffeuses. Tout le monde s'amusa beaucoup quand une femme employée au ministère vint se faire couper les cheveux. Après la coupe, lorsque je sortis un sèche-cheveux, elle poussa un cri comme si je l'avais braquée avec un pistolet. N'en ayant jamais vu, elle ne comprenait pas pourquoi je le dirigeais vers sa tête. Quand il souffla de l'air chaud, elle hurla et bondit de son fauteuil.

Quelques jours plus tard, je rassemblai toutes les participantes à notre première session et distribuai un nuancier à chaque étudiante. Tandis qu'Anisa traduisait, je leur expliquai à quoi il servait et commençai à leur exposer les bases de la théorie de la coloration : les couleurs primaires, les couleurs secondaires et les couleurs complémentaires, celles-ci se trouvant à l'opposé les unes des autres sur le nuancier. Je montrai les couleurs sur mon chevalet : le rouge était en face du vert, l'orange en face du bleu, et ainsi de suite. Mes élèves acquiescèrent.

— Savez-vous le rapport que cela a avec les cheveux ? demandai-je.

— Non, répondirent quelques voix timides.

— Quelqu'un veut-il essayer de deviner ? Roshanna ?

Elle fit une petite grimace, regrettant soudain de s'être liée d'amitié avec moi.

J'expliquai que sous la couleur des cheveux de chacun, il existe une pigmentation de base. Quand on décolore des cheveux noirs, on s'aperçoit parfois que ce pigment est orange. Pour changer la couleur des cheveux de quelqu'un, il faut prendre en compte ce pigment, et choisir une couleur à l'opposé sur le nuancier. Si ce pigment est orange, et que la cliente ne veut pas avoir les cheveux orange, il faut choisir une couleur avec une base bleue – comme le blond – pour s'opposer à l'orange. En guise de preuve, j'étalai de la peinture bleue sur mon cercle orange, et leur montrai que la couleur tournait au marron.

— Vous voyez ? demandai-je. J'ai utilisé la couleur complémentaire pour me débarrasser de l'orange. Compris ?

— Oh oui, répondirent-elles en chœur d'une voix douce.

Elles comprenaient parfaitement.

Cet après-midi-là, j'envoyai un e-mail d'un cybercafé à mes amies dans le Michigan pour leur raconter mon premier cours. En regardant la date, j'éprouvai un sentiment étrange. Nous étions le 11 septembre, deux ans après l'attaque terroriste sur New York et Washington. Le 11 septembre, jour de deuil en Amérique, était une journée ordinaire à Kaboul. Au-dehors, des voitures klaxonnaient et manœuvraient tant bien que mal, des commerçants disposaient leur étal, des piétons se hâtaient en s'abritant le visage du vent et de la poussière. Je me sentis plus déterminée que jamais. L'école et la chance qu'elle offrait aux femmes afghanes devaient être une conséquence heureuse du 11 Septembre.

Le lendemain, je voulus commencer mon cours par la révision des notions apprises la veille. Je pris une mèche dans la longue chevelure brune d'une jeune femme.

— Que faites-vous si vous voulez la transformer en blonde ? A quoi devez-vous faire attention ?

Personne ne se risqua à répondre. Elles s'agitèrent, leurs yeux soulignés de khôl regardèrent en direction de la porte, de la rangée de têtes à coiffer, des capes accrochées au mur. Elles cherchaient toutes à éviter mon regard. Roshanna elle-même se dissimula derrière une de ses camarades quand je la cherchai des yeux. J'évoquai quelques-uns des sujets abordés la veille. Le nuancier ? Les pigments ? Le mélange du rouge et du jaune pour obtenir l'orange ? Elles me regardaient comme si je leur parlais d'aller sur la Lune. Le soir venu, j'étais déçue, épuisée. Je commençais à douter de mes capacités à enseigner.

Le troisième jour, je me retrouvai dans la même impasse. Je restai des heures debout devant elles à expliquer la théorie des couleurs, mais cela ne servit à rien. Il fallait pourtant qu'elles comprennent, sinon elles ne parviendraient jamais à maîtriser la teinture. A la fin de la journée, nous étions toutes malheureuses. Peut-être pouvions-nous simplement essayer de faire des colorations ensemble, en utilisant une planche d'échantillons de cheveux fournie par un fabricant. Hélas, je fus incapable de la trouver. Je regardai les filles et fis cliquer mes ciseaux en l'air.

— Nous allons devoir prendre des échantillons de vos cheveux ! annonçai-je.

Quand Anisa traduisit, elles poussèrent toutes des cris et se protégèrent la tête avec les mains. Les cheveux longs étaient très appréciés en Afghanistan. Les jeunes filles à la longue chevelure se donnaient des airs d'héroïnes romantiques sorties des films indiens de Bollywood, qu'elles regardaient toutes, et leurs maris leur demandaient souvent de ne pas couper leurs cheveux. Leurs parents insistaient aussi pour qu'elles n'y touchent pas, car des cheveux longs donnaient aux jeunes filles célibataires plus de chances de trouver un mari. Cela ne m'empêcha pas de passer de l'une à l'autre avec mes ciseaux et de couper de petites mèches. Une jeune fille avec les cheveux jusqu'aux reins me fournit à elle seule une dizaine d'échantillons. Elles poussèrent tellement de cris et rirent si fort pendant cette opération qu'un garde du ministère vint frapper à la porte. Je fis une grimace à l'adresse des étudiantes et ouvris la porte, persuadée que les gardes allaient me reconduire dans la rue sous prétexte que je faisais trop de bruit.

— Cela nous fait plaisir de vous entendre rire ! dirent-ils avec un sourire contrit. Mais pas si fort, s'il vous plaît. Les gens se demandent ce qui se passe.

Cette nuit-là, allongée sur mon lit rudimentaire dans la maison d'hôtes, je me mis à pleurer. J'étais tellement enthousiaste à la perspective de mettre sur pied cette école, et voilà que j'avais l'impression de torturer les étudiantes ! Ce que je leur disais me paraissait d'une simplicité enfantine, et elles ne comprenaient rien. Pourtant, elles en étaient tout à fait capables. Nous les avions longuement questionnées pour choisir celles à qui notre enseignement profiterait le plus. Elles n'avaient pas mis longtemps à assimiler les autres notions. J'avais l'impression d'avoir échoué dans ma mission afghane, et je ne savais pas comment y remédier. C'est alors que Val et Soraya vinrent frapper à ma porte.

En m'installant dans cette chambre cinq jours auparavant, j'avais constaté que la maison d'hôtes était pleine d'Afghans qui avaient vécu en Europe, en Amérique ou en Australie. Ils étaient revenus pour les raisons les plus diverses : les uns pour travailler dans une ONG, d'autres pour rechercher les propriétés familiales abandonnées pendant les guerres, d'autres encore pour voir leurs amis. J'étais ravie d'évoluer dans ce milieu, estimant que je ne pouvais pas trouver mieux que des Afghans parlant anglais. Mais je découvris que la plupart d'entre eux ne désiraient pas converser avec moi : tout à l'excitation et à l'émotion de leurs retrouvailles avec Kaboul, ils étaient plus impatients de parler leur langue maternelle que l'anglais. J'en aurais certainement fait autant dans leur cas, mais, du coup, j'éprouvai des difficultés à me faire des amis. Je me sentis très seule jusqu'à ce que je rencontre quelqu'un dans la même situation : Val était un photographe américain d'origine serbe, marié à Soraya, une superbe journaliste américaine d'origine afghane. Nous devînmes amis sur-le-champ.

— Après trois jours de cours, elles me regardent toujours comme si je parlais chinois, leur dis-je. Je ne réussirai jamais à leur inculquer quoi que ce soit !

— Il faut être patiente, Debbie, dit Soraya.

— Cela fait déjà trois jours !

— Patiente encore. Ces femmes ont été traumatisées. Elles n'ont pas cessé de fuir, guerre après guerre, et elles vivent toujours en plein chaos. Sans compter que beaucoup ne sont pas sorties de chez elles pendant des années.

— Je sais. Je croyais qu'elles auraient d'autant plus envie d'apprendre.

— Oui, mais elles n'ont rien dû apprendre depuis des lustres. C'est comme lorsque tu ne conduis pas pendant cinq ans, cela ne revient pas tout de suite.

— C'est vrai, mais je ne suis pas très douée comme mécanicien. Je ne sais pas comment les faire redémarrer.

— Tu n'as pas suivi une formation d'urgentiste ? demanda Val. Le stress post-traumatique n'entraîne-t-il pas une forme de perte de mémoire temporaire ?

Après le dîner, je repensai à la formation que j'avais suivie en 2001, alors que j'ignorais encore où se trouvait l'Afghanistan. Il m'apparut brusquement évident que ces femmes – et peut-être tous les Afghans – souffraient d'un syndrome post-traumatique. J'étais peut-être un mauvais professeur, mais les épreuves traversées les empêchaient de toute façon de se concentrer suffisamment sur de nouvelles données. Il en aurait été de même avec un enseignant chevronné. Je repris courage et décidai de tenter à nouveau l'expérience.

Le lendemain, je fis une découverte capitale. J'essayai une nouvelle fois de leur enseigner la notion de pigment de base, qu'il était indispensable de connaître pour obtenir la couleur souhaitée. Elles me regardaient avec la même incompréhension courtoise, des yeux sans expression et néanmoins bienveillants ; je cherchai désespérément une comparaison.

— Imaginez que c'est Satan ! dis-je en montrant une tache de peinture orange. Il y a dans les cheveux un diable que vous devez combattre. Il faut utiliser la couleur opposée pour l'empêcher de prendre le dessus.

Soudain, le visage d'une élève s'illumina, comme sous le coup d'une révélation. C'était Topekai, une jeune femme aux yeux sombres pleins d'intelligence, avec une allure vive, décidée. Je demandai à Anisa de se rapprocher, et posai à Topekai plusieurs questions pour être bien certaine qu'elle avait compris. J'étais tellement excitée que je l'embrassai sur les deux joues et l'amenai au milieu de ses camarades en la tenant si serrée qu'elle pouvait à peine marcher.

— Demande-lui de leur apprendre, dis-je à Anisa. Elle saura trouver les mots pour leur faire comprendre.

J'expliquai une nouvelle fois le concept du pigment de base, et Anisa traduisit. Topekai, rouge de fierté, reprit ce que nous avions dit dans ses propres termes, d'une voix forte et claire. Deux autres jeunes femmes se manifestèrent alors pour dire qu'elles avaient compris. Je scindai la classe en trois groupes pour que ces trois étudiantes expliquent la notion aux autres : tout le monde finit par comprendre. A partir de ce moment-là, le cours de coloration remporta un immense succès. Quand je leur demandais ce qu'elles feraient avec une cliente d'un niveau 4 naturel voulant un 8 chaud, elles n'hésitaient pas. Lorsque nous en arrivâmes au chapitre des mèches, qui était mon talon d'Achille, je leur en fis la démonstration, puis sortis fumer une cigarette. Quand je revins, les papillotes étaient impeccablement posées sur les têtes, parfaitement pliées comme des origamis, de véritables œuvres d'art.

Dès lors, travailler chaque jour à l'école avec les étudiantes fut une partie de plaisir. Leur assiduité me sidéra. La plupart jonglaient entre les enfants et des maris et des belles-mères souvent brutaux, elles vivaient dans des maisons sans eau ni électricité, dépourvues du confort élémentaire que les Occidentaux tiennent pour acquis, et faisaient fi des sarcasmes et du scepticisme de ceux qui pensaient que les femmes devaient rester à la maison. Elles arrivaient tous les jours à l'heure et concentraient toute leur attention sur cette formation qui leur permettrait d'améliorer leur vie, faisant des progrès visibles. A la fin de la session, je savais qu'elles auraient acquis toutes les connaissances nécessaires pour gérer leur affaire.

C'était aussi un plaisir car je les voyais bavarder, rire, se coiffer les unes les autres. A la fin de la journée, elles allumaient une petite radio pour trouver de la musique. Quand elles tombaient sur une station qui en diffusait, elles me montraient comment elles dansaient à l'occasion des mariages. Certaines me confièrent que c'était la première fois qu'elles s'amusaient autant depuis des années. L'école était une serre, et ces jeunes filles des fleurs qui avaient été piétinées, mais jamais cassées. Elles refleurissaient sous mes yeux. J'aimais être avec elles. Roshanna ou une interprète traduisaient leurs propos à mon intention, et je découvrais l'Afghanistan à travers ces histoires tristes ou drôles. Un jour, Topekai et deux autres filles bavardaient tout en s'entraînant à poser des bigoudis de permanente sur leurs têtes à coiffer. Mon dari étant toujours limité, je ne les écoutais pas ; je remarquai pourtant que des mots émaillaient leur conversation, comme « *Titanic* » et « Leonardo DiCaprio ».

Au bout d'un moment, je demandai à Roshanna ce qui les faisait rire.

— Nous nous souvenions que les talibans n'ont pas sévi seulement contre les esthéticiennes, dit-elle. Certains barbiers aussi ont eu des problèmes !

Bien que formellement interdits, les films étrangers parvenaient toujours en Afghanistan malgré la surveillance des talibans. *Titanic* remporta un énorme succès dans ce circuit clandestin, et les Afghans s'entichèrent de ses vedettes. Les hommes enviaient la coiffure de Leonardo DiCaprio dans ce film, plutôt longue sur le dessus. Ce style allait pourtant à l'encontre de la coiffure imposée à tout musulman par les talibans : cheveux courts, avec une barbe longue. Un barbier récalcitrant imagina comment profiter de cette nouvelle mode : il mit au point une coupe gardant un peu de longueur sur le dessus, juste assez pour pouvoir disparaître sous le calot de prière. Mais, un jour, un de ses clients enleva son calot, ses mèches à la DiCaprio retombèrent, et quelqu'un le rapporta aux talibans. Ils commencèrent à vérifier dans tout Kaboul s'il ne se cachait pas d'autres coupes blasphématoires sous les calots, puis remontèrent jusqu'au barbier, qu'ils jetèrent en prison pour quelques jours. Il fut une véritable victime de la mode !

Plantés devant la porte rouge, nous humions l'air de la rue.

— Pour moi, cela ne sent pas le restaurant, dis-je.

— Deux personnes m'ont assuré qu'ils servaient à manger, dit Val. Entrons et voyons ce qu'il en est. S'ils nous proposent un massage au lieu d'une soupe *wonton*, nous partirons.

L'enseigne annonçait un restaurant chinois, mais cela ne voulait rien dire. La plupart des restaurants pour Occidentaux, c'est-à-dire ceux qui vendaient de l'alcool et pratiquaient la mixité, préféraient ne pas se signaler, par crainte de réactions hostiles. Les établissements qui se prétendaient restaurants chinois cachaient souvent des maisons de passe. Mus par notre envie de faire un dîner chinois, nous poussâmes la porte, Val, Soraya et moi. Il y avait des tables à l'intérieur, avec des gens assis autour. Ce qui était bon signe, même si les serveuses étaient vêtues de jupes fendues jusqu'à la hanche, tenue incongrue à Kaboul. Un convive à une table voisine se pencha pour nous dire qu'elles avaient dû renoncer aux minijupes qu'elles portaient auparavant, à cause du tapage que cela créait à l'extérieur quand les Afghans se massaient à la porte pour les voir.

— Les hommes tombaient de leurs bicyclettes, ajouta le client.

C'est la formule consacrée à Kaboul pour décrire la réaction provoquée par des femmes qui se font trop remarquer.

Pendant le repas, j'exposai à Val et à Soraya ma réflexion concernant le projet initial de Beauté sans frontières, et les défauts qu'il présentait. Nous avions prévu, pour les sessions de formation, de faire venir par avion des coiffeuses étrangères, ce qui était très onéreux. Nous avions dépensé plus de 25 000 dollars en billets d'avion pour la première promotion, et nous ignorions si nous parviendrions à trouver d'autres fonds. Après mes pénibles débuts lors de la première classe de coloration, j'avais pensé qu'il serait préférable de former des coiffeuses afghanes à l'enseignement plutôt que de faire venir des Occidentales et passer par des traductions compliquées, impliquant parfois l'explication de termes sans équivalent en dari. Les coiffeuses afghanes étaient parfaitement capables de traduire les concepts de base dans des termes accessibles aux autres. Et si les Occidentales pouvaient montrer aux étudiantes afghanes des styles et des techniques d'avant-garde, il faut bien reconnaître que la clientèle locale n'en était pas particulièrement friande.

En outre, un responsable de l'école devait rester à Kaboul en permanence pour maintenir une présence continue, nécessaire vis-à-vis des gens qui nous avaient soutenus et de nos hôtes du ministère des Femmes. Ce ne pouvait pas être Mary MacMakin, déjà trop occupée par d'autres projets sous l'égide de son association. Ni Noor, qui n'avait même pas le droit de pénétrer dans l'école en présence des étudiantes.

— Et toi, tu n'aimerais pas t'installer ici ? me demanda Soraya.

— J'y ai pensé, dis-je. Mais je suis loin de ma mère et de mes enfants. Et puis j'aurais du mal à rester ici seule à Kaboul.

— Il te faut un mari, déclara Val, comme s'il me proposait un nem.

— Je viens de me débarrasser du mien. Laisse-moi respirer !

— Il a raison, Debbie, tu as besoin d'un mari ! s'exclama Soraya. Il est trop difficile pour une femme de vivre seule ici, même pour une Occidentale. Il te faut un mari pour te soutenir pendant que tu soutiens l'école.

Je levai les yeux au ciel.

— Au cas où vous ne l'auriez pas remarqué, je ne suis pas très douée pour choisir mes maris.

— Aucun problème, dit Soraya. Les mariages sont arrangés, dans ce pays. Nous devons simplement trouver l'homme susceptible de te convenir.

— Je croyais que seuls les premiers mariages étaient arrangés.

Elle sourit.

— Ce sera ton premier mariage en Afghanistan.

Il s'ensuivit une longue discussion animée sur le type d'homme que je devais épouser. D'un commun accord, nous écartâmes d'emblée les Occidentaux. Soit ils séjournaient brièvement en Afghanistan, soit ils y vivaient depuis vingt ans avec femmes et enfants, soit c'étaient des alcooliques travaillant pour une ambassade ou une grosse ONG. Il serait tout aussi difficile de trouver un Afghan, car la plupart voulaient une femme soumise pour leur préparer leurs repas, leur servir le thé et masser les pieds de leur mère. Avec moi, cela ne risquait pas de marcher. Pourtant, à la fin de la soirée, Soraya s'était juré de me trouver un mari. Cette idée me semblait relever de la plaisanterie, mais en même temps je ne la trouvais pas si saugrenue. J'adorais l'Afghanistan quand j'étais en compagnie de mes étudiantes ou de mes amis, mais quand ils étaient rentrés chez eux, je me sentais seule. La culture afghane donne beaucoup d'importance à la famille, et je n'en avais pas. Je n'appartenais pas non plus à une de ces grandes ONG dont les collaborateurs vivent dans des résidences et finissent par former une famille. Je voulais rester en Afghanistan au-delà des quelques semaines pendant lesquelles l'école était ouverte. Mais je n'étais pas certaine d'en être capable seule.

L'adolescente ne devait pas avoir plus de quinze ans. Le foulard bleu répugnant qui lui couvrait les cheveux s'effilochait en lambeaux sur ses épaules. Elle avait une plaie ouverte à la joue. Quand elle me tendit les bras pour me prendre par le cou, j'oubliai toutes les mises en garde qu'on m'avait faites à propos des prisonniers qui avaient des poux.

— Aide-moi, murmura-t-elle en se serrant contre moi. S'il te plaît, aide-moi.

Je me tournai vers Soraya.

— Pourquoi est-elle là ? demandai-je.

Après une brève conversation, Soraya traduisit.

— Son mari était un homme âgé qui la battait, et elle s'est enfuie. Ses parents l'ont signalée à la police pour avoir rompu ses vœux de mariage.

Si j'avais été une femme afghane, moi aussi je me serais retrouvée en prison pour avoir quitté un mari violent.

Soraya voulait écrire un article sur les femmes dans les prisons afghanes. Comme j'avais travaillé dans une prison aux Etats-Unis, la ministre des Femmes nous avait organisé une visite à Kabul Welayat, une prison de femmes. La réputation de cet endroit était si terrible que j'appréhendais cette visite. D'autant plus qu'on m'avait avertie que je risquais d'y contracter certaines maladies, alors que je souffrais déjà de la « toux de Kaboul » causée par la poussière, ainsi que de maux d'estomac quasi permanents. J'aurais voulu coiffer les prisonnières, mais tout le monde m'avait parlé des poux. Or je ne pouvais pas supporter l'idée même des poux. Pour compenser, je préparai un grand carton de pochettes-cadeaux dont Paul Mitchell m'avait fait don des mois auparavant. Quand j'étais encore dans le Michigan, j'en avais distribué des quantités à mes clientes, à des membres de différentes paroisses et à des parents d'élèves pour qu'ils les remplissent d'échantillons de produits de beauté, de rubans pour les cheveux et d'accessoires fantaisie. J'en pris pour les gardiennes également, afin qu'elles soient moins tentées de voler les prisonnières.

La surveillante qui nous accompagnait était une énorme femme avec des seins gros comme des pastèques. Avant de nous faire entrer, elle montra du doigt mon sac. Je le lui tendis avec un sourire, espérant que cela nous éviterait une nouvelle heure de harcèlement bureaucratique. Elle retourna mon sac sur un guichet, puis prit deux flacons de vernis à ongles. Après les avoir examinés, elle les posa sur une étagère derrière elle. Peu après, Soraya et moi nous enfoncions à sa suite dans un couloir qui devenait de plus en plus sombre à chaque pas. Quand nous nous arrêtâmes dans une cellule pour voir le premier groupe de prisonnières, le spectacle me coupa le souffle.

Malgré toutes les histoires épouvantables qu'on m'avait racontées, je n'étais pas préparée à une telle horreur. Je peux dire que ce jour-là fut un des pires de ma vie. La prison occupait un vieux bâtiment sombre avec d'interminables couloirs humides. Entassées dans chaque petite cellule, cinq femmes au moins. Les voleurs et les meurtriers qui purgeaient leur peine dans la prison du Michigan où j'avais travaillé disposaient de cellules plus confortables. Quelques femmes s'efforçaient de coudre sur de vieilles machines délabrées. Certaines vivaient là avec leurs enfants, des gamins crasseux qui posaient sur nous un regard vide.

La grosse surveillante ordonna aux femmes de se mettre en ligne pour que je leur distribue les sacs, ce qui me paraissait parfaitement incongru. En passant devant elles, je dus retenir mes larmes. Leur peau était couverte de plaies et d'égratignures, leurs cheveux gras et emmêlés, et leurs yeux ternes comme ceux des animaux morts. J'ai visité des colonies de lépreux en Inde où les gens ont meilleure apparence. Soraya prenait des notes et traduisait : je voulais savoir pourquoi chacune d'elles était en prison.

L'une croupissait là parce qu'elle avait été violée.

Une autre parce qu'elle avait été violée et que son mari avait tué le violeur. Lui aussi était en prison, mais elle purgeait une peine plus longue.

Plusieurs jeunes filles avaient été condamnées pour avoir tenté de fuir avec les garçons dont elles étaient amoureuses.

Une autre parce qu'elle avait attendu un enfant du jeune homme qu'elle aimait, avant que ses parents réussissent à lui faire épouser quelqu'un d'autre.

Une autre encore parce qu'elle avait voulu tuer son beau-frère. Son mari étant mort, elle avait continué à vivre dans la maison de son beau-père, avec le reste de la famille de son mari. Puis son beau-frère se mit à battre son fils et il la viola. Elle finit par l'arroser d'essence pendant son sommeil et y mettre le feu, mais il survécut. Son beau-père vint la voir en prison pour lui demander la raison de son geste. Une fois qu'elle le lui eut dit, il tua son fils à bout portant, sur son lit d'hôpital.

Toutes ces histoires étaient terribles, mais la jeune fille qui sanglotait accrochée à mon cou – celle qui avait fui un mari violent – eut raison de mes nerfs. Au grand embarras de Soraya, je me mis à sangloter sans pouvoir m'arrêter.

En rentrant à l'école, je pleurais toujours. Les étudiantes firent cercle autour de nous.

— Que se passe-t-il, Debbie ? demanda Roshanna en me prenant dans ses bras.

Je lui expliquai que c'étaient les femmes afghanes qui m'avaient incitée à quitter mon mari violent, elles qui, grâce à leur courage, avaient été capables de résister aux guerres, aux mariages forcés et à de multiples formes d'emprisonnement. Pour cette raison, je les aimerais toujours, ainsi que l'Afghanistan.

Quand Roshanna finit de traduire ce que je disais, beaucoup d'entre elles pleuraient, elles aussi. A partir de ce jour-là, je fus à leurs yeux une femme comme elles, et plus seulement une Américaine désireuse de faire le bien.

La visite à la prison acheva de me prouver combien l'école de beauté était un projet précieux. Nos étudiantes, dans leurs uniformes bleus, nanties de leur nouveau savoir et d'un professionnalisme grandissant, avaient foi en l'avenir. Elles auraient pu se retrouver en prison, loin du monde et sans la moindre raison d'espérer. D'ailleurs, rien ne garantissait qu'elles n'y finiraient pas. On continuait à jeter en prison des femmes parce qu'elles fréquentaient un homme dont elles étaient amoureuses ou parce qu'elles avaient osé quitter un mari violent.

Tout se passait bien à l'école, mais la vie à la maison d'hôtes devenait de plus en plus pénible. Ce stupide coq dont je pensais en emménageant qu'il donnait à l'endroit une touche pittoresque me réveillait immanquablement chaque matin, dès que je venais de me rendormir après l'appel du mollah. Je le foudroyais du regard chaque fois que je l'apercevais. Un jour, je lui peignis les griffes en rouge pendant que les gardiens de la pension, les chowkidors, le tenaient. Quant à l'eau, elle n'était jamais chaude quand je voulais prendre une douche. Sachant que j'y trouverais de l'eau chaude, je finis par prendre mes affaires pour me rendre à l'école un samedi matin de bonne heure, à un moment où il n'y avait personne à part les chowkidors du ministère. Mais, à l'instant où je commençai à me savonner, je vis dans la douche un scorpion et poussai un hurlement. Un chowkidor, pensant que j'avais été agressée, surgit à la porte en brandissant sa mitraillette. J'essayai de me couvrir avec une serviette tandis qu'il criait en dari et cherchait l'intrus : quand il aperçut le scorpion, il éclata de rire. Puis il prit un flacon de shampoing et écrasa l'animal.

L'eau froide et le coq n'étaient pourtant que des inconvénients mineurs. Le propriétaire de la maison d'hôtes était un vieil homme acariâtre qui voulait contraindre sa fille de quinze ans à épouser un quadragénaire. Le futur époux était très riche. Il avait conçu un montage lui permettant de prélever un pourcentage sur tout l'argent de la reconstruction qui se déversait en Afghanistan, et sa fortune était évaluée en millions de dollars. A Kaboul, c'était la ruée vers l'or. Une bonne idée d'arnaque suffisait pour devenir riche. Le vieillard cupide était prêt à sacrifier sa fille pour s'allier à cet homme fortuné. Je la surpris plus d'une fois en pleurs dans la salle de bains, et elle me répétait que ce qu'elle voulait, c'était aller à l'école, et non pas se marier. Cela me rendait malade.

La maison d'hôtes était également devenue le quartier général des Afghans qui avaient vécu en Occident. Il y avait toujours une foule de gens dans le salon, qui dansaient, mangeaient ou devisaient inlassablement, assis sur des toushaks, tandis que circulaient des plats de riz ou des boulettes de haschisch enrobées de sucre. La plupart ne se donnaient pas la peine de parler avec moi, et je me retrouvais coincée avec le propriétaire – lequel essayait constamment d'attirer les femmes dans un coin, moi ou une autre – ou avec un de ses amis, dont la plupart étaient aussi repoussants que lui. Un vendredi, une grande soirée avait été organisée. Je m'habillai pour la circonstance et descendis me joindre aux invités, décidée à m'amuser – ce que, en général, je sais très bien faire. Mais les Afghans occidentalisés restaient entre eux. Le vieillard était ivre et plus répugnant que jamais.

Je bavardai un moment avec le seul de ses amis qui n'était pas tout à fait comme les autres. C'était Ali, un Afghan âgé de quarante-cinq ans, aux cheveux blond-roux, qui avait séjourné en Allemagne. Je ne comprenais pas très bien de quoi il vivait, mais il avait toujours de beaux vêtements et beaucoup d'argent. Il semblait connaître tout le monde dans la ville : quand j'avais besoin de quelque chose pour l'école, Ali avait toujours une solution. Ce bel homme était séduisant, un peu trop même pour mon humeur du moment. Je finis par prendre congé de lui, quittai la pension et hélai un taxi pour aller voir Roshanna. Quand je revins plus tard dans la soirée, la fête battait son plein. Val et Soraya venaient de se mêler à la foule, mais je me contentai de leur faire un signe et montai à ma chambre après avoir enjambé un Afghan ivre qui gisait, inconscient, près de l'escalier.

Une semaine plus tard, quelqu'un frappa à ma porte. Je lisais au lit en pyjama.

— Qui est-ce ?

— C'est nous ! cria Soraya. Nous t'avons trouvé un mari.

— Où ?

— Nous avons fait sa connaissance à la soirée vendredi dernier, puis nous avons passé une journée avec lui. Descends !

— Est-ce un Afghan ?

— Oui. Viens faire sa connaissance.

Je posai mon livre.

— J'espère que ce n'est pas le type qui cuvait son vin au bas de l'escalier.

Je les entendis chuchoter derrière la porte, et Soraya se mit à rire.

— Si, c'était lui, il est debout maintenant.

— Pas question, dis-je.

— Il est parfait pour toi, insista Soraya. Mets quelque chose de sexy et sors !

Je m'extirpai du lit, m'habillai, puis descendis faire la connaissance de Samer Mohammad Abdul Khan.

Je reconnus aussitôt l'homme qui gisait en bas des marches. Il ne me parut pas beaucoup plus attirant debout, avec sa petite moustache noire et une vilaine cicatrice sur la joue. Affublé de lunettes noires opaques, il ressemblait à un mafieux colombien. Il portait un shalwar kameez noir également, une tenue des plus traditionnelles qui ne laissait pas augurer d'idées progressistes. Quand Soraya annonça que nous allions partir, Samer – ou Sam, comme elle l'appelait – me précéda pour sortir. Cela ne m'impressionna pas particulièrement, mais me donna au moins l'occasion de jauger sa silhouette. Il me parut bien proportionné, même si, dans ces vêtements larges, il était difficile de se rendre vraiment compte.

Je n'avais même pas encore eu la possibilité de le saluer. Nous montâmes dans la voiture de Sam – noire également – et Ali s'assit devant avec lui, Val, Soraya et moi prenant place à l'arrière. Soraya me présenta à Sam comme sa nouvelle femme ; Ali me présenta Sam comme mon nouveau mari. Tous éclatèrent d'un rire tonitruant. J'avais l'impression de me trouver dans une voiture pleine de gens ivres. Quinze minutes après environ, nous arrivâmes à un restaurant turc. Sam désigna une table dans le fond de la salle et glissa quelque chose aux serveurs ; ils revinrent avec des paravents en bois qu'ils déployèrent autour de la table. Puis les marieurs installèrent les chaises de façon que je sois assise juste en face de Sam. Quand il enleva ses lunettes noires, ses yeux bruns chaleureux me rappelèrent un peu ceux de mon père, et à cet instant je commençai à m'intéresser à lui. Il détournait constamment le regard. Je m'aperçus qu'il était intimidé.

Puis les négociations commencèrent.

— Je représente la mère de Debbie, dit Soraya. Sam, à quoi penses-tu en matière de dot ?

Il sourit et dit quelque chose, mais Soraya secoua vigoureusement la tête.

— Qu'a-t-il dit ? demandai-je à Ali.

— Il propose deux chameaux.

Soraya apostropha Sam en dari.

— Que dit-elle maintenant ?

— Elle dit que tu es sa fille bien-aimée et qu'elle veut

de l'or, répondit Ali. Beaucoup d'or. Et aussi une maison et une voiture.

Sam leva les mains en l'air comme pour se défendre. Les serveurs arrivaient avec une pizza et Sam en tendit un morceau à Soraya. Puis il se lança dans une grande tirade en dari.

— Il n'y a aucun problème : il donnera de l'or, et une voiture, traduisit Ali.

Il dit alors quelque chose à Soraya et à Sam. Tout le monde autour de la table me regarda et se mit à rire.

— Que dites-vous ? criai-je.

— Ali est terrible, dit Sam en me caressant le bras. Il prétend que je devrai me contenter de moins car tu n'es pas vierge.

Le manège continua pendant une heure. Je finis par savoir tout ce qui m'importait. Sam gérait une société prospère installée à Kaboul, mais il avait vécu vingt-sept ans avec sa famille en Arabie saoudite. Il faisait partie des moudjahidin ouzbeks compagnons d'armes du général Dostom – un terrible seigneur de guerre afghan – pendant la guerre contre l'occupant russe. Il parlait couramment l'arabe, le dari, le turc, l'ouzbek et le pachtou, un peu moins couramment l'hindi, et possédait des rudiments de malais, d'indonésien et d'anglais. Il avait commencé en vendant des pyjamas aux pèlerins de La Mecque. Il avait dix ans de moins que moi.

Le dîner fini, Sam proposa que nous allions boire du thé chez lui. Nous nous entassâmes de nouveau dans sa voiture. Dans sa maison, Sam prit place sur un toushak à l'opposé du mien. Mes quatre compagnons continuèrent à discuter de ma dot. Personne ne prenant la peine de me consulter, je décidai de m'immiscer dans la conversation.

— J'ignore si tu connais la vie de couple en Occident,

mais je souhaite m'y conformer, dis-je à Sam. Je veux un partenaire pour la vie et le travail, qui soit aussi un amant. Je n'ai pas du tout l'intention de rester à la maison pour te servir le thé. Je ne ferai pas ta lessive, pas plus que la cuisine ou le ménage. Je veux gagner assez d'argent pour payer quelqu'un qui le fera à ma place. Et je n'ai pas non plus l'intention d'aller au bazar avec toi ou de faire des courses pour toi. J'engagerai quelqu'un pour ça aussi. Ne t'attends pas non plus à avoir des enfants. L'usine est fermée.

Il sursauta.

— Comment pourrais-je en vouloir alors que j'ai déjà sept filles ?

Soraya intervint pour confirmer qu'effectivement il avait une femme et sept enfants en Arabie saoudite. Partout ailleurs, cela constituerait un obstacle majeur à tout arrangement.

— Tu es folle ! m'exclamai-je.

Le mariage de Sam avait été arrangé avec une jeune fille qu'il ne connaissait pas et dont il n'apprit le prénom que dix jours après le mariage. Il ne l'aimait pas, mais ne pouvait divorcer, car elle serait déshonorée à jamais, et peut-être même laissée sans ressources, les femmes divorcées ne pouvant généralement pas retourner chez leurs parents ni aller travailler à l'extérieur. Elle avait refusé de quitter l'Arabie saoudite, où elle vivait avec ses parents. Ceux-ci avaient donné à Sam leur assentiment pour qu'il prenne une seconde épouse. A ses yeux, il était libre. Aux miens, une femme et sept enfants ainsi qu'un passé auprès d'un seigneur de guerre semblaient un bagage un peu trop lourd.

Puis Sam me regarda en face pour la première fois de la soirée.

— Si tu n'envisages pas sérieusement de m'épouser, ne joue pas avec mon cœur.

— Je viens de faire ta connaissance !

— Tu ne l'envisages pas sérieusement ? demanda-t-il par l'entremise de Soraya.

— Je ne sais pas !

Il monta jusqu'à sa chambre et revint avec un paquet. C'était un rouleau de soie lavande avec des marguerites brodées et beaucoup de paillettes. Je n'avais jamais entendu parler de cette façon rituelle de faire la cour : le fiancé doit donner à la fiancée une étoffe de famille pour sa robe de mariée. Je restai assise avec cette horreur sur les genoux sans savoir quoi en faire.

— Madame Sam ! s'écria Soraya.

La semaine suivante, nous décidâmes, Soraya, Val, et moi, que nous ne pouvions plus supporter la maison d'hôtes du vieillard. A force d'avoir constamment mal à l'estomac, nous en étions arrivés à la conclusion que c'était la nourriture qui était en cause – probablement des kebabs à base de viande de chèvres élevées à l'endroit où l'hôpital déversait quotidiennement ses ordures. D'autre part, Soraya avait eu une altercation avec un des chowkidors. L'entretien du linge était compris dans le prix de la pension, mais il était entendu que les femmes devaient laver elles-mêmes leurs sous-vêtements. Soraya portait de la lingerie en dentelle qu'elle mettait à sécher à l'extérieur sous une couverture pour que personne ne la voie. Mais elle avait surpris le chowkidor sous la couverture, le visage plongé dans son linge. Quand Sam apprit que nous voulions partir – il venait nous voir chaque jour –, il nous proposa de nous installer dans la maison qu'il louait. Soraya et Val emménagèrent dans une chambre, moi dans une autre. Du jour au lendemain, Sam et moi ne nous quittâmes plus, sans pour autant être seuls tous les deux. Les amoureux afghans ne peuvent se retrouver en tête à tête. Peut-être cela se faisait-il au temps du roi, mais cette pratique semble avoir disparu avec lui. Sam et moi étions presque toujours entourés de Soraya, Val, Ali et Noor, ainsi que d'un sympathique trafiquant de diamants dont nous avions fait la connaissance à la maison d'hôtes. Si on m'avait vue seule avec Sam, les gens m'auraient prise pour une prostituée. Nos sorties consistaient en des pique-niques ou des repas au restaurant turc, toujours avec Val et Soraya, lesquels ne cessaient de plaisanter à propos de notre mariage. Ils faisaient mine de continuer les négociations, imitant en cela les familles qui passent des mois à préciser les moindres détails de la dot. Cela nous amusait beaucoup. Un soir au restaurant turc, je me mis à rire si fort en entendant Soraya et Sam marchander que Sam en fut gêné. A une table voisine, des Afghans nous regardaient, médusés : il alla leur dire que j'étais un général appartenant aux Forces du maintien de la paix, ce qui devait expliquer pourquoi je me tenais aussi mal.

Tout le monde se conduisait comme si Sam et moi étions fiancés. Chaque jour, Sam venait au ministère des Femmes, et nous nous retrouvions à l'extérieur, sous les yeux attentifs des chowkidors. Chaque soir, nous nous mêlions à la galerie de personnages qui fréquentaient sa demeure, qu'il avait transformée en maison d'hôtes. Quand nous réussissions à voler quelques instants ensemble, c'était toujours frustrant car il ne parlait pas bien anglais, ni moi le dari. Je me glissais dans son bureau quand personne ne me voyait, mais, la plupart du temps, je finissais par le regarder jouer au Spider Solitaire sur son ordinateur. Il était beau garçon et ne devait pas être dépourvu d'humour, car il avait un bon rire, et tous les Afghans semblaient rire avec lui. A force de le voir à l'extérieur avec ses amis ou dans son bureau occupé à ses affaires, je ne pouvais pas imaginer qu'il puisse avoir un mauvais côté caché. Son humeur semblait égale. Sans être amoureuse de lui, je l'appréciais chaque jour davantage.

Aux yeux de tous, il ne faisait aucun doute que nous allions nous marier. Je ne les détrompais pas. Un jour, Ali annonça qu'il entamait les formalités et il m'emmena dans un bâtiment où on me prit en photo et où on releva mes empreintes. Quelques jours plus tard, Val et Soraya me dirent de m'habiller, car nous allions voir le juge pour le mariage. Sam revêtit un shalwar kameez sombre. Je mis une robe rose brodée et un châle rose que Soraya m'avait donnés, car elle n'avait rien trouvé de convenable dans ma garde-robe. Ali nous accompagna. Nous nous rendîmes en voiture jusqu'à un bâtiment de deux étages délabré où nous empruntâmes un long couloir. Il faisait sombre à l'intérieur, car il n'y avait pas d'électricité ce jour-là. Dans les pièces ouvrant sur le couloir, des hommes buvaient du thé, certains accroupis sur le sol. Nous arrivâmes enfin au bureau du juge et prîmes place sur un canapé complètement défoncé qui touchait presque le sol. Un homme avec un turban gris et une barbe grise était assis à la table – le juge, sans doute –, flanqué de deux hommes buvant du thé. Ils me regardèrent avec curiosité.

Quand nous nous présentâmes devant le juge, il examina attentivement les papiers qu'Ali avait disposés devant lui, suivant chaque ligne avec son doigt. Il compara la photographie prise quelques jours plus tôt avec le modèle. Il dit quelque chose à l'un des hommes assis à côté de lui, et l'homme secoua la tête. Puis le juge me dit, par l'entremise de Soraya :

— Nous n'avons jamais eu d'étranger ici.

J'inclinai la tête solennellement. Je me sentais devenir horriblement rouge dans cette pièce sombre, sinistre.

— Vous êtes célibataire ?

— Oui.

— Comment pouvons-nous savoir que c'est vrai ? Il vous faut une attestation de l'ambassade américaine prouvant que vous êtes célibataire.

— Ils ne peuvent pas savoir si je suis célibataire ou non !

Le juge sortit une cigarette de sa poche.

— Nous avons besoin d'une preuve.

Je cherchai mon passeport dans mon sac. Je désignai l'endroit où mon visa stipulait « Une seule entrée », ce qui voulait dire que je n'étais autorisée à entrer dans le pays qu'une seule fois.

— Il est écrit « seule » ici. Ce qui veut dire que je suis célibataire.

Le juge vérifia auprès de Soraya, puis tapota sa cigarette sur la table.

— Une femme ne peut pas divorcer en Afghanistan. Le saviez-vous ?

— Cela ne pose aucun problème, dis-je. S'il ne me plaît plus, je le quitterai.

J'ignore ce que Soraya traduisit, mais cela sembla convenir au juge.

— Très bien, dit-il. Répétez après moi.

Et tandis que je répétais ses paroles, je compris qu'il lisait le nika-khat, le document légal qui nous déclarait mari et femme. Je me demandai comment je pouvais épouser un homme avec lequel n'arrivais même pas à communiquer, mais je continuai néanmoins à répéter les mots du juge. En quelques minutes, notre union fut scellée. Personne ne dit : « A présent, vous pouvez embrasser la mariée. » Au lieu de cela, nous empruntâmes de nouveau le couloir, Sam et moi, mariés cette fois, vingt jours seulement après notre rencontre. Nous avions prévu une fête ce soir-là pour nos anniversaires, Val, Soraya et moi, car nous sommes nés à quelques jours d'intervalle : il ne nous manquait plus que les friandises traditionnelles qu'on offre aux mariages et que nous achetâmes en chemin. Nous nous arrêtâmes également à l'école pour annoncer la nouvelle aux étudiantes, qui se montrèrent ravies. Roshanna me serra tellement fort dans ses bras qu'elle faillit me faire tomber.

— A présent, tu es une vraie Afghane.

Sam commença à s'adresser à Val et à Soraya comme à son beau-père et à sa belle-mère.

Si les choses tournaient mal, je repartirais pour l'Amérique sans dire que je m'étais mariée. Le seul problème dans ce cas, c'est que je ne pourrais plus jamais revenir en Afghanistan.

Je voulais tenir notre mariage secret, du moins pendant les premiers temps. Mes histoires d'amour n'ayant jamais duré bien longtemps, je préférais ne pas dire à ma famille et à mes amis dans le Michigan que je m'étais remariée. Et je ne voulais pas que cela se sache dans Kaboul. Beaucoup de journalistes s'intéressaient à l'école car nous nous apprêtions à fêter la fin de la première promotion : j'imaginais ma mère, ma grand-mère et mes fils découvrant dans un journal ou à la télévision que je m'étais mariée.

Ma vie ne changea pas radicalement, du moins en apparence. Je partageai une chambre avec Anisa, et Sam continua à occuper la sienne. Quand nous nous retrouvions avec tout le groupe dans le salon, ou à l'extérieur, dans un restaurant, nous nous contentions d'échanger des regards enamourés. Nous nous éclipsâmes à plusieurs reprises dans sa chambre une fois la maison vide pour de brèves étreintes passionnées. Ce mariage précipité m'enchantait, mais j'avais toujours l'intention de rentrer dans le Michigan un mois après la remise des diplômes à la première promotion. Je pourrais maintenant revenir plus régulièrement à Kaboul, même pendant la fermeture de l'école, alterner deux mois en Afghanistan, en tant que femme mariée, avec trois mois de ma vie d'autrefois dans mon pays natal.

Franchement, je n'avais pas le loisir de m'interroger pour savoir si j'avais épousé un autre détraqué. La remise des diplômes approchait. Toutes les responsables de l'école voulaient en faire la plus importante fête jamais donnée pour un groupe de femmes en Afghanistan. Je me proposai pour l'organiser, pensant qu'il ne me faudrait pas plus de trois jours pour tout mettre en œuvre.

Ce en quoi je me trompais.

Deux jours entiers furent nécessaires pour trouver un endroit pouvant recevoir deux cents personnes, y compris les médias. Nous voulions inviter tous les hommes politiques et tous les dignitaires de la ville, mais ces gens ne faisaient pas un pas sans que leur sécurité soit assurée. J'inspectai un endroit après l'autre, mais il y avait toujours un problème – trop petit, trop sale, mauvais quartier, ou trop cher. En fin de compte, seul le restaurant turc où Val et Soraya avaient marchandé ma prétendue dot dans les moindres détails me sembla convenir. Sam et Soraya m'accompagnèrent pour tout négocier ; il ne me restait plus qu'à lancer les invitations.

Chez moi, à Holland, Michigan, cela n'aurait posé aucun problème. Mais à Holland, Michigan, je n'aurais pas invité le président du pays. Nous voulions inviter tous les gens les plus importants de la ville, et je ne connaissais même pas leurs noms. Voici en quoi consista ma liste d'invités :

Le président Karzai et son entourage
Le ministre des Affaires étrangères et son entourage
Le ministre des Femmes et son entourage
Le ministre hajj des Femmes (le ministre des Femmes islamiques – très important)
Le ministre des Transports
Le chef des Forces américaines du maintien de la paix
Les ambassadeurs américain, anglais, canadien, allemand et turc, et leur entourage
Le général Khatol Mohammed Zai, qui était la seule femme général dans l'armée afghane.

A Holland, je me serais procuré les adresses de ces gens et j'aurais posté les invitations. Mais, en Afghanistan, il n'y avait ni poste ni annuaire. Sam, Roshanna, Soraya et moi dessinâmes un plan approximatif de la ville indiquant les lieux où trouver la plupart de ces gens. Je me mis en route un jour, vêtue de la façon la plus conservatrice possible et enveloppée aussi soigneusement qu'un paquet à destination de l'étranger, pour procéder à la livraison des invitations manuscrites. Dans chaque lieu, je fus accueillie par des gardes en armes qui refusèrent de me laisser entrer sans rendez-vous. Je ne connaissais d'ailleurs même pas les noms de certains des dignitaires. Je laissai les invitations aux gardes, en prenant la précaution de leur demander le numéro de téléphone de l'assistant de chaque dignitaire.

Trois jours après, personne n'avait encore téléphoné pour répondre. En vérifiant auprès des assistants, je m'aperçus qu'aucun d'eux n'avait reçu l'invitation. Je m'enveloppai de nouveau pour aller en porter d'autres. Deux jours avant la réception, lorsque je tentai de vérifier qui venait, le réseau téléphonique de la ville était hors service. Je dus me rendre de nouveau dans chaque résidence pour interroger les assistants afin de faire le compte des invités. Je revins à l'école, mission accomplie, avec un taux de participation à la soirée considérable, et la présence de personnalités très importantes. Les filles étaient tellement excitées que je crus que j'allais être obligée de leur confisquer leurs ciseaux.

Quand arriva le grand jour, l'école était sens dessus dessous. Les vingt étudiantes et les coiffeuses se préparaient pour la réception, courant partout avec leurs bigoudis roses et verts, chacune maquillant l'autre, posant ses faux cils. Toute personne qui entrait manquait d'être asphyxiée par l'odeur de laque et de poudre. Je me maquillai rapidement et sortis avant les autres, pour vérifier que tout était en ordre au restaurant turc : bien m'en prit, car rien n'était prêt. En tenue d'apparat composée d'un ensemble rose et or, de sandales dorées à talons, d'une coiffure à la Marge Simpson et de faux cils grands comme des papillons, je me mis à disposer les tables. Elles étaient à peine en place que l'officier de sécurité de l'ambassadeur des Pays-Bas arriva. A peine eut-il jeté un coup d'œil à leur disposition qu'il jugea que les tables étaient trop proches des fenêtres : les gens importants refuseraient de s'y asseoir, de peur qu'on ne leur tire dessus. J'eus beau déplacer les tables, il n'était toujours pas d'accord avec l'endroit choisi. Il n'existait pas d'issue à l'arrière du bâtiment, donc aucune solution de repli au cas où les ambassadeurs et leur suite devraient évacuer les lieux rapidement. Les constructions de chaque côté du restaurant étaient trop rapprochées et trop hautes : un tireur pouvait sans peine prendre position en hauteur et guetter sa cible. Et où étaient les hommes de la sécurité ?

Effectivement, où étaient-ils ? Quand Sam arriva, il me trouva en train de vociférer face au propriétaire du restaurant. J'avais compris qu'il se chargerait de mettre en place un maximum de gardes pour l'événement, mais lui avait compris que c'était moi qui m'en occupais. Or, si l'endroit n'était pas sécurisé au maximum, aucun des dignitaires ne sortirait de sa voiture. Heureusement, le chef du contingent turc du maintien de la paix, un ami de Sam, consentit à envoyer trente soldats. Ils arrivèrent quelques minutes avant les invités. Les musiciens se mirent à jouer, nous commençâmes à servir les boissons – sans alcool, bien sûr – et quand, prise de panique, je crus que les étudiantes avaient été kidnappées, elles envahirent la pièce, dans un défilé digne des débutantes des années 1950. Ce fut une fête éblouissante. Au beau milieu des festivités, le général Zai demanda si elle pouvait faire un discours.

— Mes sœurs, je vous félicite ! lança-t-elle depuis le centre de la salle. Ce soir, je suis fière de pouvoir vous appeler mes sœurs. Grâce à votre travail et à votre persévérance, nous pourrons créer un avenir meilleur pour l'Afghanistan !

Ce fut une soirée merveilleuse. En observant l'assistance, je constatai avec bonheur qu'hommes et femmes se mélangeaient avec le plus grand naturel. Jusqu'alors, en dehors des soirées à la maison d'hôtes du vieil homme, je n'avais jamais vu de réception mixte. Quand une bonne moitié des invités furent partis, j'éprouvai l'envie de danser pour fêter l'événement. Je pris quelques étudiantes par la main, mais elles se dérobèrent. Celles-là mêmes qui dansaient comme des créatures de harem après leur journée de travail à l'école ! Finalement, j'invitai Topekai à danser.

Topekai s'était révélée une étudiante exceptionnelle – la première à assimiler le concept de la coloration – et radicalement différente des autres femmes de cette première promotion. Sa famille était pauvre et, comme beaucoup d'autres, s'était réfugiée au Pakistan pour échapper aux guerres. Mais le frère de son mari, qui avait émigré en Amérique, veilla à leur envoyer de l'argent, si bien que, contrairement à nombre de mes étudiantes, ils ne souffrirent jamais d'une pauvreté extrême. A leur retour en Afghanistan, son beau-frère envoya suffisamment de fonds pour permettre à son mari de mettre sur pied un commerce de bois de chauffage. Le mari de Topekai l'aidait à s'occuper des enfants et ne rechignait pas à faire la lessive quand elle devait passer de longues heures à l'école. Topekai m'avait toujours paru si forte et si déterminée qu'elle me semblait beaucoup moins soumise aux diktats de la culture que ses camarades. Quand je l'invitai à danser, elle regarda son mari d'un air grave, et il inclina la tête. Nous commençâmes à danser sagement. Un cercle de curieux se forma autour de nous en silence, et ses joues rosirent.

Si j'avais su alors ce que je sais maintenant, jamais je ne l'aurais invitée à danser. C'était extrêmement maladroit de ma part. Si Soraya avait été à proximité, elle m'aurait aussitôt dit que je franchissais la ligne rouge. Le mari de Topekai n'approuvait pas de voir sa femme danser devant d'autres hommes, cela lui faisait même terriblement honte. Il avait accepté pour ne pas me mettre dans l'embarras, et parce que j'avais aidé sa femme à acquérir les capacités nécessaires pour développer son affaire, alors que la sienne n'était pas florissante.

Je compris cela beaucoup plus tard. Ce soir-là, je nourrissais les espoirs les plus fous. Je restai longtemps et m'efforçai d'être aimable avec tous les dignitaires. L'ambassade américaine avait téléphoné dans la journée : elle avait reçu des menaces d'actes terroristes visant les Américains, et ses membres regrettaient de ne pouvoir venir. Je ne me préoccupai pas un instant de ma propre sécurité. Mon bel étranger de mari et moi n'arrêtions pas de nous regarder. J'anticipais les jours à venir, quand toutes les Américaines seraient reparties, quand les médias auraient quitté la place : nous pourrions enfin profiter de notre nouvelle vie, sans témoins. J'étais si heureuse que ce ne fut qu'une fois rentrée à la maison, après m'être débarrassée de mes hauts talons dorés, que je m'aperçus que j'avais les pieds en sang.

5

Je franchis de biais la porte de la maison calcinée, pour ne pas mettre de suie sur mes vêtements. A l'intérieur, il n'y avait plus de murs, rien que des formes déchiquetées aux pointes acérées qui se détachaient dans l'obscurité. L'air de novembre était froid et chargé de fumée. Je dirigeai le faisceau de ma lampe sur un trou qui allait jusqu'au grenier. En même temps, je marchai sur quelque chose qui s'écrasa et roula sous mon pied. Ma mère se baissa pour le ramasser. C'était une de mes vieilles poupées.

— Ne t'inquiète pas, mon cœur ! dit-elle comme si j'avais six ans. Nous pourrons la faire remettre en état.

Elle essuya la suie sur le visage de la poupée, mais les joues étaient fissurées.

L'état de la maison me donnait l'impression de ne pas avoir quitté l'Afghanistan. Quelques semaines auparavant, j'étais allée avec un ami américain d'origine afghane voir la maison que sa famille avait abandonnée pendant les guerres. Le bâtiment était criblé d'énormes trous de missile, jusque dans les murs intérieurs, et des rats s'enfuyaient devant nous. On avait du mal à croire que des gens avaient vécu dans cet endroit – cela ressemblait plutôt à un vieil entrepôt – mais, d'après mon ami, c'était autrefois une des plus belles maisons de Kaboul. Nous passâmes d'une pièce à l'autre ; il me montra l'endroit où se trouvait la table sur laquelle ils avaient pris leur dernier repas ensemble, l'endroit où son père avait placé un magnifique buffet ancien du Nouristan pour ranger sa collection de monnaies. Tout avait disparu. J'avais du mal à imaginer ce qu'on pouvait éprouver devant une telle perte ; à présent, je commençais à comprendre ce que nous ressentons lorsque notre maison de famille s'en va en fumée et qu'il ne reste plus la moindre trace de notre vie d'antan. Où était le fauteuil de mon père ? Il était mort plus d'un an auparavant, mais ma mère ne l'avait pas changé de place. Où était le buffet dans lequel nous rangions les décorations de Noël ?

Cela s'était produit quelques jours après la remise des diplômes et une semaine après mon mariage avec Sam. Nous avions à peine eu le temps d'apprendre à nous connaître quand je reçus un e-mail de ma mère m'annonçant l'incendie : je m'envolai le lendemain pour le Michigan.

Ma mère s'était déjà installée dans la petite maison au bord du lac Macatawa, que j'avais louée après mon deuxième divorce. Ce bungalow bleu avec une véranda et des canards pataugeant sur le devant était la maison de mes rêves. Il ne lui manquait plus qu'une clôture en bois blanche. C'était pour ma mère, mes fils et moi, l'endroit idéal pour reprendre pied, après le traumatisme de l'incendie. Ma mère était dans un état de fragilité extrême. Je retournai travailler avec elle quelques jours plus tard : c'était la seule chose qui pouvait l'empêcher de pleurer devant les clientes. Elle sursautait à chaque bruit et oubliait constamment ce qu'elle était en train de faire. Tous ses beaux vêtements ayant disparu dans l’incendie, elle se traîna pendant des semaines affublée de gros pull-overs et de pantalons qu’on lui avait donnés.

Bien que ma relation avec Sam fût encore très récente, il me manquait terriblement. Au téléphone, nous avions vite épuisé les quelques mots que nous connaissions dans la langue de l’autre. *Bonjour, je t’aime, tu me manques, au revoir, à bientôt !* Quand nous avions autre chose à nous dire, j’appelais Soraya, qui appelait Sam, et nous réussissions, grâce à sa traduction, à mener une conversation à trois. A l’entendre, je manquais autant à Sam qu’il me manquait. Il était retourné en Arabie saoudite pour régler des problèmes survenus dans les affaires familiales. Une fois qu’il eut terminé, c’était la période de l’année où des centaines de milliers de fidèles musulmans se rendent en pèlerinage à La Mecque. Il lui fut impossible de trouver un avion pour retourner à Kaboul, tous les vols étant réservés depuis des mois. Il dut rester avec sa famille – ses parents, ses frères et leurs familles, et son autre femme et ses enfants.

Par l’entremise de Soraya, il me répétait qu’il pensait à moi tout le temps.

— Je n’avais jamais encore aimé une femme, disait-il. L’amour est une chose terrible : cela me donne une douleur dans la poitrine.

Parfois, pendant nos conversations, j’entendais derrière lui des enfants pleurer, une femme crier. Cela m’angoissait beaucoup d’avoir épousé un homme qui avait déjà une femme et des enfants. J’avais l’impression d’être la maîtresse de Sam et je n’aimais pas cette idée.

Sam n’avait pas encore parlé de moi à sa famille. J’incarnais les trois choses que ses parents haïssaient : j’étais américaine, chrétienne, et coiffeuse. Sans compter qu’il ne voulait pas gâcher davantage la vie de sa première femme. Ses parents la méprisaient car elle ne lui avait pas donné de fils et la traitaient comme une domestique. Ils risquaient de se montrer encore plus cruels envers elle s'ils pensaient qu'une seconde épouse pourrait lui en donner un. D'après lui, sa famille avait déjà des soupçons à cause des appels téléphoniques. Ils entendaient ma voix dans l'appareil. Sam prétendait qu'il était en négociations avec l'ambassade américaine de Kaboul.

Ma mère aussi commençait à se poser des questions. Un jour, un ami de Sam qui parlait très bien anglais laissa un message me demandant de rappeler mon mari le lendemain matin.

— Qu'a-t-il voulu dire ? demanda ma mère.

Je cherchai une explication vraisemblable.

— En dari, on utilise le même mot pour dire « mari » et « ami », dis-je. Les Afghans pensent que c'est aussi le cas en anglais.

J'aurais pu profiter de cette occasion pour lui parler de mon mariage, mais je préférai m'abstenir. Je ne voulais toujours pas en informer mes proches. Je me demandais toujours si je n'avais pas fait la plus grosse erreur de ma vie – ou plutôt, une autre très grosse erreur – en l'épousant. Qui plus est, je commençais à me sentir très bien dans le Michigan. Sam me manquait, mais j'appréciais beaucoup de me retrouver au milieu de ma famille et de mes amis. Mes enfants réussissaient dans leurs études, et je vivais dans la maison de mes rêves. En apprenant mon retour, mes habituées avaient retrouvé le chemin du salon, et je gagnais de l'argent. Je questionnai mes clientes pour savoir combien de temps je pouvais m'absenter avant qu'elles renoncent à m'attendre et cherchent un nouveau coiffeur : elles pouvaient se passer de moi pendant deux mois environ. Trois mois s'écoulèrent sans que je m'en rende compte. C'était la solution idéale : trois mois aux Etats-Unis dans ma maison avec ceux que j'aimais, deux mois en Afghanistan avec mon mari caché et un investissement à plein temps dans l'école.

Mais, vers la fin de mon séjour, je commençai à m'inquiéter. Si l'une des organisatrices ne retournait pas bientôt en Afghanistan, tous nos efforts pour trouver des fonds, construire l'école et l'approvisionner en produits risquaient de profiter seulement à la vingtaine de jeunes femmes qui venaient de passer leur diplôme. Or il y en avait des centaines d'autres qui voulaient suivre nos cours, qui nous suppliaient de leur accorder une place dans la promotion suivante. Les beaux bâtiments neufs ne restaient pas longtemps inoccupés à Kaboul, quel que fût leur propriétaire. Noor me dit qu'il n'y avait plus d'argent à Kaboul pour payer nos frais, et que des voix commençaient à s'élever au sein du ministère des Femmes à propos de factures impayées. Les autres organisatrices disaient qu'il n'y avait plus d'argent à New York. Quelqu'un devait retourner là-bas pour s'assurer que nous puissions garder l'école jusqu'à ce que nous trouvions d'autres fonds. J'étais la personne toute désignée. Ma mère accueillit la nouvelle avec un sourire.

— Nous pensions bien que tu allais repartir très vite, dit-elle.

Je mis une pancarte « A vendre » sur ma voiture et m'entendis avec mon ex-mari pour qu'il me donne la part de notre maison qui me revenait. Grâce à cet argent ainsi qu'aux dons de mes clientes, je fis mes achats pour l'école. Je me procurai ce dont nous aurions besoin pour la deuxième session : des produits de coloration, du peroxyde, des bigoudis, des peignes et des brosses, des vaporisateurs, des feuilles d'aluminium et quelques têtes à coiffer. Je remplis une valise de tout ce qui m'avait manqué à Kaboul : du déodorant, des tampons hygiéniques, des lingettes et du ruban adhésif entoilé. J'en remplis une autre de cinquante kilos de cire, sachant le succès que je rencontrerais auprès des mariées afghanes et des Occidentales qui voulaient se faire épiler. J'espérais que nous aurions assez de travail dans le salon de l'école après les cours pour payer les factures, en attendant d'autres sources de financement. La plupart des vêtements que je portais à Holland n'étant pas assez décents pour l'Afghanistan, où les femmes devaient se couvrir les bras et les hanches, je préférai ne pas m'en embarrasser. A la place, j'emportai la collection de grenouilles en peluche que mon père m'avait constituée au fil des années, mon oreiller favori, quelques bouteilles de tequila et de quoi préparer des margaritas. Autrement dit, l'essentiel.

Je descendis de l'avion à Islamabad, au Pakistan, et affrontai la marée humaine qui m'était familière. C'était une marée noire, composée essentiellement d'hommes en vestes sombres, surmontée par endroits de turbans blanc cassé et de coiffes de prière blanches. Après quelques bousculades, la foule se canalisa en longues files pour passer la douane. Je finis par émerger de l'autre côté, recrutai deux hommes pour porter mes six valises, puis gagnai la sortie. Au milieu de nombreux visages barbus, je finis par trouver enfin celui que je cherchais. C'était le sympathique trafiquant de diamants de l'horrible maison d'hôtes du vieillard de Kaboul ; il m'attendait avec un livre de poésie sous le bras.

Mon amitié avec ce contrebandier peut paraître étrange, mais, au cours des années de guerre, de nombreux Afghans avaient été contraints de se livrer aux trafics les plus divers pour survivre. Nous ne le connaissions pas depuis très longtemps, Sam et moi, mais nous nous étions liés lors de mon dernier séjour à Kaboul. A l'époque, c'était un trafiquant de diamants prospère : une fois par semaine au moins, il venait à la maison d'hôtes avec un gâteau et un whisky de grande marque, sous prétexte de fêter son anniversaire. Après quelques verres, il passait la nuit à nous roucouler des chansons d'amour afghanes. Val et Soraya avaient brièvement envisagé de me marier avec lui, mais il avait déjà trois femmes et ne parlait pas le moindre mot d'anglais. Malgré ses deux maisons au Pakistan – à Islamabad et à Peshawar –, il traversait actuellement une mauvaise passe, car une de ses cargaisons de diamants avait été confisquée en Iran. Ce qui ne l'empêcha nullement de me couvrir d'attentions pendant mon séjour à Islamabad et de se conduire en hôte parfait, traitant son invitée – et surtout la femme d'un ami – comme une sœur bien-aimée. Il me conduisit jusqu'à une magnifique maison d'hôtes ancienne, où il insista pour tout payer, et engagea un bel homme qui parlait anglais pour veiller sur moi jusqu'à ce que je sache comment rejoindre Kaboul. Fahim ne devait pas avoir passé beaucoup de temps seul avec une femme auparavant ; toujours est-il qu'il s'entícha de moi. Il lui arrive encore de me téléphoner lorsqu'il a un peu trop bu.

Après avoir passé quelques jours à comparer le prix des billets d'avion pour Kaboul, je décidai de m'y rendre par la route. Bien qu'ayant vendu ma voiture – je ne devais pas toucher l'argent de la maison avant un certain temps –, il ne me restait plus beaucoup d'argent après avoir acheté le billet pour le Pakistan et tous les produits pour l'école : trois cents dollars en tout et pour tout.

J'avais pris un billet pour Islamabad, pensant que cela serait moins cher et qu'ensuite je pourrais embarquer à bord d'un des vols spéciaux réservés aux collaborateurs des ONG à Kaboul, ce qui me coûterait seulement cent dollars. Mais j'appris qu'on ne pouvait pas y embarquer plus de soixante kilos de bagages ; j'en avais au moins dix fois plus. Un vol régulier me coûterait des centaines de dollars et plusieurs centaines d'autres pour le supplément de bagages. La seule solution pour transporter ma cire, mes bigoudis, mes grenouilles en peluche, ma tequila et moi-même jusqu'à Kaboul était donc la route.

Aller du Pakistan jusqu'en Afghanistan peut paraître facile, mais il faut franchir la passe de Khyber. Cet étroit sillon à travers les montagnes de l'Hindu Kush est emprunté par les voyageurs depuis des siècles, mais il est si éloigné de tous les centres de gouvernement qu'il a toujours eu la réputation d'être une zone de non-droit. La traversée du col peut s'avérer dangereuse pour n'importe qui, encore plus pour une Américaine voyageant sans mari. Le trafiquant de diamants passa plusieurs jours à me trouver des cerbères. Pendant qu'il séjournait à Peshawar dans ce but, Fahim m'accompagnait dans les magasins et les restaurants. Un jour, alors que nous déjeunions, il reçut un appel sur son portable. Après quelques minutes de conversation, il me dit que le trafiquant de diamants – il l'appelait hajj, le titre honorifique que l'on donne à tous ceux qui ont fait le pèlerinage à La Mecque – nous demandait de partir sur-le-champ.

— A-t-il trouvé quelqu'un pour me conduire jusqu'au col ?

Fahim secoua la tête.

— La femme du hajj veut du raisin. Nous devons aller au marché.

Je réfléchis quelques instants. J'avais rencontré plusieurs des épouses du hajj, et la maison comptait de nombreuses autres femmes, solides, capables.

— Pourquoi ? Elles ne peuvent plus marcher ? demandai-je.

Il secoua de nouveau la tête.

— Non, non, non. Elles ne doivent pas sortir de la maison.

J'étais sidérée. J'avais parcouru la moitié de la terre toute seule et je m'apprêtais à franchir la passe de Khyber, un des endroits les plus dangereux du monde. L'épouse du hajj, elle, lui téléphonait à Peshawar, après quoi il appelait Fahim à Islamabad en lui demandant d'aller au marché acheter du raisin. Je me demandai ce que ces gens pensaient de moi.

Le trafiquant de diamants finit par me conduire à Peshawar, qui se trouve à une cinquantaine de kilomètres de la frontière afghane. Il me remit entre les mains d'un homme que je détestais, un vieux taliban dont j'avais eu le désagrément de faire la connaissance à Kaboul. Son grand plaisir était de peloter tout ce qui passait à sa portée, les femmes comme les hommes. Quand Sam et moi voulions nous amuser aux dépens d'un de nos amis, nous faisions en sorte qu'il se retrouve assis à côté de lui à une soirée. A Kaboul, non seulement il avait la réputation d'avoir des mœurs très libres, mais il buvait également comme un trou. Ici, à Peshawar, il se conduisait en homme pieux et strict envers toute sa maisonnée. Il me souhaita la bienvenue dans sa demeure, une des plus grandes qu'il m'ait été donné de voir. Puis il désigna une femme, drapée dans un châle de couleur sombre, qui s'affairait dans le fond d'une pièce.

— Regarde ma vieille femme, dit-il en se caressant la barbe comme il le faisait toujours, d'un geste qui me donnait la chair de poule. Il m'en faut une jeune et mignonne, pourquoi pas une Américaine comme toi ?

Je restai debout dans le salon, mal à l'aise, et j'enlevai mon foulard. Dès qu'il sortit de la pièce, une de ses femmes vint me recouvrir la tête. Jamais je ne m'étais encore trouvée dans une maison où les femmes devaient rester couvertes même à l'intérieur.

J'espérais partir le lendemain, mais tous les jours le vieux taliban répétait :

— Demain, demain.

Je passai donc beaucoup de temps avec les femmes de la maison. Certaines étaient aussi inquiétantes que le vieil homme. Sa sœur n'arrêtait pas de prendre des objets dans ma valise en prétendant que c'étaient des cadeaux qui lui étaient destinés. Elle s'appropria ainsi ma lampe de lecture de voyage et une paire de chaussures. Les autres femmes paraissaient tristes. Leur vie était mortellement ennuyeuse : elles faisaient la cuisine, le ménage, et passaient le reste de la journée assises dans la partie de la maison réservée aux femmes, à peindre leurs mains et leurs pieds avec du henné. Je les quittai couverte de henné, avec l'impression d'être une attraction de cirque. Quand elles estimaient que personne ne pouvait les entendre, elles me demandaient comment elles pourraient fuir le Pakistan. Une des filles du vieillard avait été contrainte d'épouser un homme qui vivait à Londres et revenait la voir tous les deux ans, uniquement pour la féconder. Une autre voulait continuer à faire des études, comme son frère. Si son père ne l'obligeait pas à se marier, elle espérait obtenir son diplôme de médecin. Malgré ce diplôme, disait-elle, jamais il ne la laisserait quitter la maison. Penser qu'elle n'avait aucun avenir ailleurs que dans cette maison me rendait malade. Les frères du vieil homme étaient tous plus sinistres les uns que les autres ; l'un d'eux cherchait à m'entraîner dans un débat opposant les cultures orientale et occidentale.

— Nos femmes sont heureuses, insistait-il. Regarde-les. Elles ne sont pas stressées, elles ne vivent pas sous tension comme les femmes en Occident.

Heureusement, ce fut la seule fois que quelqu'un essaya d'avoir ce genre de discussion avec moi. Je ne voulais pas le contredire sous son toit. Mais je me disais : Cause toujours, l'ami, ta femme vient de mettre un mot dans ma poche pour me dire combien elle est malheureuse ! L'unique raison pour laquelle elle reste est que tu la gardes enfermée dans une cage dorée.

Le vieux taliban m'annonça enfin qu'il avait réglé les détails de mon voyage par la passe de Khyber. Son gendre m'y conduirait, moyennant une somme rondelette. Je voulus appeler Sam pour lui demander si le prix était normal ou si je devais marchander, mais le vieil homme refusa. Il préférait que je ne m'entretienne pas avec Sam : celui-ci risquerait d'être furieux en apprenant de quelle façon, indigne de l'hospitalité afghane, on me traitait. Il ne serait jamais venu à l'idée du trafiquant de diamants de me faire payer. Prête à tout pour partir, je préférai pourtant accepter le marché.

Le lendemain, le gendre gara une grosse voiture blanche devant la maison et appela les domestiques pour qu'on charge mes six valises. Ils vinrent les chercher dans ma chambre avant que j'aie pu y mettre mon oreiller préféré, si bien que je dus le prendre sous mon bras. Il me dit de revêtir mon voile noir, qui ne laissait voir que mes yeux, et me recommanda de ne pas parler pendant les huit heures suivantes. Personne ne devait s'apercevoir que j'étais étrangère. Puis nous prîmes la direction de la passe de Khyber. La circulation devint plus dense, les routes de plus en plus escarpées et accidentées, et les montagnes menaçantes.

Nous dépassâmes un de ces camions brinquebalants aux couleurs bariolées que j'aime tant. Certains semi-remorques ressemblent à des camionnettes de marchands de glaces : la moindre surface est peinte, couverte de miroirs ou ornée de glands, et ils déchargent leurs rouleaux d'isolants, leurs radiocassettes ou toute autre marchandise d'un véhicule décoré comme un char de carnaval. Celui-ci était retourné sur le bord de la route. Malgré la neige qui tourbillonnait au-dehors, le gendre transpirait à grosses gouttes.

— Ne parle pas, dit-il. Ne regarde personne. C'est ici que les talibans ont trouvé refuge, que les vendeurs d'opium sont protégés, que vivent les bandits. Aucune loi ne s'exerce ici. Pas plus celles de l'Afghanistan que celles du Pakistan.

Nous franchîmes une portion de route où le col se rétrécissait, puis nous ralentîmes en atteignant un secteur très encombré où la chaussée était bordée de boutiques. Je vis des mitraillettes pendues dans une devanture, des grenades bien rangées dans une autre. Avec assez d'argent, on devait pouvoir s'y procurer une bombe atomique. Puis nous arrivâmes enfin à la frontière.

Je m'attendais à quelque chose ressemblant à la frontière entre les Etats-Unis et le Canada : une jolie guérite où l'on vous demande ce que vous faites et combien de temps vous avez l'intention de rester. Je n'avais jamais rien vu de semblable à cette frontière, sinon dans des films catastrophe, où des gens fuient une inondation ou l'éruption d'un volcan avec tous leurs biens sur leur dos. Nous dûmes garer la voiture et descendre. Tandis que mes hauts talons s'enfonçaient dans la boue – personne ne m'avait prévenue que je devrais marcher –, un minuscule garçon poussant une brouette fendit la foule pour nous rejoindre. Nous entassâmes mes valises dans la brouette, puis le garçon passa des cordes autour pour les maintenir en place. Le gendre me précéda, et je m'efforçai de le suivre, tenant toujours mon oreiller contre moi. A chaque pas, je m'enfonçais jusqu'aux chevilles. Je devais faire un gros effort pour extirper mes pieds de la boue, en espérant à chaque fois que mes chaussures ne m'abandonneraient pas. Si je devais me pencher pour en ramasser une, je risquais d'être piétinée par la foule. Je craignais également de perdre le gendre de vue, et de ne pas pouvoir le retrouver au milieu de ces vestes et ces turbans sombres.

Nous arrivâmes enfin à un poste de contrôle, où un policier me demanda mon passeport. Je le lui tendis en silence, et il haussa les sourcils en le regardant.

— Vous n'avez pas l'autorisation de venir ici sans un garde armé ! annonça-t-il. C'est très dangereux.

— Mais je suis déjà ici.

— Vous devriez avoir un garde armé.

— Excusez-moi, dis-je en gardant les yeux baissés. La prochaine fois, je me conformerai aux règles.

Il agita le passeport dans ma direction.

— C'est vraiment vous ?

J'inclinai la tête, toujours recouverte de mon voile noir. Il tamponna mon passeport, et je pénétrai en trébuchant sur le territoire de l'Afghanistan.

Le gendre avait disparu ; je réussis à trouver un taxi pour me conduire à Kaboul. Trois hommes l'occupaient déjà, mais le chauffeur chargea mes valises sans se faire prier, et intima aux hommes assis à l'arrière de se serrer pour me laisser une place. Je passai les cinq heures suivantes appuyée contre la portière, la tête et le visage recouverts, sans dire un mot. Quand l'envie de me rendre aux toilettes devint trop pressante, je fis signe au chauffeur. Il s'arrêta devant une installation précaire de bord de route. A part une petite collision avec une autre voiture, le trajet se déroula sans problèmes. Ni bandits, ni tireurs isolés, ni talibans lancés à notre poursuite dans leurs Jeep blanches. Quand nous entrâmes dans Kaboul, je retrouvai mes habitudes : je me débarrassai de mon voile et allumai une cigarette, au grand dam des hommes. Je ne pus me retenir de rire.

Le taxi me déposa devant chez Sam. Je ne savais pas qui j'allais trouver, mais Ali apparut presque aussitôt sur le seuil, en tenue décontractée. Il se précipita pour prendre mes bagages. Les Afghans n'ont pas l'habitude que les femmes leur sautent au cou, mais à mes yeux, Ali était suffisamment occidentalisé et, après l'épreuve du voyage, j'avais besoin de lui manifester mon affection. Il me rendit mon étreinte, puis m'aida à m'installer. Il alla dans la cuisine préparer du thé et revint avec un assortiment de petits gâteaux disposé sur une magnifique assiette turquoise venant du petit village d'Istalif, perché au-dessus de Kaboul. Nous restâmes assis à bavarder jusqu'au crépuscule.

— C'est bien que tu sois de retour, dit-il en me couvant de ses yeux couleur du thé qui me réchauffait les mains. La maison retrouve son âme maintenant.

Je souris.

— Moi aussi, je suis heureuse d'être revenue.

— Veux-tu téléphoner à ton mari ?

Il composa le numéro sur son portable, et prit un air satisfait quand Sam répondit. Je reconnus aussitôt le timbre enjoué de sa voix. Ali me tendit l'appareil et me regarda échanger avec Sam tous les mots de notre liste. Puis, par l'intermédiaire d'Ali, je demandai à Sam quand il serait de retour. J'entendis un flot de paroles à l'autre bout de la ligne, et Ali secoua la tête. Sam n'avait toujours pas réussi à trouver un vol pour Kaboul. Il se rendait pourtant chaque jour à l'aéroport, dans l'espoir qu'un pèlerin ait renoncé à sa place pour rester plus longtemps. Mais il devait y avoir trente mille hajj candidats au retour pour un seul vol par jour. Il risquait de ne pas revenir de sitôt.

— *Salaam aleikum !* m'exclamai-je.

Ce qui fit sursauter la femme qui frappait sur les touches d'une vieille machine à écrire.

Je lui tendis un échantillon de gel coiffant, puis empruntai le couloir jusqu'au bureau suivant.

Dès mon retour, je m'étais imposé de me montrer dans les bureaux du ministère des Femmes afin qu'on sache que j'étais revenue pour préparer la réouverture de l'école.

Ensuite, Noor et moi passâmes deux jours à rencontrer des candidates à la prochaine session. L'une des premières à franchir la porte fut Basira, toujours enveloppée de sa burqa. Je la reconnus seulement quand elle la replia, révélant ses magnifiques yeux verts.

— Bienvenue en Afghanistan, dit-elle fièrement en anglais.

J'étais enchantée de la retrouver. Je dis à Noor que je connaissais déjà son histoire.

— Pour moi, elle fait déjà partie de cette classe.

Les autres femmes avaient entre quatorze et quarante-huit ans. J'en éliminai certaines sur-le-champ. Notamment un petit groupe d'adolescentes adorables, à qui je conseillai de finir d'abord leur scolarité. Elles me lancèrent des regards tragiques, et je dus supplier Noor de leur expliquer que je leur rendais service. Je m'apprêtais à refuser une candidate de dix-huit ans pour la même raison quand elle se mit à sangloter. Elle entreprit de me raconter son histoire, en se couvrant la bouche avec son voile par timidité. Son père avait été tué par les talibans, et c'était son frère qui avait la charge de la famille. Elle ne savait ni lire ni écrire, car son frère ne l'avait pas autorisée à aller à l'école, mais il lui avait donné la permission de venir ici. Je décidai aussitôt de la prendre, bien qu'elle ne correspondît en rien au profil idéal de nos élèves. Peu m'importait qu'elle n'ait aucune aptitude particulière pour le métier et qu'elle se révèle la pire coiffeuse de la ville. Elle m'avait touchée, et je n'avais aucun autre moyen de l'aider.

Les récits bouleversants sont monnaie courante en Afghanistan. La jeune fille suivante avait une vingtaine d'années. Sa mère était morte, son père avait eu les jambes arrachées par une mine antipersonnel. C'était elle qui désormais assurait la survie de sa famille. Comment pouvais-je refuser de la prendre, elle aussi ?

Nous sélectionnâmes vingt-sept femmes pour le second cycle de cours, qui devait commencer un mois plus tard, fin mars 2004. La liste des noms des candidates retenues devait être affichée à la porte de l'école. J'avais l'intention de me trouver quelques rangements à effectuer au fond d'une salle ce jour-là – il n'en manquait pas – pour ne pas avoir à affronter la déception de celles qui n'avaient pas été acceptées. Mais quand Noor entra dans l'école, les cinquante femmes se précipitèrent à sa suite. L'ambiance était chargée d'émotion. Certaines dansaient d'allégresse, tandis que d'autres pleuraient ou me suivaient partout, essayant de plaider leur cause. Je les aurais toutes prises si nous en avions eu les moyens. C'était une chance tellement inespérée pour elles ! Mais je ne savais même pas si nous allions avoir assez d'argent pour les vingt-sept élues.

J'étais épuisée quand je rentrai à la maison ce soir-là. Je ne pouvais effacer de mon esprit ces visages déçus. Je n'aspirais plus qu'à me coucher avec un livre et une ou deux margaritas. En ouvrant la porte, je découvris, assise sur le canapé, une jeune fille qui ne devait pas avoir plus de quatorze ans. Elle se leva précipitamment quand j'entrai, renversant une tasse de thé qui avait été posée en équilibre sur l'accoudoir. Elle se pencha aussitôt pour réparer les dégâts avec son foulard. Au même moment, Ali dévala l'escalier. Il parut embarrassé puis traversa la pièce pour prendre le carton que je portais.

— C'est ma nièce, dit-il. Elle s'appelle Hama.

— Dis-lui de ne pas s'inquiéter pour le thé.

— Viens, ordonna-t-il à la jeune fille.

Elle s'avança auprès de lui, la tête légèrement penchée, sa belle chevelure auburn retombant sur son visage. Elle me regarda à travers les boucles et sourit, puis elle me prit la main et la serra. Hama était toute menue, avec une main minuscule et des ongles de la taille d'une goutte d'eau.

— Je veux te mettre du vernis à ongles !

Je fis semblant de passer un pinceau sur ses ongles et elle se mit à rire.

— Elle voulait faire partie de la promotion, mais tu ne l'as pas retenue, dit Ali d'un ton de reproche. Je t'avais pourtant prévenue qu'elle viendrait le jour de l'examen des candidatures.

Je ne m'en souvenais pas, mais, quoi qu'il en soit, je secouai la tête.

— Elle est trop jeune, Ali. Elle devrait encore aller à l'école.

— Elle a vingt ans, dit-il. Son père est trop malade pour travailler, et sa mère est souffrante elle aussi. C'est moi qui m'occupe d'elle, mais elle veut étudier dans ton école.

— Elle n'a pas vingt ans !

— Si, vingt ans, dit-il en détournant les yeux.

Je pris la jeune fille par le menton.

— Quel âge ? demandai-je.

A force de mener les entretiens pour l'école, je savais au moins dire cela en dari.

Hama montra les cinq doigts d'une main, puis l'autre, puis la première de nouveau. Je secouai la tête.

— Elle a quinze ans, Ali, elle est trop jeune. Dis-lui qu'elle doit encore aller à l'école.

Elle nous regarda, puis me saisit de nouveau la main. Son petit visage ardent se décomposa, et elle se mit à pleurer.

— S'il te plaît, dit-elle. S'il te plaît, école de beauté.

Je passai les doigts dans ses cheveux et rattachai sa barrette, puis j'essuyai ses larmes du dos de ma main. Elle paraissait si jeune que je n'aurais pas été surprise de la voir jouer encore à la poupée. Je ne pouvais pas lui imposer d'attendre trois ans. Elle paraissait tellement désespérée que ces trois années lui sembleraient une éternité.

— Nous verrons, lui dis-je.

Après avoir allumé ma cigarette, j'agitai l'allumette pour l'éteindre. En vain. J'approchai la flamme d'une goutte de condensation qui s'était formée sur mon verre de margarita et la regardai grésiller. Je portai le verre à mes lèvres pour lécher la croûte de sel sur le bord. Sam m'observait à l'autre bout de la pièce avec un regard méprisant.

— Je ne vais certainement pas renoncer à mes cocktails sous prétexte que tu reviens de pèlerinage, murmurai-je pendant qu'il s'éloignait.

Sam était enfin rentré à Kaboul. Il avait insisté avec tant de véhémence à l'aéroport qu'on avait décidé de le laisser voyager dans le cockpit. Nos retrouvailles furent joyeuses, mais la tension des semaines suivantes eut vite raison de notre bonne humeur. L'homme qui était revenu d'Arabie saoudite ne ressemblait plus à celui que j'avais épousé. Quand je l'avais rencontré, Sam aimait s'amuser. Il était toujours le premier à lever son verre et à plaisanter. Mais le contact prolongé avec les pèlerins de La Mecque avait été fatal : à présent, il priait cinq fois par jour et protestait quand il me voyait boire ou fumer. Un changement aussi radical était effrayant, même si Roshanna m'assurait que tous les hajj étaient dans cet état d'esprit en revenant, et que cela ne durerait pas. Sam devait aussi faire face à de graves problèmes : pendant son absence, son associé dans l'affaire de forage avait vidé leur compte bancaire et quitté le pays. Des voleurs avaient dérobé une partie du matériel, et trois de ses ouvriers avaient été kidnappés. Il s'efforçait de sauver sa société pendant que j'essayais de rouvrir l'école. Nos différences culturelles devinrent bientôt des obstacles majeurs. Nous aurions pu les surmonter avec de la patience, mais nous n'en n'avions pas beaucoup. Elle était mise à l'épreuve ailleurs.

Je m'étais réjouie de pouvoir compter sur l'aide de Sam pour mettre sur pied la deuxième session de formation. Il s'était toujours montré un ardent supporter de l'école mais, irritable comme il l'était maintenant, il ne m'était pas d'un grand soutien. Au ministère des

Femmes, l'adjointe du ministre me demandait invariablement si mes fonds étaient arrivés. Je ne manquais pas de lui assurer que je les attendais d'un jour à l'autre. Elle voulait savoir pourquoi cela prenait si longtemps mais, heureusement, elle ne s'acharnait pas trop sur moi. Entre-temps, Topekai et trois de mes meilleures élèves de la première promotion m'avaient apporté leur concours. Je leur en étais reconnaissante, j'appréciais leur compagnie, mais j'avais honte de ne pas pouvoir les payer. Malgré leur situation financière précaire, elles répétaient : « Pas de problème, pas de problème ». J'avais l'intention de les engager comme professeurs quand les fonds seraient versés, mais je n'avais toujours pas la moindre nouvelle de New York concernant de nouveaux dons – et l'argent n'arrivait pas.

Acculée, je demandai à une Occidentale travaillant à Kaboul pour une ONG d'annoncer à tout son entourage que je recevais des clientes dans le salon de coiffure de l'école. Les femmes se bousculèrent aussitôt. Cela me permit de donner un peu d'argent à Topekai et aux autres filles, mais ce n'était pas suffisant pour assurer le fonctionnement de la nouvelle session. Les filles voyaient que je m'inquiétais, et parlaient entre elles à voix basse. Un jour, elles arrivèrent à l'école, l'air ravi, avec de gros sacs remplis à ras bord. Elles me firent asseoir dans un fauteuil, et de leurs sacs en sortirent des napperons, des tabliers, des taies d'oreillers, tous magnifiquement brodés par leurs soins.

— Tu les vends, dit Topekai. L'argent ira à l'école.

Je me mis à pleurer. J'étais venue en Afghanistan pour les aider, et voilà que j'étais si démunie qu'elles devaient vendre leurs travaux d'aiguille pour moi !

Mon unique consolation pendant cette période difficile fut Hama, qui m'accueillait toujours avec joie quand je rentrais à la maison. Elle était la seule à me sourire, car Sam était en permanence à bout de nerfs, à cause de ses affaires et de ses ouvriers kidnappés. Leur famille venait à la maison tous les deux jours pour savoir si nous avions reçu de leurs nouvelles. Sam prit contact avec de nombreux officiels, mais personne ne semblait se soucier de ces hommes. La maison était toujours pleine de gens les plus divers, et je commençais à ne plus pouvoir le supporter. Ali, qui y occupait une chambre, se chargeait de louer les autres. Il logeait même dans l'une d'elles une famille de sept personnes. Les autres occupants étaient des hommes qui festoyaient tard dans la nuit. Je n'aimais pas la façon dont ils regardaient Hama. Elle s'en méfiait aussi. Quand les hommes se mettaient à boire, elle restait collée à moi – je ne pouvais même pas me rendre seule aux toilettes. Je finis par la prendre dans ma chambre pour la soustraire aux hommes. Elle s'asseyait sur mes genoux et passait les bras autour de mon cou, comme une petite fille terrifiée. Quand j'avais enfin réussi à la calmer, nous jouions ensemble et nous amusions à vernir nos ongles de pied ; tout était bon pour lui faire oublier la présence des hommes.

Mais ce n'était pas facile. En dehors de l'école, je ne voyais que des hommes. C'était la première fois que je ne vivais pas au milieu d'Occidentaux – et particulièrement des femmes –, et je souffrais de me sentir à tel point isolée. Chaque jour, je me rendais à pied au ministère des Femmes, consciente d'être une des rares femmes dans la rue. Celles qui étaient dehors se fondaient dans le paysage, passant rapidement sans se faire remarquer. Topekai et les autres filles trouvaient toujours quelqu'un pour les conduire en voiture, et elles repartaient à quinze heures trente précises, bien avant le coucher du soleil. Je restais souvent plus tard, pour coiffer une dernière cliente, ou pour ranger. Quand je partais, il commençait à faire sombre, j'étais alors la seule femme dans la rue. Les hommes me dévisageaient.

Je me plaignis de cela à Topekai.

— Cet endroit devrait s'appeler Mâlistan plutôt qu'Afghanistan, lui dis-je. Il y a beaucoup trop de testostérone dans l'air.

Elle me dévisagea de ses yeux sombres.

— Pas compris.

— Ce pays, expliquai-je en lui montrant le territoire qui s'étendait à l'extérieur de nos portes. Ce pays est le Mâlistan, pas l'Afghanistan.

— Oui !

Son visage s'éclaira.

— Le Mâlistan, parfaitement !

Un soir, après avoir salué les chowkidors du ministère des Femmes, je m'étais à peine éloignée que je me retrouvai cernée par cinq jeunes gens. Ils m'adressèrent quelques mots en français, puis en anglais ; je les ignorai et continuai à marcher tête baissée. Puis deux d'entre eux m'attrapèrent par les bras, et ils se rapprochèrent encore. Je regardai autour de moi pour chercher de l'aide, mais les trottoirs étaient déserts. Les phares des voitures qui passaient balayaient la poussière. Personne ne viendrait à ma rescousse. Heureusement, c'était le genre de situation pour laquelle j'avais suivi un entraînement en tant que gardienne de prison aux Etats-Unis : je n'eus aucun mal à me libérer. Ils me poussèrent alors en direction d'une porte ; il fallait que j'agisse vite, sinon je risquais de me retrouver vraiment en danger. Je concentrai toute ma colère dans mon bras et dans mon poing, et frappai un des jeunes gens au plexus. Il tomba au sol. Je me mis alors à crier en dari tous les gros mots que mes étudiantes s'amusaient à m'apprendre. Mes attaquants battirent en retraite puis s'arrêtèrent. L'un d'eux éclata de rire. Ne voulant pas leur laisser le temps de se ressaisir, je fonçai sur eux. Ils firent alors volte-face et disparurent en courant au coin de la rue, se privant du plaisir de me voir trébucher sur un pavé et tomber dans le caniveau.

Quand j'arrivai à la maison avec ma jupe déchirée, un bleu sur le visage et les chaussures pleines de boue, Sam et Ali me questionnèrent. Puis ils sortirent leurs fusils – tout le monde à Kaboul en possédait – et partirent en trombe. Sam devait être ravi de profiter de cet exutoire, mais, à mon grand soulagement, ils ne retrouvèrent jamais mes agresseurs.

Puis, tout à coup, le financement de l'école devint réalité. Une journaliste vint m'interviewer et, quand je lui parlai de mes problèmes d'argent, elle me suggéra de faire appel à une ONG allemande qui finançait des projets éducatifs pour les femmes. Ils réagirent aussitôt et proposèrent de financer les deux prochaines sessions. Les sommes allouées permettraient de payer le salaire des professeurs, leur déjeuner et leur transport ainsi que ceux des étudiantes, à qui je pourrais même verser une indemnité.

Je courus jusqu'au bureau de Sam : il travaillait, son portable à portée de main.

— J'ai trouvé l'argent ! m'exclamai-je.

Le téléphone sonna à cet instant ; il me tourna le dos et se mit à pousser des hurlements en arabe dans l'appareil. Je retournai au salon, où Hama était occupée à feuilleter un des magazines que je mettais à la disposition des clientes. Je la pris par la main et l'entraînai dans une danse folle autour de la pièce.

Une grande pancarte collée avec du ruban adhésif barrait la porte menant à l'école, m'empêchant de passer : je me penchai pour la lire, mais elle était rédigée en dari. En me redressant, je sentis quelque chose dans ma nuque et me retournai lentement : le chowkidor du ministère des Femmes me tenait en joue avec sa mitraillette. Il baissa légèrement le canon et s'humecta les lèvres. Ce garçon, qui ne devait pas avoir plus de dix-neuf ans, s'était toujours montré aimable avec moi, s'efforçant, chaque fois que je passais, de tester les quelques mots d'anglais qu'il connaissait. A présent, il semblait avoir tout oublié ; il m'asséna en bégayant quelques phrases en dari.

— Il dit qu'il est désolé, mais qu'il devra te tuer si tu pénètres dans l'école, dit une de mes nouvelles étudiantes, qui parlait anglais.

Les autres jeunes femmes ainsi que les professeurs s'étaient regroupées, le visage grave, comme si elles allaient assister à un enterrement. Basira jeta un coup d'œil furtif hors de sa burqa : elle pleurait. Seule Hama demeura à mes côtés.

— Dis-lui que je dois prendre mes affaires.

Je croisai les bras et plantai mes hauts talons dans le gazon.

Puis quelqu'un du ministère cria quelque chose, et l'étudiante traduisit.

— Ils disent que tu dois partir tout de suite.

— Je ne partirai pas tant que je n'aurai pas récupéré mes affaires.

— Ils disent que tout ce qu'il y a à l'intérieur appartient au ministère.

— Tout cela a été donné à l'école, et je ne veux rien laisser ! criai-je à mon tour.

Les gens commençaient à se rassembler. Des employées du ministère, des passants, la femme qui mendiait dans la rue au milieu de la circulation, chacun était curieux de voir l'Américaine qui causait tant de tapage. Le silence se fit à l'instant où une porte s'ouvrit à l'extrémité de la cour et où l'adjointe du ministre s'avança vers moi.

Je m'attendais à cette épreuve de force. Le lendemain du jour où j'avais appris que je recevrais de nouveaux fonds, Roshanna et moi nous étions rendues au ministère des Femmes pour faire part de la bonne nouvelle à l'adjointe du ministre. J'observais son visage tandis que Roshanna parlait, guettant un signe de satisfaction. Au contraire, elle répondit d'un ton brusque, se lançant dans des phrases interminables. Roshanna pâlit.

— Le ministre est mécontent parce qu'il t'a fallu cinq mois avant de commencer la deuxième formation.

Une autre salve s'ensuivit.

— Le ministre ne comprend pas pourquoi il y a un problème d'argent, l'école ayant été l'objet d'autant de publicité.

Une autre salve encore, puis Roshanna prit une profonde inspiration.

— Et le ministre a reçu des plaintes car on entend trop souvent rire dans l'école. Des gens se sont également plaints du fait qu'ils ont pu regarder à l'intérieur et voir les femmes sans leurs foulards.

Au cours des semaines suivantes, j'avais tenté de désamorcer la crise : je m'étais arrêtée à trois reprises pour dire à l'adjointe du ministre que nous avions encore de la place. Si elle voulait en faire profiter des jeunes filles de sa connaissance, nous serions heureuses de les admettre dans la prochaine session. Je proposai également à toutes les employées du ministère de les coiffer gratuitement. Roshanna m'accompagna pour ma dernière visite. Je la vis écarquiller les yeux à la vue d'un document sur le bureau de l'adjointe. Quand nous sortîmes, elle chuchota :

— Ils vont te mettre à la porte ! Le papier dit qu'ils vont reprendre le bâtiment et garder tous tes produits.

Je fis appel à tous les gens que je connaissais, espérant trouver quelqu'un d'assez influent pour plaider notre cause auprès du ministre des Femmes. Je comptais parmi mes clientes une Américaine d'origine afghane disposant d'atouts importants, politiques et familiaux, à Kaboul. Elle me promit de mettre tous ses contacts en œuvre. Quand elle me rappela, j'étais certaine qu'elle avait trouvé le bon appui. Mais sa voix était dépitée.

— Tu as perdu la partie, dit-elle. Ils vont tout prendre.

— Nous avons payé pour occuper ce bâtiment pendant deux ans encore. Ils ont signé un accord.

Elle soupira.

— Si tu veux tenter quelque chose, fais-le vite.

Ma première réaction fut de me mettre à hurler comme une folle, provoquant un sauve-qui-peut général dans la maison. Je me jetai sur mon lit et éclatai en sanglots en pensant à tout le travail mis en œuvre, à tous ces produits que les marques nous avaient donnés, à la confiance que tous avaient placée en moi, aussi bien mes étudiantes que mes amis américains. Je ne sais pas combien de temps je pleurai : peut-être une heure, peut-être plus. Puis je cessai de gémir et décidai de me mettre en colère, ce qui serait certainement beaucoup plus productif. Mes parents m'avaient élevée pour faire de moi une femme forte, une battante : je ne me laisserais pas accabler.

Ils allaient devoir me passer sur le corps pour reprendre l'école.

Nous étions un vendredi, le début du week-end en Afghanistan ; l'école devait ouvrir le lendemain. Ali et moi commandâmes plusieurs taxis. Lorsqu'ils s'arrêtèrent devant la maison d'hôtes, Sam revenait d'une réunion, et je lui expliquai les grandes lignes de mon plan.

— Tu es folle ! s'exclama-t-il. Tu ne peux pas lutter contre le ministère des Femmes. Tu vas te faire arrêter.

Mais il aimait se battre, lui aussi. Sur ce point, nous étions parfaitement assortis. Après lui avoir exposé dans le détail mon stratagème, je lui demandai de me rejoindre à proximité du ministère avec quelques ouvriers. Ayant trouvé un camion, il s'arrêta près d'une mosquée et y fit monter toute une troupe d'hommes qui attendaient du travail, assis sur leurs talons. Nous nous arrêtâmes dans la rue, suffisamment loin du ministère pour que les chowkidors ne nous voient pas. Mon plan reposait sur l'existence de deux portes menant à l'école. L'une d'elles se trouvait à l'intérieur de la résidence : c'était celle que nous empruntions habituellement après avoir franchi les portes. Mais il y en avait une autre, petite, percée dans le mur d'enceinte du complexe, à une centaine de mètres de l'entrée. J'ouvris cette petite porte et, dans le plus grand silence, nous entrâmes tous dans l'école en file indienne. Ali étendit des draps et des couvertures sur le sol, et nous commençâmes à y entasser flacons de shampoing, couleurs et autres produits, puis nous les emportâmes jusqu'aux taxis et au camion. J'étendis tous mes foulards par terre et je les remplis de vernis à ongles et de cosmétiques. Puis je pris les têtes à coiffer sur les étagères et j'en donnai deux à chacun des ouvriers. Ils s'en saisirent avec étonnement et sortirent sur la pointe des pieds. J'avais également apporté mes valises et quelques cartons, que nous remplîmes aussi. A la fin, il ne restait plus dans l'école que les postes de coiffure, un téléviseur qui nous servait à passer des cassettes vidéo, et les miroirs.

Sam emprunta de l'argent à toutes ses relations et se mit en quête d'une maison à louer susceptible d'accueillir l'école, ainsi que ses bureaux et notre habitation. Il était hors de question que l'école s'installe dans notre maison d'hôtes ; nous étions de toute façon tous les deux fatigués de côtoyer les gens qui y résidaient. Malgré l'amitié que nous portions à Ali, nous n'aimions pas les hommes à qui il louait les chambres. Envisager de tout déménager pouvait paraître insensé, mais les Afghans le faisaient fréquemment. Ils avaient si souvent fui la guerre et les souffrances qu'ils savaient se réinstaller ailleurs dans l'urgence. Notre seul problème était l'argent. Les propriétaires kaboulis exigent fréquemment six mois de loyer d'avance, et nous n'étions pas certains de pouvoir trouver rapidement quelque chose dans nos moyens. Si nous installions l'école ailleurs, elle allait nous coûter plus cher en frais de fonctionnement : Beauté sans frontières avait dépensé quelque 50 000 dollars pour construire l'école au sein de la résidence, et en échange le ministère se chargeait de payer notre électricité, notre eau, notre chauffage et notre service de sécurité.

Le samedi matin, avec la petite Hama – j'avais décidé de l'admettre dans la classe –, nous nous rendîmes au ministère bras dessus, bras dessous, comme si de rien n'était. Basira, Topekai, mes autres étudiantes ainsi que les professeurs nous y attendaient à la porte, tout sourire. Personne ne sembla remarquer que l'endroit avait été vidé, ou du moins personne n'y fit allusion. Le fait que nous n'ayons pas de produits pour travailler n'avait aucune importance, car j'avais prévu que cette première journée soit consacrée à l'orientation. J'exposai le contenu du programme. Je parlai de mes attentes. J'insistai sur le fait que de nombreuses femmes avaient posé leur candidature, et que je ne tolérerais pas le moindre vol, les retards infondés ou l'absentéisme. Chacune recevrait une trousse contenant tout ce dont elle aurait besoin pendant les trois mois, sachant que cette trousse ne devait pas quitter le bâtiment. Lors de la première session, certaines étudiantes avaient égaré du matériel ou l'avaient cassé, ce que nous ne pouvions plus nous permettre. J'étais tellement soucieuse de ne rien omettre dans ma présentation que j'en avais presque oublié l'orage qui menaçait derrière la porte.

Il était sur le point d'éclater. L'adjointe du ministre me faisait face, glaciale mais courtoise. Nous nous saluâmes selon la coutume – trois baisers sur les joues –, indispensable en Afghanistan, même avec votre pire ennemi. Puis elle se mit à tempêter en dari. L'étudiante qui traduisait ne parvenait pas à la suivre. Nous nous contentâmes de la regarder vociférer interminablement, s'excitant au fur et à mesure de sa diatribe et gesticulant si violemment qu'elle faillit trébucher sur ses hauts talons. Elle haranguait la foule autant que moi. Tout d'un coup, tout le monde me regarda et retint son souffle.

— Qu'a-t-elle dit ? demandai-je à mon étudiante horrifiée.

— Elle dit que tu n'es pas un bon professeur et que le ministre va ouvrir sa propre école ici. Elle dit que tu as volé à la fois les firmes de beauté étrangères et les Afghans. Elle dit (mon étudiante éclata alors en sanglots) qu'elle va te traîner par les cheveux hors de la résidence, et que tu seras arrêtée et expulsée du pays.

L'adjointe se retourna alors brusquement, et me dévisagea.

— Comment se fait-il que je me soucie plus de ces femmes que vous, bien que je sois américaine et vous afghane ? lui dis-je, en larmes.

Elle s'avança vers moi comme si elle allait me gifler.

Quand Sam surgit à mes côtés, j'eus l'impression que la cavalerie arrivait en renfort. Il échangea quelques mots avec mes étudiantes afin de comprendre ce qui se passait, puis il me supplia de le suivre dans la rue. J'étais au bord de l'hystérie, lui parfaitement calme. Il nous alluma à chacun une cigarette, puis nous fîmes le tour de tous les gens que nous pensions capables d'agir dans cette affaire, depuis des fonctionnaires de l'administration jusqu'à Mary MacMakin. De si nombreuses plaintes furent finalement déposées contre le ministère des Femmes qu'elles durent céder. On finit par nous restituer tout notre matériel, et je présentai mes excuses pour avoir fait preuve d'incompréhension envers la culture locale et contribué à alimenter la querelle. Le ministère des Femmes voulait notre bâtiment, nos stocks et le contrôle de l'école : il garda le bâtiment, où je ne remis jamais les pieds.

En réalité, Sam était venu au ministère pour me dire qu'il avait trouvé un endroit pour nous. C'était une vaste maison d'hôtes en stuc appelée Peacock Manor, avec un petit bâtiment proche de la rue qui conviendrait parfaitement pour l'école. Le propriétaire exigeait un dépôt de 22 000 dollars, soit six mois de loyer ; quand nous eûmes réuni nos fonds, avec un apport de Noor et d'Ali, nous signâmes un bail d'un an, avec l'intention de nous y installer, Sam et moi, avec Ali, et de louer des chambres pour rentabiliser la location.

Avant d'emménager, Sam et moi allâmes inspecter le bâtiment destiné à l'école. A l'intérieur, je ramassai une vieille chaussure dans les gravats qui jonchaient le sol et je la lançai dans une petite pièce située à l'arrière. Une femme aux grands yeux effarouchés passa la tête par la porte. Elle avait une carrure imposante, avec un visage large aux pommettes hautes qui me rappela ceux des Indiens d'Amérique. Elle était très sale, le visage et les bras maculés, avec une tunique en haillons. Je supposai qu'elle devait ne pas avoir de domicile, mais Sam découvrit, à force de questions, qu'elle faisait partie de l'ensemble immobilier.

— Elle s'appelle Shaz. Elle sera une femme de ménage parfaite pour l'école et la maison d'hôtes.

— Combien me coûtera-t-elle ?

— Quatre-vingts dollars par mois, probablement.

Il s'éloigna pour aller vérifier le fonctionnement d'un interrupteur.

— *Salaam aleikum*, dis-je à Shaz. Je m'appelle Debbie.

Elle se contenta de me dévisager puis retourna dans la petite pièce.

Le lendemain, Sam recruta des hommes à la mosquée pour abattre des murs, refaire la plomberie de la salle de bains et des toilettes, construire des étagères et m'aider à peindre. Shaz se mit à travailler avec moi, et j'admirai l'énergie et la force qu'elle déployait. Mais les murs étaient tellement fissurés que la peinture ne faisait qu'accentuer leurs défauts. Je finis par l'envoyer chercher un sac de sable sur un chantier de l'autre côté de la rue, et je le versai dans la peinture. Je mélangeai le tout, peignis un échantillon et m'arrêtai pour juger de l'effet rendu. Je me retournai pour voir ce que les ouvriers pensaient de cette nouvelle texture : ils me regardaient bouche bée, la peinture dégoulinant de leurs pinceaux. Ils semblaient penser que j'avais perdu la raison, mais Shaz se mit à sourire. Elle avait plusieurs dents en or qui contrastaient avec son visage sale et ses haillons.

Je crus perdre la raison quelques jours plus tard, pendant que nous apportions le mobilier depuis le ministère des Femmes jusqu'aux nouveaux locaux de l'école à Peacock Manor. Après avoir transporté un chargement de cartons à l'intérieur, j'entendis un bruit étrange venant de la rue. En ressortant, je découvris une petite vache attachée au pare-chocs d'un camion. Elle broutait la roue avant et meuglait si fort que j'éclatai de rire. J'ignorais ce qu'elle faisait là, mais plus rien ne m'étonnait en Afghanistan. Je la caressai quelques instants avant de retourner à l'intérieur pour continuer à déballer les cartons. La vache n'arrêtait pas de meugler, et ce bruit me calmait. Cela me rappelait mon enfance dans le Michigan, quand j'avais une multitude d'animaux familiers.

Lorsque je ressortis pour chercher d'autres cartons, je glissai dans une mare de sang. Quelqu'un avait abattu la vache juste devant la porte. On était en train de la découper à quelques mètres de là. J'aurais voulu aller me réfugier dans ma chambre et me cacher dans le noir, mais il n'en était pas question. Je dus continuer à transporter les cartons jusqu'au soir, en prenant garde de ne pas marcher dans le sang pour ne pas faire de traces à l'intérieur et en évitant de regarder la tête de la petite vache, posée de guingois sur sa peau jetée en tas.

6

Je fourrageai dans les placards de la cuisine et je finis par trouver un petit plateau de biscuits enveloppé dans une serviette. J'enlevai le tissu et me précipitai dans le salon.

— *Salaam aleikum*, répétai-je pour la quatrième ou cinquième fois à l'homme au turban noir qui faisait les cent pas devant la fenêtre donnant sur la rue.

Il se retourna brusquement pour me foudroyer du regard, puis il passa devant moi en me frôlant et remonta l'escalier d'un pas lourd pour aller regarder la rue par la fenêtre de sa chambre. Quelques minutes plus tard, il redescendit du même pas lourd, sortit et ouvrit d'un coup sec la porte donnant sur la rue. Il dit quelque chose à notre chowkidor, qui s'aplatit contre le mur, comme si l'homme au turban noir crachait du feu.

A ce moment-là, quelqu'un du ministère du Commerce téléphona.

— Le séminaire s'est terminé tard, dit la femme au bout du fil. La circulation étant difficile, Nahida risque de ne pas être rentrée avant un certain temps.

— Qu'est-ce que je fais de son mari ? demandai-je. Il devient fou.

— Calmez-le ! me dit-elle. Trouvez quelqu'un pour lui expliquer ce qui se passe, sinon il la battra.

— Il la battrait devant moi ?

— C'est un taliban, ils sont très stricts avec leurs femmes.

— C'est vraiment un taliban ?

Ma bouche devint sèche. Si je ne trouvais pas un moyen de satisfaire cet homme, je risquais de finir traînée par un chameau pour un voyage sans retour dans le désert.

— Y a-t-il autre chose que vous ayez oublié de me dire sur lui ?

— Disons qu'il est également accro à l'opium. Mieux vaut se tenir à l'écart s'il manifeste l'envie d'aller fumer.

Quand Sam et moi avions repris la maison d'hôtes de Peacock Manor, beaucoup de gens entraient et sortaient pour des fêtes, mais il n'y avait pas d'hôtes payants. Nos premiers vrais clients furent une femme appelée Nahida et son mari, un homme acariâtre au visage balafré, originaire de la ville de Herat.

Mes seules connaissances en matière commerciale avaient trait à la gestion des salons de beauté. J'ignorais tout de la façon de nourrir les clients et de tenir un établissement propre. Je voulais également que cette maison d'hôtes offre certaines prestations susceptibles d'attirer journalistes et autres Occidentaux, ce qui me demanderait beaucoup de travail. J'avais l'intention de prendre mon temps pour y parvenir.

Je reçus alors un appel téléphonique d'une ONG basée à Herat, une ville assez éloignée à l'est de Kaboul, près de la frontière avec l'Iran. Une jeune fille de vingt et un ans prénommée Nahida était venue les supplier de l'aider à entrer à l'école d'esthétique. Elle en avait entendu parler par un parent qui habitait Kaboul et voulait à tout prix y étudier afin de pouvoir ensuite ouvrir son propre salon à Herat. Son principal obstacle n'était ni la distance ni l'argent, mais son mari. L'ONG avait tout fait pour trouver un moyen de permettre à Nahida de fréquenter l'école. Sa famille de Kaboul promit d'accueillir gratuitement la jeune femme, avec son mari et leur enfant. L'ONG s'engagea également à lui faire suivre des cours de gestion et à l'aider à ouvrir son salon à Herat. Tout cela semblait convenir au mari, qui à l'époque ne travaillait pas. Mais il s'inquiétait de la moralité qui pouvait régner à l'école ainsi que de la personnalité de ceux qui la dirigeaient : l'ONG me demanda donc de recevoir le couple à Peacock Manor pendant une semaine, afin de rassurer le mari.

La pression était maximale. Je disposais d'une semaine seulement pour m'assurer que la maison d'hôtes était prête à recevoir des clients et, surtout, pour prouver au mari que je respectais les coutumes des Afghans. La pension manquait de tout quand nous l'avions reprise. Il y avait des lits, mais pas d'oreillers ni de couvertures, des casseroles, mais pas de verres. Le pire, c'était qu'il n'y avait ni théière ni tasses à thé. Or rien n'est plus important pour un Afghan que le thé. Sam et moi allâmes en chercher, mais je n'avais pas la moindre idée de ce qu'il fallait acheter. Je ne savais pas non plus comment préparer le thé. J'avais l'habitude de faire bouillir de l'eau et d'y jeter un sachet, mais je savais que les Afghans avaient une méthode infiniment plus élaborée. Ils pouvaient tous, dès la première gorgée, déterminer si le thé avait été fait dans les règles. J'étais angoissée à la perspective de cette semaine avec Nahida et son mari, et la préparation du thé était la première épreuve.

Comme si cela ne suffisait pas, ils arrivèrent avec deux jours d'avance. Sam et moi n'avions pas encore passé une seule nuit dans la maison, et nous dûmes nous y rendre pour les accueillir. Ils nous attendaient près de notre chowkidor, un des trois ouvriers qui avaient été kidnappés. Il avait été retrouvé, sain et sauf, avec les deux autres dans une grotte gardée par dix talibans. Mais ses trois mois de captivité l'avaient à tel point traumatisé qu'il ne pouvait plus travailler dans l'entreprise de forage. Sam l'avait donc engagé comme gardien, un travail qui s'avéra encore trop pénible pour lui. La plupart du temps, il restait assis à pleurer, à la table de la cuisine. Ce jour-là, il avait les yeux rouges et parlait en hoquetant. Le mari de Nahida le regarda d'un air furieux, puis se retourna vers moi, comme s'il avait déjà décidé que je n'étais pas une enseignante digne de sa femme. Mais Nahida, une jeune femme à la peau couleur caramel et aux yeux noirs, me prit les mains et m'embrassa.

— Merci de nous accueillir, dit-elle.

Sam sortit pour acheter des kebabs, du riz et des naan pour le dîner. Nahida choisit la chambre avec des lits jumeaux, et son mari et elle commencèrent à s'installer. Pendant qu'ils étaient en haut, je voulus préparer le thé. Il me fallut un moment pour allumer la cuisinière à gaz. Jusque-là, je n'avais utilisé que l'électricité. Puis je contemplai la casserole et la boîte de thé, essayant de déterminer s'il fallait jeter le thé dans l'eau avant ou après l'ébullition. J'entendis une toux légère derrière moi. C'était Nahida, la tête encore soigneusement couverte.

— Laisse-moi t'aider, dit-elle.

Elle prit le relais avec beaucoup de gentillesse, attentive à ne pas me faire paraître totalement incompétente.

Sam ne m'avait pas épousée pour mes talents culinaires, toutefois je savais qu'il aurait eu honte si nous avions servi un mauvais thé au taliban. J'étais reconnaissante à Nahida de son aide, mais, en la regardant s'affairer dans la cuisine, je m'étonnai de son allure de quinquagénaire. Elle semblait avoir complètement perdu sa jeunesse. Nous n'eûmes pas la possibilité, ce soir-là, de nous parler beaucoup. Nous dînâmes puis allâmes nous asseoir au salon pour regarder un film de Bollywood. Je montai le son pour qu'on n'entende pas le chowkidor pleurer dans la cuisine.

Le lendemain, Nahida devait assister à un cours de gestion au ministère du Commerce. Sam partit travailler, et le mari de Nahida resta à Peacock Manor avec moi, pendant que j'aménageais le bâtiment prévu pour l'école. J'essayais d'être polie quand nous nous trouvions dans la même pièce mais, chaque fois qu'il me voyait, il se détournait brusquement. Il ne devait pas supporter que j'ose garder la tête nue dans ma propre maison. L'heure s'avançant, il se montra de plus en plus agité.

Après l'appel du ministère du Commerce, je tentai avec précaution de lui expliquer le retard de sa femme. Il me regarda d'un air renfrogné en m'entendant balbutier en dari, aussi décidai-je d'appeler Sam à la rescousse.

— Parle-lui, suppliai-je.

Je tendis l'appareil à l'homme. Il garda mon téléphone à l'oreille pendant quelques secondes, puis le referma et le laissa tomber sur la table. Je crus qu'il allait me frapper, mais à cet instant Nahida entra en courant et se mit à lui parler en haletant. Il se jeta sur elle avant même qu'elle puisse enlever ses chaussures, et la traîna vers leur chambre. Je rappelai Sam.

— Il faut que tu rentres tout de suite. Il va la battre à mort.

— J'arrive, j'arrive, dit Sam. Je suis dans la rue.

J'entendais le taliban hurler et Nahida crier. Puis un bruit retentit, comme s'il avait fracassé une chaise contre le mur. A ce moment-là, Sam se précipita à l'intérieur et appela le mari. A mon grand étonnement, celui-ci s'arrêta de battre Nahida et descendit.

— Empêchons-le de nuire, chuchotai-je.

Mais Sam ignora ma demande. Il avait raison, car le mari se serait vengé sur Nahida. En montant, je la trouvai tremblante sur son lit. Je l'emmenai dans ma chambre et nous passâmes la nuit à parler.

Nahida prétendait que son manque de chance remontait au jour de sa naissance, sixième enfant d'une famille qui comptait déjà quatre filles et un seul garçon. Dans un pays où les femmes ne peuvent pas trouver d'emploi, avoir plusieurs filles est considéré comme une malédiction. Sa famille ne le lui avait jamais fait sentir : malgré leur pauvreté, ses parents étaient affectueux, et son enfance fut heureuse. Quand les talibans prirent le pouvoir, la famille essaya de cacher ses filles, mais un voisin zélé les trahit en évoquant la présence de ces jolies jeunes filles qui n'étaient pas mariées. Un jour, ce policier taliban de quarante-cinq ans vint exiger que ses parents la lui donnent. Il ne prit même la peine de proposer une dot, ce qui est considéré, en Afghanistan, comme du vol pur et simple. Il se contenterait d'épargner le père de Nahida si celui-ci la lui donnait en mariage. Nahida n'avait que seize ans et détestait les talibans, mais elle voulait protéger son père. Elle consentit au mariage.

Quand le taliban la ramena chez lui après le mariage, elle fut surprise de constater qu'il avait déjà une épouse, une femme plus âgée, qui se montra furieuse de l'arrivée de cette jeune fille dans sa maison. Elle-même avait donné cinq filles au taliban, et celui-ci espérait que Nahida lui donnerait un fils. Les fils sont particulièrement prisés en Afghanistan parce que, quand ils se marient, ils continuent à vivre chez leurs parents, contribuant ainsi à leurs revenus. Nahida devint donc l'esclave du taliban et de sa première femme, mais une esclave rebelle qui préférait être battue plutôt que de se soumettre. Pendant un temps, elle refusa tout rapport sexuel avec lui, ce qui lui valut d'être battue à chaque refus.

— Voilà les cicatrices, me dit-elle comme s'il s'agissait de trophées.

Elle passa les mains dans son dos pour relever sa tunique, puis se pencha en avant. Son dos était criblé de cicatrices de toutes tailles, certaines anciennes, d'autres toutes fraîches. Elle me montra les brûlures de cigarette sur ses pieds et son ventre, parties du corps que personne ne pouvait voir.

Nahida espérait que le taliban se lasserait de son caractère indocile et qu'il divorcerait. Bien que le divorce soit considéré comme la honte absolue pour une femme, elle le préférait de loin à ce mariage. Mais elle tomba enceinte et accoucha d'un garçon. C'était la pire chose qui pouvait lui arriver. Du jour au lendemain, elle devint son épouse préférée, et elle sut qu'il ne la laisserait jamais partir. Elle était si malheureuse qu'elle voulut se suicider. Bien décidée à mettre fin à ses jours, elle s'aspergea d'essence. L'immolation par le feu était à la mode à Herat chez les épouses désespérées. Mais Nahida vit que son petit garçon la regardait et n'eut pas le courage d'aller jusqu'au bout.

Puis elle s'aperçut que son nouveau statut pouvait lui permettre d'obtenir un peu plus de liberté. Quand les talibans furent chassés du pouvoir, elle informa son mari qu'elle allait trouver du travail, et que rien ne l'en empêcherait. Elle parcourut Herat pour trouver des étrangers. Quand elle entendit des gens parler anglais, elle les suivit et les persuada de lui venir en aide, en leur disant qu'elle ne pouvait rien attendre des Afghans. Son intelligence lui permit d'apprendre très vite à se servir d'un ordinateur et à parler anglais. Elle réussit également à mettre un peu d'argent de côté en faisant des broderies à la maison, qu'elle vendait aux étrangers. Son unique désir était maintenant d'échapper à son mari.

— Il m'a violée à d'innombrables reprises, j'ai été battue par lui et par sa première femme, et leurs filles me crachaient dessus. Je ne suis heureuse que lorsqu'il fume son opium. Je prie chaque soir pour qu'il meure.

Les jours passant, je craignais que Sam et moi n'échouions à l'épreuve. Nahida s'aperçut vite que j'étais nulle en cuisine, et elle s'arrangeait pour préparer à ma place un vrai repas, que je servais comme si c'était moi qui l'avais fait. Ce qui n'empêcha pas le mari de trouver de multiples sujets de mécontentement. Il décida d'emblée qu'il détestait Sam, sous prétexte que lui était pachtoun, et Sam, ouzbek, et qu'ils s'étaient opposés pendant la guerre. Je fis tout mon possible pour être aimable avec lui, sachant qu'il ne laisserait pas Nahida participer à ma troisième session s'il me détestait également. Mais rien n'y fit. Il lui parlait en criant constamment, fumait son opium et m'ignorait quand il regardait la télévision.

Deux jours avant leur départ, j'étais dans mon lit, rêvant que je tombais dans l'escalier, quand Sam me secoua. J'ouvris les yeux, toute tremblante : il était à l'autre extrémité de la chambre, en train de chercher son fusil.

— Tremblement de terre, dit-il. Sors tout de suite !

Une pile de livres tomba de ma table de chevet, et une vitre de la fenêtre explosa. Je sortis du lit en criant, terrorisée. Il faisait froid et sombre ; le sol vibrait sous mes pieds. J'entendais des gens pleurer dehors ; la maison allait s'effondrer sur nos têtes d'un instant à l'autre. Je nous voyais déjà ensevelis sous les décombres. Je me précipitai dans le couloir obscur, heurtai quelqu'un puis descendis les marches et sortis par la porte de devant.

Nous fûmes bientôt tout un groupe rassemblé dans le jardin, attendant la suite. Un long gémissement retentit, puis un bruit fracassant, et un coin de la maison d'à côté s'écroula. Nous attendîmes encore, tremblants de froid, au milieu des gens qui criaient de tous les côtés dans la rue, puis le tremblement s'arrêta. Je réussis à cesser de pleurer ; bien qu'ayant été épargnée, je sanglotais, et peu à peu tout le monde se mit à parler et à rire, comme on le fait quand on se rend compte qu'on a échappé à la mort. Puis nous nous regardâmes, et je crus mourir de honte. Nahida et son mari étaient entièrement habillés, y compris le turban et le voile. Sam et moi étions dans nos sous-vêtements, exposant, au clair de lune, notre peau couverte de chair de poule. Je poussai un cri strident et essayai de me couvrir.

Le taliban se détourna poliment, et Sam partit en courant chercher le chowkidor. Le pauvre homme rentra dans la maison et revint les bras chargés de draps. M'avoir vue presque nue avait dû l'effrayer encore davantage que le tremblement de terre ! Nous préférâmes ne pas rentrer immédiatement dans la maison, et quelqu'un – je ne sais même plus qui – nous apporta du thé et des biscuits. Nous restâmes assis sur l'herbe jusqu'à cinq heures du matin.

Curieusement, cet événement changea tout : le taliban décida de nous faire confiance. Quand Nahida retourna à ses cours le lendemain, son mari accompagna Sam à son bureau avec l'intention de faire des courses pour lui. Lorsque le couple repartit, le taliban m'annonça qu'il avait décidé de laisser Nahida revenir trois mois plus tard, pour intégrer l'école d'esthétique. Elle rayonnait de bonheur. Elle ôta de sa main une bague portant une petite améthyste et me la passa à un doigt.

— Pour que tu penses à moi jusqu'à mon retour, dit-elle en m'embrassant.

Roshanna et moi nous tenions à droite de la tête à coiffer, Topekai et les deux autres enseignantes, à gauche. Basira, Hama et les étudiantes étaient sagement assises devant nous sur des chaises de jardin en plastique vert. Je formai un cercle avec mes doigts sur la tête, à la naissance des cheveux, juste au-dessus du front.

— Nous appelons ceci l'« avant » de la tête, déclarai-je.

Roshanna traduisit en dari pour Topekai et les enseignantes ; puis elles reprirent la notion en question avec leurs propres mots à l'intention des étudiantes. Je continuai à déplacer le cercle sur la tête pour en illustrer les différentes parties : le haut, la couronne, l'arrière, la nuque, les côtés gauche et droit.

— Vous devez connaître les différentes parties de la tête avant que nous puissions aborder la permanente et la coupe. Après, quand je vous dirai de « faire une raie dans les cheveux de la couronne à la nuque sur le côté droit », vous saurez de quoi je parle.

J'attendis, laissant à Roshanna le temps de traduire pour les enseignantes. Au bout de quelques instants, Topekai me fit un grand sourire et reprit la leçon à sa manière, désignant chaque partie de la tête de ses longues mains gracieuses. Les autres enseignantes ajoutèrent leurs commentaires. Voyant les élèves acquiescer, je chuchotai à Roshanna que ce que j'avais prévu semblait prendre forme. En même temps que je dispensais la deuxième formation, je formais les meilleures élèves de la première session à devenir enseignantes. Le processus était compliqué, mais cela fonctionnait. Les étudiantes mettaient en pratique leur formation, et leur savoir-faire progressait rapidement. A la troisième ou quatrième session, Topekai et les autres enseignantes pourraient se passer de moi et de la traductrice.

Toutes les étudiantes étaient très attentives, sauf Hama, qui ne cessait de regarder son téléphone portable dans sa poche.

— S'il te plaît, laisse ton téléphone dans ton sac, lui dis-je, regrettant d'avoir admis une jeune fille de quinze ans à l'école.

Topekai lança à Hama un regard méprisant. Elle devait penser la même chose que moi.

Je fis d'autres changements au cours de la deuxième session. Je voulais que mes enseignantes prennent davantage de responsabilités, au-delà du simple enseignement. Pour se perfectionner en matière de gestion, il importait qu'elles apprennent aussi à devenir des managers. Cela impliquait qu'elles arrivent à l'école assez tôt pour vérifier qu'il y avait assez de gaz pour le générateur, en cas de panne d'électricité. Comme nous avions rarement plus de quatre heures de courant par jour, le générateur était crucial. Elles devaient également s'assurer que le réservoir sur le toit avait été suffisamment rempli pour qu'on ne doive pas sortir en courant en plein milieu du cours : l'eau s'arrêtait toujours de couler au moment où les filles s'exerçaient à faire des shampoings... Si la journée était froide, il fallait prévoir du bois pour alimenter le feu. Si nous tombions en panne de gaz, d'eau ou de bois en milieu de journée, je voulais que les professeurs se chargent de refaire le plein.

Il leur fallut un certain temps pour assumer ces responsabilités, la plupart n'ayant pas l'habitude de décider par elles-mêmes. Il existait aussi des différences culturelles qu'il m'était difficile de comprendre. Cela blessait leur amour-propre de devoir s'occuper de choses aussi banales que l'électricité et l'eau, ou veiller à ce que le sol autour des postes de coiffure et des étagères soit propre. A leurs yeux, Shaz ou toute autre personne de classe inférieure aurait dû s'en charger. En plus, pour obtenir davantage de gaz, d'eau ou de bois, il fallait sortir et parler au chowkidor. Toutes étaient gênées – même Topekai, pourtant intelligente et pleine d'assurance – d'avoir à parler à des hommes en dehors de leur cercle de famille. Il leur fallut longtemps pour choisir celle qui irait lui parler ; sans compter que la personne désignée devait toujours se faire accompagner par une autre. Il m'était difficile de rester patiente, tant ma personnalité était différente de la leur. Je ne réfléchis presque jamais avant d'agir. J'agis, tout simplement, parfois avec des résultats désastreux.

Un jour, sachant que le courant était coupé, je décidai de laisser les enseignantes se débrouiller. Je restai dans ma chambre, bus mon thé puis allumai ma lampe frontale et me plongeai dans un livre. Topekai vint frapper à ma porte.

— *Bakh niest*, Debbie, dit-elle. Impossible de s'exercer à la coupe.

— Cela fait trois heures qu'il n'y a plus de *bakh*, répondis-je. Occupe-t'en !

Elle poussa un soupir, mit son écharpe et sortit pour parler au chowkidor.

Cet été-là, quand débuta la troisième session, les enseignantes avaient appris à assurer l'approvisionnement de l'école en gaz, eau et bois. Je décidai de leur donner encore davantage de responsabilités et je leur remis une somme d'argent au début du cycle. Elles se chargeraient d'acheter tout ce dont l'école avait besoin, comme le savon pour les mains ou des serviettes neuves. Tout ce que je leur demandais, c'était de conserver les reçus. Leurs compétences de managers continuaient à croître. Lorsque la quatrième session commença, à l'automne, je leur demandai de ne m'appeler que si l'immeuble était en feu. Elles étaient maintenant capables de s'occuper de tout, ce dont elles s'acquittèrent parfaitement.

Dès la deuxième session, j'avais modifié le programme afin que les diplômées puissent mieux répondre aux besoins de leurs clientes afghanes. Lors de la première session en 2002, nous avions prévu deux semaines pour l'enseignement du maquillage. Je m'aperçus vite que les modes occidentales en la matière ne correspondaient à rien en Afghanistan. Selon les critères afghans, les femmes américaines se maquillent si peu qu'elles ressemblent à des hommes – et des hommes laids, de surcroît. Quand une cliente américaine quittait le salon avec une simple manucure en prévision d'une fête, j'entendais mes élèves marmonner qu'elle aurait été mieux avec une coiffure plus élaborée et davantage de maquillage. Selon elles, sans ces ornements, la cliente n'avait pas plus d'allure qu'une simple fermière.

A partir de la deuxième session, je leur enseignai donc à maquiller selon le style afghan. Si le vœu des mariées était de ressembler à des drag-queens, il fallait au moins que ces drag-queens soient irrésistibles et uniques. Je leur montrai comment mettre en valeur les traits de la mariée. Comment redéfinir le contour d'un visage et faire ressortir les pommettes, ou comment estomper un nez trop important. Comment éclaircir le teint sans que l'intéressée semble être tombée dans la farine. Comment assortir le maquillage à la couleur de la robe. Un jour, Basira me servit de cobaye pour montrer comment un maquillage adapté pouvait donner à ses yeux verts une couleur de jade, enflammer sa chevelure cuivrée et souligner la tendresse de ses lèvres plutôt que de leur prêter un côté vulgaire.

Je voulais aussi que mes étudiantes se sentent libres d'expérimenter et de mettre en application leur propre conception de la beauté, mais elles n'y étaient pas encore prêtes. Elles s'obligeaient à faire pour chaque mariée la même coiffure et le même maquillage. Je pensais qu'elles pourraient se distinguer en tant qu'esthéticiennes – et donc gagner davantage d'argent – si elles s'éloignaient de cette formule. Je passai donc une journée entière à leur parler de créativité. J'étais allée sur Internet pour imprimer des copies de tableaux d'artistes connus, afin de leur montrer les différences d'approche qui existaient pour les portraits et les natures mortes. Je les fis regarder des vidéos de défilés de mode, dans lesquels les femmes portaient des chemisiers ornés de pierres de lune et des chaussures fabriquées à partir de ventouses de plombier. Ou d'autres choses aussi folles. Je leur expliquai que la créativité consistait surtout à donner libre cours à son imagination : elles pourraient toujours revenir sur terre après avoir laissé leurs cerveaux gambader au milieu des étoiles.

— Vous n'êtes pas de simples esthéticiennes, leur dis-je. Vous êtes des artistes !

Puis je leur remis à chacune une tête à coiffer pour exercer leur créativité. Elles devaient les maquiller et les coiffer de la manière la plus créative possible – pas nécessairement la plus belle.

— Je vais convoquer un jury pour déterminer laquelle d'entre vous aura été la plus créative, leur dis-je. L'étudiante recevra un prix spécial en plus de son diplôme.

Roshanna traduisit. Sans laisser à Topekai et aux enseignantes le temps de prendre la parole, toute la classe se mit à bavarder, dans un état d'excitation extrême.

Sam et moi nous rendions à pied au marché, et je remarquai que les regards des hommes étaient encore plus insistants que d'habitude. Peut-être n'étais-je pas habillée avec suffisamment de décence, ou bien je balançais mes bras, regardais trop autour de moi et manquais d'humilité. J'avais l'impression que des hommes en haillons, qui portaient des turbans, s'alignaient pour me jeter des regards haineux. Puis on cria du porche d'un immeuble : *« Fesha ! Mordagaw ! »*

J'ignorais la signification de ces mots, mais Sam se retourna comme si quelqu'un lui avait décoché une flèche. Il repéra les hommes qui criaient et s'élança dans la foule. L'un d'eux disparut, mais Sam empoigna l'autre et le jeta contre l'immeuble. Il lui donna un coup de poing, et du sang éclaboussa le mur. Debout au milieu de la foule, je lui criai d'arrêter. Quand il relâcha l'individu, quelques hommes s'avancèrent pour l'emmener. Sam revint vers moi, et la foule s'écarta pour le laisser passer.

— Partons, maintenant, dit-il en se recoiffant avec la main.

Il traitait cette bagarre comme une contrariété mineure.

— Tu as failli lui arracher la tête !

— C'est mon devoir, grogna Sam en regardant sa main enfler. Il te traite de prostituée, et moi de souteneur.

Il me semblait maintenant que tous détournaient leur regard sur mon passage. Je marchai derrière Sam pendant que nous regagnions la voiture, me rappelant ses récits de l'époque où il combattait les Russes. La première fois qu'il avait tué un homme, il en avait été tellement affecté qu'il avait demandé à rester désormais au camp pour faire la cuisine. Des mois s'étaient écoulés avant qu'il ne puisse sortir à nouveau du camp. Au cours de notre vie commune, jamais je n'avais perçu chez lui la moindre violence. Il était accueillant envers les étrangers, généreux envers les pauvres et les faibles, et doux avec moi. Il adorait les films de Bollywood, où les vedettes dansaient au sommet des montagnes et se susurraient des chansons d'amour. Il aimait aussi Rambo – Sylvester Stallone compte des hordes de fans en Afghanistan – et sa mitraillette, mais la plupart des Afghans que je connaissais détenaient des armes. J'avais comme cliente, au salon de Peacock Manor, l'épouse élégante et cultivée d'un diplomate afghan. Elle gardait toujours un pistolet dans son sac. Un jour, elle s'était mise à crier quand une étudiante avait déplacé son sac.

— Attention ! Il y a une arme dedans.

Alors que je ne m'étais jamais fait le moindre souci pour Sam, je commençai à m'inquiéter. Parmi tous ces hommes en turban et en sandales, son allure même le rendait inquiétant : avec son costume noir occidental et ses lunettes de soleil, il ressemblait au méchant dans un film.

Il se retourna et me regarda d'un air impassible.

— Je ne peux pas aller au bazar avec toi. Trop d'ennuis, et peut-être que je dois tuer quelqu'un.

Terminé, mon projet romantique d'explorer la ville avec Sam. J'étais très occupée par la deuxième formation et la gestion de la chambre d'hôtes, mais, entre deux tâches, je me sentais seule et rêvais d'un compagnon. J'aurais aimé sortir pour mieux connaître la ville, aller au mandai – l'immense marché en plein air près de la rivière, qui s'étend sur plusieurs pâtés de maisons. J'avais également besoin de fournitures diverses, et nous passions devant des échoppes où on les vendait.

— On ne peut pas s'arrêter pour acheter deux ou trois choses ?

— Pas possible.

— Alors je ne pourrai jamais aller au mandai ?

— Je te passe ma voiture. Tu peux emmener Roshanna.

Sam me prêta sa voiture, comme promis. Conduire seule me rendait un peu nerveuse ; la première fois que je la pris, ce fut pour accompagner un groupe de visiteurs étrangers. Nous suivîmes une camionnette à travers toute la ville parce que je ne savais pas me diriger. La camionnette progressait par bonds dans les rues encombrées, et nous poussions tous des cris à chaque fois que j'évitais de justesse les chariots, les ânes et les piétons. Une femme au volant attirait l'attention : il y avait des femmes dans les autres voitures, mais elles ne conduisaient presque jamais et étaient rarement assises à l'avant. En me voyant, des hommes tombaient de leurs bicyclettes !

Conduire à Kaboul avait beau être pour moi une expérience redoutable – un tour sur des montagnes russes –, je m'y habituai peu à peu. J'étais fière d'être une des rares femmes au volant. Le policier qui réglait la circulation au rond-point le plus proche de chez moi s'habitua également à me voir : quand je passais, il levait la main pour arrêter tous les autres véhicules. Un jour, il s'approcha de ma voiture et m'ordonna de m'arrêter. Il me demanda alors si je voulais partager avec lui le thé de sa Thermos, là, sur le trottoir. Un énorme bouchon se formait à cause de moi, mais l'agent s'apprêtait à me servir du thé. C'est une des caractéristiques que je préfère chez les Afghans : avec eux, on a toujours le temps de boire un thé.

Néanmoins, je me lassai bientôt de conduire. On ne pouvait pas se détendre un instant au volant, alors que moi, j'aimais conduire avec une tasse de café et une cigarette. Mon portable n'arrêtait pas de sonner, et je devais répondre rapidement car chaque appel ou presque m'annonçait un problème, que ce soit à l'école ou à la maison d'hôtes ; ou encore une cliente m'attendait, après avoir traversé toute la ville pour que je lui retouche ses racines. Un jour que je jonglais avec le téléphone, le café et la cigarette, j'évitai de justesse un buffle d'eau. Ma décision fut prise aussitôt : je ne conduirais plus à Kaboul.

Je demandai alors à Sam de me trouver un chauffeur. Je mourais d'envie d'aller au mandai, mais pas seule. De tous côtés, on m'avait confirmé que ma sécurité ne serait pas garantie si je sortais seule. D'ailleurs, je ne connaissais pas assez le dari pour marchander et obtenir des prix afghans plutôt que les prix élevés réservés aux étrangers. Ali était en voyage. La petite Hama aurait été ravie de venir, mais elle parlait à peine l'anglais et ne me serait pas d'une grande utilité. Quand Roshanna ne m'assistait pas pour les cours, elle essayait de monter son propre salon ; elle accepta néanmoins de m'accompagner. Je revêtis ma jupe la plus longue et la plus foncée, des chaussures noires et même une burqa, pour que personne ne s'aperçoive que j'étais une étrangère.

Le chauffeur se gara près de la rivière. A cet endroit, les factions moudjahidin s'étaient battues si sauvagement que, sur chaque rive, les bâtiments étaient criblés de balles. J'étais même étonnée que certains soient encore debout. Roshanna et moi nous mîmes en route, bras dessus, bras dessous. Le chauffeur, à une dizaine de mètres derrière, portait nos achats et veillait à notre sécurité. Nous empruntâmes un pont étroit qui traversait la rivière nauséabonde, le long de laquelle plusieurs personnes accroupies lavaient leur linge. Le mandai commençait de l'autre côté.

Les vendeurs proposaient leurs marchandises sur des tables, sur des couvertures étalées sur le sol, dans des charrettes et des brouettes, ou dans des stands et des magasins. Et même parfois sur leur propre corps – un homme avait des porte-clés accrochés sur tout son pullover. Certains vendeurs devaient être là illégalement car un officier de police, se promenant avec un bâton, admonesta des petits garçons qui vendaient quelques cendriers posés sur une serviette, ainsi qu'un homme qui portait sur son bras une demi-douzaine de soutiens-gorge en dentelle. Ils prirent la fuite à travers la foule, probablement pour aller s'installer ailleurs. Je voulais m'arrêter pour tout voir, mais Roshanna me pressait.

— Mieux vaut avancer rapidement, dit-elle.

Mais c'était impossible. La foule était aussi dense que pour une grande parade. La quantité de marchandises était tellement importante qu'on aurait dit qu'un entrepôt avait explosé, projetant des produits partout. La burqa m'empêchant de regarder sur les côtés, je devais m'arrêter et me tourner pour tout voir. Les produits similaires étaient regroupés au même endroit. Roshanna m'attira dans une rue latérale et me montra une cour sur laquelle s'ouvraient des boutiques de deux étages vendant des fleurs artificielles – roses géantes, longues guirlandes de pavots et même arbres de Noël en plastique. Nous passâmes devant une rangée de magasins qui proposaient des machines à coudre à pédale, toutes ornées de beaux dessins dorés. Une autre rangée était consacrée aux couteaux et aux ciseaux, et une autre, aux produits d'hygiène pour bébés. Sans oublier l'immense zone où on ne vendait que des foulards.

En passant devant un stand où pendaient des chapelets de dattes séchées, je sentis quelque chose me toucher les fesses. Etant donné l'affluence dans le mandai, quelqu'un avait dû me heurter par inadvertance. Je hâtai le pas, mais cela se reproduisit, comme si on essayait de m'empoigner, cette fois.

— Je crois que quelqu'un vient de me mettre la main aux fesses, chuchotai-je à Roshanna.

Elle me tira en avant.

Puis je le sentis de nouveau. Cette fois, il n'y avait aucun doute. Je me retournai : un homme grand et laid me marchait presque sur les talons. Je lui lançai un regard furieux à travers la petite fenêtre de ma burqa, pensant le décourager. Mais, dès que j'eus le dos tourné, il recommença. Je me retournai alors, relevai ma burqa et lui donnai un coup de poing en pleine figure.

Les yeux de Roshanna faillirent lui sortir de la tête. Les vendeurs des magasins proches se précipitèrent dans la rue. Je m'étais mise à crier dans mon meilleur dari que cet individu me mettait la main aux fesses et que je n'entendais pas me laisser faire. L'homme était tombé, et les gens s'attroupaient autour de nous, se demandant ce qui se passait. J'entendais Roshanna leur dire en dari qu'il me tirait par la manche.

— Il ne me tirait pas par la manche ! criai-je. Il me mettait la main aux fesses, Roshanna.

Mais elle avait trop honte pour dire cela et préféra s'en tenir à sa version. Puis elle m'entraîna plus loin.

— Cela arrive souvent au mandai, me dit-elle. Calme-toi, je t'en prie, nous rentrerons bientôt à la maison.

— Je croyais qu'il leur était interdit de toucher d'autres femmes que leurs épouses.

— Oui, mais ils le font quand même.

— Et vous ne dites rien quand cela se produit ?

— Non. C'est trop gênant.

Nous marchâmes encore quelques minutes en silence. J'étais trop courroucée pour m'intéresser à la multitude de produits qui m'entourait, et scandalisée à l'idée que Roshanna et toutes les autres femmes devaient se soumettre à ces hommes qui se permettaient de les toucher. Je me souvenais de ces femmes prisonnières qui avaient osé contester l'ordre établi en ayant un amant ou en fuyant un mari violent. Pourquoi les hommes pouvaient-ils si facilement contrevenir aux règles ? En me remémorant les cicatrices sur le dos de Nahida, je sentis ma fureur monter d'un cran.

Nous nous arrêtâmes pour acheter du papier toilette, et je sentis de nouveau une main se poser sur mes fesses. Je me retournai : le même homme nous avait suivies. Ayant aperçu un agent de police en lisière de la foule, je saisis l'individu par sa chemise et le tirai en direction du policier, tout en criant à nouveau dans mon mauvais dari qu'il m'avait mis la main aux fesses. Le policier m'écouta pendant quelques secondes, puis sortit son bâton et se mit à frapper l'homme. Je regardai la scène avec satisfaction, comme si cette petite revanche pouvait contribuer à restaurer l'égalité entre les hommes et les femmes. Mais Roshanna me saisit le bras et m'emmena de force vers la voiture.

— Je suis désolée, Debbie, jamais je ne retournerai au mandai avec toi, dit-elle.

J'eus beau réitérer ma demande à plusieurs reprises, elle refusa de m'accompagner, gentiment, poliment, mais énergiquement.

Notre femme de ménage Shaz et moi étions agenouillées dans la salle de bains près du bokari, un four à bois qui ressemble un peu à une poubelle en métal. Celui-ci chauffait aussi bien la pièce que l'eau, et j'avais enfumé tout le haut de la maison d'hôtes en me faisant couler un bain. Shaz entrouvrit la fenêtre pour évacuer la fumée, puis elle ouvrit la petite porte à l'avant du bokari, bourra l'espace autour du bois avec du papier journal qu'elle arrosa d'essence. Je reculai jusqu'au mur le plus éloigné quand elle jeta une allumette enflammée à l'intérieur, puis me rapprochai en voyant le bois s'embraser. De la fumée commençait à s'échapper par un coude du tuyau extérieur qui ventilait le bokari, mais Shaz n'était pas à court de solutions. Elle quitta la salle de bains en courant et revint avec des bandes de tissu mouillé. Elle entoura le coude du tuyau brûlant avec le tissu, qui se mit à grésiller et colmata les fissures du métal. En quelques minutes, la fumée se dissipa. Je pouvais prendre un bain sans tousser à fendre l'âme.

C'était ce genre de réaction courageuse qui me poussait à garder Shaz. Non qu'elle ne travaillât pas dur. Elle était aussi efficace qu'une machine industrielle quand il fallait nettoyer les sols, mais c'était une machine faillible. Elle récurait certains endroits jusqu'à les user et en négligeait complètement d'autres. Elle traversait la maison d'hôtes au pas de course, en laissant dans son sillage une série de tasses cassées, parfois même des lampes. Elle oubliait souvent de repasser nos vêtements. Peut-être ne comprenait-elle même pas à quoi cela servait, étant elle-même si peu soignée. Sam ouvrait son placard et en retirait une chemise froissée après l'autre ; il me demandait alors pourquoi nous ne pouvions pas trouver quelqu'un d'autre. Shaz devait sans faute nettoyer chaque matin les toilettes de l'école et du salon. J'avais beau le lui répéter, je voyais toujours des clientes sortir des toilettes l'air mécontent.

Peut-être Shaz avait-elle trop de travail. Au début de notre installation à Peacock Manor, sa tâche la plus importante était de veiller à la propreté de la maison d'hôtes. Mais, avec l'ouverture de l'école, il y eut davantage à faire. Ne voyant pas comment elle pourrait s'en sortir, je demandai à Sam de lui dire que nous allions trouver quelqu'un pour l'aider. Le lendemain, Shaz arriva avec une femme plus âgée qui lui ressemblait tellement que je crus que c'était une sœur ou une cousine.

Après une brève discussion, Sam se tourna vers moi.

— C'est sa mère.

J'étais sidérée. La femme semblait à peine plus âgée que Shaz.

— Quel âge a-t-elle ? dis-je en désignant notre employée.

— Vingt-cinq ans, me répondit-il.

Et moi qui croyais que Shaz avait au moins cinquante ans, qu'elle était plus âgée que moi !

— J'aimerais en savoir plus, dis-je à Sam, qui se dirigeait vers la porte. Je veux tout savoir sur elles.

— Tu dois demander à Roshanna. Shaz ne dira pas à un homme tous les détails que tu veux savoir.

Je dus attendre que Roshanna s'arrête à Peacock Manor, plus tard dans l'après-midi, pour les entraîner toutes les deux dans ma chambre.

Shaz et sa mère étaient des Hazaras. Les talibans, qui étaient en majorité pachtouns, avaient un mépris tout particulier pour les Hazaras. Les considérant comme des gens ignorants, à peine supérieurs aux ânes, ils les cantonnaient aux besognes les plus basses. La famille de Shaz était restée à Kaboul pendant la plus grande partie de la guerre, mais était partie se réfugier dans les montagnes à l'arrivée des talibans, quand la rumeur avait couru que les nouveaux dirigeants allaient massacrer tous les Hazaras. Shaz et sa famille vécurent pendant un an dans une grotte, fouillant partout pour trouver de la nourriture, volant même dans des fermes pour survivre.

Pendant que Shaz racontait ces événements, je m'étonnai de la voir sourire. A l'époque, elle était mariée à un homme qu'elle aimait beaucoup. Ces années avaient été heureuses pour elle, malgré les épreuves. Puis, un jour, son mari fut surpris par un groupe de talibans, et tué. En apprenant le départ des talibans, la famille redescendit de la montagne et trouva des parents qui l'aidèrent pendant quelque temps. Il fut bientôt décidé de marier Shaz à un homme dont la première femme ne lui avait pas encore donné de fils. Mais leur union demeura stérile, et l'homme divorça de Shaz. Sa famille la maria ensuite à un troisième homme, qui vivait à Kunduz, au nord de Kaboul, avec une autre épouse. Celui-là refusa qu'elle emménage dans sa maison avec sa première épouse. Shaz continua donc à vivre avec sa mère. Le mari espérait toutefois qu'elle pourrait lui donner un fils, et il venait de temps en temps à Kaboul pour avoir des relations sexuelles avec elle. Il tenta également de lui soutirer de l'argent. Elle résolut ce problème en achetant avec ses économies des bagues et des bracelets auxquels il ne prêta pas attention. Shaz n'avait pas encore pu concevoir un enfant avec cet homme, et elle avait peur qu'il ne veuille divorcer lui aussi. En racontant cela à Roshanna, elle s'essuyait les yeux avec ses mains sales.

Je pris alors la résolution de garder Shaz, coûte que coûte. Le programme que je dirigeais était destiné à aider les femmes, pas seulement les esthéticiennes. Dans la mesure du possible, je voulais aussi secourir des femmes pauvres, sans qualification.

Mais le travail de Shaz ne s'améliora pas. Elle continua à casser des objets. Parfois des choses disparaissaient, et je ne savais jamais si elle les avait jetées parce qu'elle les avait cassées ou si quelqu'un les avait volées. Je me refusais à croire Shaz capable de me voler, car elle me rapportait souvent des bijoux que j'avais laissés traîner. Mais, finalement, une bague en or disparut de ma table de nuit, et j'exigeai de savoir où elle était passée. Shaz, sa mère, notre chowkidor, notre cuisinier, la maison tout entière fut prise dans un tourbillon d'accusations. Au bout du compte, Sam suggéra que nous allions tous consulter un mollah devin dont il avait entendu parler. Chaque personne soupçonnée devrait se présenter devant le mollah et déclarer son innocence. Lui saurait qui mentait et qui disait la vérité. Mais, avant cette séance chez le devin, la mère de Shaz nous annonça qu'elle avait trouvé la bague sur le sol dans le salon de beauté. Je ne sus donc jamais ce qui était réellement arrivé.

Puis un autre problème survint. Une des étudiantes surgit un jour dans le salon, en larmes, les mains croisées sur la poitrine. Je la fis s'allonger.

— On dirait qu'elle fait une crise cardiaque ! criai-je.

Topekai et Basira s'approchèrent de la jeune fille pour lui parler : d'après elle, Shaz lui avait empoigné les seins.

— Non, protestai-je, je n'en crois pas Shaz capable. Ou, si elle l'a fait, c'était par jeu.

Mais deux autres étudiantes vinrent me dire que Shaz leur avait fait la même chose, leur empoignant non seulement la poitrine mais aussi l'entrejambe. L'une d'elles souleva sa tunique pour me montrer les bleus qu'elle avait sur le côté d'un sein.

Je téléphonai à Roshanna en la suppliant de venir. Le lendemain, en sa présence, je fis asseoir Shaz pour lui parler du témoignage des étudiantes.

— C'est du harcèlement sexuel, lui dis-je. Si tu étais un homme, on te mettrait en prison pour avoir agi ainsi.

Roshanna traduisit, mais Shaz secouait la tête, comme si elle tombait des nues.

— Elle prétend qu'elle ne fait pas ce genre de choses, dit Roshanna. Que ce sont les autres filles qui mentent.

Je ne savais pas quoi penser. Au cours des semaines suivantes, j'interrogeai les jeunes filles pour savoir si cela s'était reproduit. Plusieurs fois, elles me dirent que oui, Shaz les avait empoignées. Je ne voulais pas le croire, car cela me rappelait l'homme qui m'avait touchée au mandai. Shaz manquait peut-être à ce point de contact charnel ou d'affection qu'elle ne pouvait pas résister à ses pulsions. J'essayais de rationaliser son comportement pour lui venir en aide. Mais un jour je la vis s'approcher par-derrière d'une élève qui remettait ses chaussures, et lui empoigner les seins. L'étudiante serra ses bras autour d'elle pour se protéger et se mit à pleurer. Je traversai la salle en courant et acculai Shaz au mur.

— Ça suffit, lui dis-je. Tu es renvoyée.

Ce renvoi me rendit malheureuse, les enseignants également, et même les étudiantes. Shaz faisait partie de la famille ; elle était la brebis galeuse que tout le monde continue pourtant à aimer. L'atmosphère fut morose pendant une semaine. Une de mes clientes, qui était psychologue, me demanda ce qui se passait, et je lui expliquai la situation.

— On a dû lui faire subir la même chose toute sa vie, me dit-elle.

Puis Shaz réapparut. Elle traîna devant la résidence toute la journée, regardant tristement à l'intérieur chaque fois que le chowkidor ouvrait la porte. Je finis par aller la chercher. Dans la maison, je la pris dans mes bras, et nous nous mîmes à pleurer toutes les deux.

— Ne recommence jamais, lui dis-je.

Le fait d'avoir été renvoyée semblait l'avoir changée. Elle n'oublia plus de nettoyer les toilettes. Elle cassa beaucoup moins d'objets. Ses vêtements et ses cheveux étaient plus propres. J'étais soulagée, car, avec le temps, je m'étais attachée à elle, et je voulais croire que sa vie pouvait s'améliorer, comme celle des esthéticiennes.

Mais un jour, Sam heurta la mère de Shaz alors qu'elle se dirigeait vers la grille. Elle laissa tomber quelque chose. C'était une des torches que nous gardions près de notre lit pour nous éclairer la nuit quand nous allions dans la salle de bains. Il la renvoya sur-le-champ, malgré les supplications de Shaz.

— Si elle vole des petites choses, un jour elle volera des grandes, dit Sam.

Nahida, son mari et leur fils revinrent à Kaboul juste avant le début de la troisième session. Ils s'installèrent chez des parents, et Nahida put assimiler tout ce que mes enseignantes et moi avions à lui apprendre. Je savais qu'elle serait l'une de mes meilleures élèves. J'aurais préféré qu'elle habite chez nous à Peacock Manor, pour pouvoir passer plus de temps avec elle en dehors des cours, mais Sam et moi invitions souvent le couple à dîner. Nahida regorgeait de projets. Elle était pleine de bonnes idées ! Son mari, lui, restait assis sans rien dire, comme un idiot.

Après le départ de Nahida, nous restâmes en contact par téléphone et par e-mail. En quelques mois, le salon qu'elle ouvrit devint un énorme succès. Elle fit imprimer des cartes qu'elle distribua lors des mariages, composa des tracts offrant deux coupes pour le prix d'une à toute cliente venant avec une amie. Elle commença à gagner beaucoup d'argent, et cela plut à son mari. Mais il n'en devint pas meilleur pour autant. Il continua à la battre, car elle refusait d'avoir des relations sexuelles avec lui – elle ne voulait plus d'enfants, et il ne voulait pas qu'elle utilise de contraceptif. Il la battait pour la moindre raison, et quand il n'y en avait pas, il la battait parce qu'elle était intelligente, jeune et jolie. Et surtout parce qu'elle était une femme.

Quand mes amis dans le Michigan me demandaient comment ils pouvaient aider les Afghans, je leur adressais une liste interminable de choses à faire ou à envoyer. Et je leur demandais toujours de prier pour que Nahida survive à son mariage.

Elle cachait une partie de son argent, et son mari ne connaissait pas exactement le degré de sa réussite. Elle travaillait tellement et était si fréquemment battue que même la première épouse commença à la plaindre. Nahida se mit à lui apporter des cadeaux – des bonbons pour ses enfants, du parfum, une nouvelle robe si elles allaient à un mariage, et même un téléviseur neuf. Avec le temps, les deux femmes devinrent comme des sœurs. Puis la première épouse tomba enceinte et accoucha d'un garçon. Nahida était certaine que cela mettrait fin à son propre mariage, ce qu'elle souhaitait le plus au monde. Elle supplia la première femme de convaincre le mari de divorcer d'elle.

— Dis-lui que je suis mauvaise, dis-lui que je lui fais honte en travaillant en dehors de la maison, dis-lui de divorcer de moi car je ne lui attire que des ennuis, implora Nahida.

— J'essaierai, promit la première femme.

Celle-ci commença à distiller à l'oreille du taliban tous les manquements de Nahida en tant que femme, la façon dont les gens du quartier se moquaient de lui parce qu'il ne pouvait pas la contrôler. Elle-même ne supportait plus de vivre sous le même toit que cette parvenue. Le taliban prit bonne note, et il battit encore davantage Nahida pour qu'elle devienne une femme convenable.

Mais, à la fin, pour que sa première femme le laisse en paix, il accepta de divorcer de Nahida. Il consentit même à la laisser partir avec leur fils – la « progéniture de cette mauvaise femme », comme lui chuchotait la première épouse –, alors que les pères gardent presque toujours les enfants en cas de divorce.

Nahida se réinstalla chez ses parents, qui furent ravis de son retour. Elle a maintenant son propre salon et plusieurs employés. Elle exporte de l'artisanat des provinces, travaille comme traductrice et intervient dans des conférences sur la condition des femmes. Elle m'assure ne pas vouloir particulièrement se remarier, ce qui n'est d'ailleurs plus une obligation.

7

Vers la fin du printemps, je perdis le financement de l'ONG allemande qui s'était engagée à subventionner les deuxième et troisième sessions. L'ONG, sponsorisée par le gouvernement allemand, avait vu ses crédits coupés, ce qui s'était répercuté sur moi. Vingt-cinq jeunes femmes étaient déjà inscrites pour la session suivante, alors que je pouvais seulement en financer la moitié. Je ne savais pas trouver des mécènes. J'étais incapable de rédiger des dossiers pour obtenir des subventions. Je ne connaissais qu'une seule façon de gagner de l'argent : accroître le chiffre d'affaires du salon. Je demandai à Topekai et à quelques-unes des meilleures élèves de faire des heures supplémentaires après l'école pour s'occuper des clientes. Je pensais pouvoir financer la prochaine session avec les bénéfices du salon : les occasions de se faire plaisir étant rares à Kaboul, les Occidentales ne reculaient devant rien pour se faire chouchouter.

Je fis imprimer des tracts, que je déposai dans les endroits fréquentés par des étrangers, comme les restaurants occidentaux et les magasins vendant de l'alcool. Je demandai également aux clientes d'en distribuer dans leurs résidences. Beaucoup de femmes téléphonèrent pour prendre rendez-vous. Il fallait alors leur expliquer comment arriver à Peacock Manor, puisqu'il n'y avait ni panneaux de rues, ni adresses. Cela donnait quelque chose dans ce genre :

— Allez jusqu'au café Internet, près du rond-point de Shar-e-Now, celui qui est proche de la sortie de secours de l'hôpital dont le mur est peint en rouge et blanc. Tournez à droite, et vous vous trouverez dans la rue principale de Shar-e-Now. Avant d'arriver au cinéma qui a été bombardé, vous verrez un immeuble jaune vif. Là, vous tournez à droite et vous dépassez la rue pleine de cadavres de vaches. Passez devant la vieille demeure du seigneur de guerre, puis tournez à gauche dans la prochaine rue. Vous arriverez à une boîte avec des rayures bleues et blanches, et un panneau avec ASSA en lettres noires. Juste devant vous, il y a un immeuble gris avec beaucoup d'Afghans devant, un atelier de tailleur, une résidence avec une porte bleue et, au coin, un puits avec une pompe manuelle. Ma maison d'hôtes est celle avec la porte bleue. Si vous me prévenez de votre arrivée, je serai la femme étrangère debout sur le puits avec une écharpe jaune, en train de parler dans son portable. Il y aura certainement une petite foule agglutinée autour de moi.

Le salon était de plus en plus fréquenté, si bien que Topekai, Basira et Bahar entrèrent en contact avec toutes sortes d'étrangères. Au début, on aurait dit qu'aucune Occidentale ne pouvait venir au salon sans faire quelque chose qui les choque.

Une jeune femme vint se faire faire une épilation du maillot.

— Elle va se marier ? demanda Topekai, supposant que les Américaines avaient également l'habitude de se faire épiler entièrement avant leur mariage.

Je secouai la tête.

— Elle va à Chypre passer une semaine avec son petit ami.

Une autre femme entra et fit beaucoup de manières pour enlever son voile et son manteau long. Puis elle souleva son chemisier au-dessus de son ventre pour que nous puissions toutes admirer la légère protubérance.

— Je suis enceinte ! cria-t-elle de joie.

Bahar, l'une des meilleures élèves de la deuxième session, lui fit un grand sourire.

— Ton mari, il est content ? demanda-t-elle.

— Oh, je ne suis pas mariée, répondit la femme, je vais l'élever toute seule.

Une autre femme arriva, se présentant comme membre du corps diplomatique de l'une des ambassades. Quand elle enleva son manteau, toutes les esthéticiennes afghanes se regardèrent, puis baissèrent la tête pour ne pas rire. La femme portait une blouse qui dénudait son ventre dodu, et une horrible minijupe qui cachait à peine ses énormes fesses. Même moi, j'étais choquée ! Pendant que je coupais les cheveux de cette femme, j'entendais les filles rire dans une des pièces arrière. Quand elle fut partie, je passai la tête pour comprendre ce qui provoquait cette hilarité. Basira avait relevé sa jupe au-dessus des cuisses, et bourré sa culotte d'une pile de serviettes.

— Je suis diplomate, disait-elle en se pavanant dans la pièce. Je suis une *grosse* diplomate !

Mais, peu à peu, mes esthéticiennes s'habituèrent au comportement curieux des étrangères et apprirent à garder leur sérieux et une attitude professionnelle. C'était une bonne chose, car, si elles apprenaient à s'occuper des étrangères, elles pourraient gagner beaucoup d'argent.

Toutefois, je me trouvais parfois dans l'obligation de refuser des clientes parce que j'étais la seule en qui elles avaient confiance pour faire leur coupe et leur couleur, et je n'avais pas assez de temps pour m'occuper de tout le monde. Aux Etats-Unis, les jeunes filles étudient dans une école pendant toute une année. Puis elles travaillent souvent plusieurs années dans des salons qui font des coupes rapides, avant de trouver un emploi dans un salon plus chic. Elles y travaillent comme shampouineuses pendant quelques mois ou bien comme assistantes des stylistes confirmés avant d'avoir leurs propres clientes. Mes esthéticiennes afghanes comptaient seulement douze semaines d'école et quelques heures d'apprentissage au salon : elles n'étaient pas suffisamment expérimentées pour fournir aux clientes occidentales la qualité de prestations qu'elles demandaient. Mais, compte tenu de leur motivation, elles pourraient fournir un excellent travail dès qu'elles auraient un peu plus d'expérience. Je m'efforçai donc de valoriser leur travail. Quand une cliente voulait une coupe et des mèches, je me réservais la coupe, et je demandais à Basira de poser les papillotes, en précisant à la cliente qu'elle était plus douée que moi pour le faire, ce qui était vrai. Je décidai également de proposer d'autres services. J'avais découvert une table d'examen médical au fond du container où j'allais chaque semaine chercher des fournitures. J'ignorais pourquoi elle se trouvait là, mais je décidai de l'utiliser pour faire des massages, des soins du visage et même des pédicures. Un kinésithérapeute canadien venait de former Topekai et Basira ; le moment était donc parfaitement choisi. J'annonçai aux clientes que nous faisions dorénavant des massages et des pédicures. Le succès fut immédiat. En deux semaines, nous soignâmes des mains et des pieds venus de Bosnie, d'Australie, d'Angleterre, des Etats-Unis, d'Allemagne, de France, de Suisse, de Russie et des Philippines.

Nous commençâmes aussi à prendre notre part du marché des mariées afghanes. Le maquillage des futures mariées était un domaine surprenant auquel je n'avais pas pensé. J'avais beau former mes élèves à le faire, ce genre de travestissement n'était pas ma spécialité. Pourtant il s'avérait que de nombreuses Afghanes ayant longtemps vécu en Occident revenaient dans leur pays pour s'y fiancer. Leurs parents exigeaient qu'elles respectent les traditions afghanes pour les fiançailles et le mariage, mais ces jeunes femmes s'étranglaient à l'idée d'arborer un maquillage aussi exagéré, assorti d'une coiffure d'un mètre de haut. Une première Afghane occidentalisée me supplia de me charger de son mariage. Je consentis, mais fixai le tarif très haut, soit trois cents dollars pour son maquillage et dix dollars pour chaque membre de son entourage. Le tarif habituel pour une mariée oscillait entre cent et cent soixante dollars, mais je voulais placer la barre suffisamment haut pour ne pas risquer de me retrouver plus tard en concurrence avec les salons de mes élèves. La première mariée vint avec parents et amis, et je consacrai cinq heures à son maquillage. J'aurais pu le faire en deux heures, mais la coutume voulait que l'opération dure cinq heures pour que ce soit un véritable événement. Lors de la réception de mariage, la mariée dit à tout le monde que j'avais réalisé son maquillage, ce qui me valut un afflux de demandes de la part d'autres jeunes femmes dans la même situation.

Malgré ce travail supplémentaire, je ne gagnais toujours pas assez d'argent pour payer toutes les dépenses de l'école. J'avais reçu de nombreuses demandes de rendez-vous de la part d'hommes, mais je les avais toutes refusées car, en Afghanistan, les hommes n'étaient pas admis dans les salons de beauté. Mais je rencontrais tellement d'étrangers qui me suppliaient de leur couper les cheveux, ou de leur faire les mains, que je finis par les prendre en pitié. L'Afghanistan peut être très pénible à vivre pour les étrangers qui y font de longs séjours. Ils restent enfermés dans leurs ambassades ou au quartier général de leurs ONG, et, quand ils sortent pour aller travailler à l'extérieur, ils ne savent jamais si leur véhicule n'attirera pas la prochaine bombe. Chaque fois que je suis en voiture et que je vois un de ces énormes 4 × 4 appartenant à une ONG, ou un tank des Forces de maintien de la paix, je recommande à mon chauffeur de rester quelques centaines de mètres en arrière, au cas où il serait pris pour cible. Je plaignais ces hommes qui auraient tellement eu besoin d'un peu de luxe dans leur vie. Je savais aussi qu'ils pouvaient représenter pour moi une source importante de revenus. Je les fis venir en fin d'après-midi ou le soir, quand l'école et le salon étaient fermés, et les filles rentrées chez elles.

Au moment où mes efforts pour augmenter le chiffre d'affaires du salon commençaient à donner des résultats, la situation se détériora à Kaboul. C'était à nouveau l'époque des élections, avec un enjeu beaucoup plus important encore, cette fois. En octobre, les électeurs afghans, hommes et femmes, devaient voter pour élire un nouveau président. Plus de vingt candidats se présentaient, et la tension était grande entre les différents partis. Dans certaines zones, on craignait aussi que les Etats-Unis ne faussent le scrutin en faveur de leur candidat préféré, Hamid Karzai. Comme on peut s'en douter, les talibans étaient opposés aux élections, quel qu'en soit le vainqueur. La fréquence des kidnappings et des bombardements s'était considérablement accrue, et l'ambassade des Etats-Unis conseillait aux Américains de faire profil bas.

Les Nations unies avaient leur propre système d'alerte pour leurs employés, que la plupart des ONG et des ambassades leur empruntaient. Ville Verte signifiait que l'on pouvait aller pratiquement partout. Ville Blanche, qu'en dehors des résidences, seuls certains sites très sécurisés étaient autorisés. Et Ville Rouge, qu'il fallait évacuer. Les Nations unies furent en Ville Blanche pendant toute la campagne présidentielle. Peacock Manor ne disposait pas de tous les éléments de sécurité lui permettant de faire partie des sites autorisés – pas de fils barbelés en haut des murs de la résidence, pas de vitres doublées de film antibombe, pas de barrage anti-rocket sur le bâtiment ; mais plusieurs étrangers bravèrent le danger pour venir au salon.

Personnellement, je ne tenais pas compte des alertes. Dans la mesure où on prenait des précautions et où on respectait la culture du pays, il me semblait inutile de vivre dans la peur. Le passage en Ville Blanche m'énervait beaucoup, car les affaires étaient très mauvaises. Nombre de mes clientes ne purent pas contourner les interdits de ce plan. Quand elles téléphonaient pour annuler leurs rendez-vous, elles se plaignaient d'être coincées à l'intérieur de leurs résidences. Après avoir reçu plusieurs appels de ce genre, il me vint une idée.

— Et si je venais chez vous ? demandai-je. Si vous me trouvez d'autres clientes, je prendrai la voiture de Sam et je remplirai le coffre de produits. Ainsi, les filles et moi pourrons passer l'après-midi à vous coiffer dans la résidence.

Bientôt, nous fîmes des incursions régulières dans les différentes résidences des ONG. Nos clientes étaient tellement reconnaissantes – et si heureuses de la diversion que cela leur procurait – que les pourboires s'en ressentaient. En revenant d'un de ces voyages, les filles sautaient sur leurs sièges tellement les pourboires avaient été généreux – et cela venait en supplément de ce que je leur devais pour leur travail. Je demandai à Basira combien elle avait reçu.

— Cinquante dollars !

Ses yeux verts brillaient.

— Mon mari ne gagne pas autant en deux semaines !

Sam n'arrêtait pas de m'observer pendant que je m'efforçais de lire. Nous étions dans notre chambre, la télévision était allumée, mais il ne prêtait aucune attention au drame bollywoodien. Il me dévisageait à tout propos, même s'il s'en défendait quand je le prenais sur le fait.

— Qu'est-ce qu'il y a ? lui demandai-je pour la cinquième fois. Pourquoi me regardes-tu ainsi ?

Il soupira, et tapota son crayon contre sa tasse de thé, comme si c'était un œuf qu'il essayait de casser.

— Je dois envoyer de l'argent à la maison, dit-il enfin.

— Pourquoi ?

— Elle doit aller au docteur.

— Qui ? Ta mère, ta sœur, ta fille... ?

— Ma femme.

— Elle est malade ?

Je l'imaginais volontiers dépérissant sous le coup d'une maladie fatale et disparaissant définitivement de mon horizon.

Il fit non de la tête, puis soupira à nouveau.

— Elle est enceinte.

J'eus l'impression d'avoir été lâchée d'un avion en vol.

J'avais tant travaillé ce printemps-là – l'école le matin, les clientes du salon l'après-midi – que je regagnais notre chambre le soir en titubant, avec l'espoir que mon cher mari s'occuperait un peu de moi. Je compris vite, toutefois, que pour obtenir de lui un semblant d'affection, je devais l'acculer dans un coin et lui faire violence. Ce qui n'était évidemment pas dans mes intentions. A dire vrai, Sam avait toujours beaucoup d'ennuis avec son travail. Mais, quand la situation s'améliora, son comportement ne changea pas radicalement. Les différences culturelles entre nous étaient aussi difficiles à contourner que les montagnes de l'Hindu Kush. Et nous ne savions ni l'un ni l'autre comment nous y prendre.

Nous nous disputâmes beaucoup. Un des mots anglais découverts par Sam à cette époque fut « dinosaure » : c'était le surnom qu'il me donnait, car il prétendait que je me battais comme cet animal. Les manifestations de tendresse – ou, plutôt, leur absence – déclenchèrent dispute sur dispute. Par exemple, quand j'entrais dans notre chambre pour l'embrasser, il reculait en me jetant un regard de détresse. Nous demandâmes à Roshanna de nous servir d'interprète : il s'avéra que je l'embrassais alors qu'il avait déjà procédé à ses ablutions rituelles pour la prière du soir. Il devait alors faire chauffer de l'eau pour recommencer.

Dès lors, j'essayai de l'approcher avant ses préparatifs pour la prière, mais il ne se montra pas plus réceptif. Il ne comprenait pas que je veuille lui prendre la main, me serrer contre lui, l'embrasser, le toucher. Il ne l'avait jamais fait avec sa femme afghane, et son père non plus avec sa mère. Sam n'avait certainement jamais vu un Afghan se conduire ainsi avec une femme. Les hommes afghans se promènent dans les rues de Kaboul en se tenant par la main. Ils s'enlacent souvent en bavardant ou se caressent les bras, mais on ne voit jamais un homme se comporter ainsi avec une femme. Un jour où Sam et moi étions en voiture, je voulus lui caresser le bras. Il rougit et se dégagea.

— Ce n'est pas le moment d'avoir des relations sexuelles, Debbie, dit-il.

— Je n'en ai pas envie tout de suite. Je veux seulement un câlin.

— C'est quoi, un « câlin » ? demanda-t-il d'un ton exaspéré.

Il ne comprenait vraiment pas.

Comme beaucoup de femmes, j'aurais aimé que mon mari soit un véritable compagnon, non seulement pour les rapports physiques, mais aussi quelqu'un qui s'intéresse à mes sentiments et à mes pensées les plus intimes. C'était difficile en raison de la barrière de la langue, mais j'étais déterminée à réussir. Je suivais Sam dans la résidence avec mon dictionnaire dari-anglais, m'efforçant de trouver les mots pour lui dire « je suis très déprimée », ou bien « à cette époque de l'année, mon père me manque beaucoup ». Sam écoutait mes phrases alambiquées, puis me regardait, perdu. Il décida finalement que le meilleur remède à ma soif de conversation serait de réunir autour de moi quelques étrangers. L'un d'eux était un jeune photographe prénommé David, qui louait une chambre à Peacock Manor. Sam proposa de le payer quatre dollars de l'heure pour parler avec moi. Je crois que le tarif était encore plus élevé après le coucher du soleil.

Je n'en pouvais plus de rester confinée à Peacock Manor. Quand l'école était au sein du ministère des Femmes, j'avais le trajet aller et retour à effectuer. Maintenant, toutes mes activités avaient lieu dans l'enceinte de notre résidence. Je mourais d'envie de voir d'autres lieux et d'autres visages, mais je préférais ne pas sortir seule. Je ne parlais pas bien le dari et je ne savais pas m'orienter en ville ; d'ailleurs, c'était trop dangereux avec toutes ces menaces sur la sécurité. Les coiffeuses faisaient partie de la catégorie « cible potentielle », et je devais faire attention. Sam se montrait réticent à m'accompagner, mais aussi à me voir passer du temps avec les Afghans qui venaient le voir à la maison d'hôtes. Il me demandait de rester dans notre chambre jusqu'à leur départ. J'étais certaine qu'il avait honte d'être vu avec moi. Je finis par avouer ma tristesse à Roshanna.

— Oh, non, Debbie, protesta-t-elle. Au contraire, il t'aime tellement qu'il ne veut pas que d'autres hommes te regardent.

Malgré les nombreuses interventions de Roshanna, les disputes continuèrent. Sam me traitait souvent davantage comme une domestique que comme sa femme, parce que c'était le seul comportement qu'il connaissait. J'estimais qu'il était de mon devoir de remettre les choses au point. Quand il me demandait de lui faire du thé ou de lui donner ses chaussures, je répondais du tac au tac :

— Tu t'es cassé la jambe ?

Il déclara un jour devant des amis étrangers qu'il était plus facile d'avoir mille épouses afghanes qu'une femme américaine.

— Tu dis à mille femmes afghanes de s'asseoir, elles s'assoient. Tu dis à une femme américaine de s'asseoir, elle te répond : « Tu peux toujours courir. »

Il nous arrivait de plaisanter à propos de ces différences culturelles. Il nous arrivait aussi de nous disputer violemment, chacun dans sa langue, et l'un de nous finissait par dormir sur le canapé du salon. Parfois, je franchissais les grandes portes pour m'enfuir – loin de lui, de la maison d'hôtes, de notre petite chambre à coucher exiguë, d'Ali, de David et des autres pensionnaires, de tout. C'est ce que je faisais aux Etats-Unis quand je me disputais avec quelqu'un : une longue promenade sous les étoiles, jusqu'à ce que j'aie retrouvé mon calme. Cela eut au moins le mérite de provoquer une réaction chez Sam. La première fois que je m'enfuis ainsi, il courut pour me rattraper, pris de panique.

— Essaie de comprendre, ici ce n'est pas un bon endroit pour être fâchée, dit-il en me tirant vers la maison. Karzai contrôle la journée, mais les talibans contrôlent toujours la nuit.

En me réveillant un matin après une énième nuit passée sur le canapé, je décidai que la coupe était pleine. J'appelai Roshanna pour lui annoncer que je quittais Sam et lui demander si je pouvais emménager chez elle. Elle se précipita à la maison d'hôtes, et me trouva occupée à entasser mes affaires dans deux valises et à envelopper ce qui ne tiendrait pas dans mes foulards. Elle se mit à rire devant la montagne de choses empaquetées dans des foulards ; puis, me voyant assise par terre en larmes, elle s'assit à côté de moi. Quelques instants plus tard, elle pleurait aussi. Encore une chose que j'aime chez les Afghans : ils ne vous laissent jamais pleurer seul. Elle eut beau essayer de me réconforter, rien n'y fit.

— Je pars, lui dis-je en sanglotant. Je quitte Sam, l'école, et l'Afghanistan aussi. Je veux un bain chaud, je veux du bacon.

Quand Sam rentra, il nous trouva toutes les deux assises par terre, en pleurs. Il resta dans l'embrasure de la porte à regarder la scène, l'air stupéfait. Il devait penser que quelque chose était arrivé à mes fils ou à ma mère. Roshanna le prit à part. Pendant une heure, elle lui expliqua quelles difficultés j'éprouvais face au pays et à notre mariage. Puis elle revint avec une cuvette pleine d'eau. A ma grande surprise, elle se mit à me laver le visage et à me coiffer. Elle me choisit une tenue et m'aida à m'habiller. Sam lui avait donné de l'argent pour m'emmener, avec sa voiture et son chauffeur, dans un bon restaurant. Nous allâmes acheter d'autres foulards, puis restâmes des heures au restaurant. Mon problème majeur n'était peut-être pas Sam, mais de ne pas passer de moments avec une amie. Nous étions si occupées, Roshanna et moi – elle avec son nouveau salon, moi avec l'école et le salon –, que, malgré les heures passées ensemble à former les professeurs, nous n'avions pas pris le temps de nous amuser ensemble.

Je pense que Sam et moi n'aurions pas réussi à traverser cette tempête si Val et Soraya n'étaient pas revenus à Kaboul. Ils vinrent habiter avec nous à Peacock Manor et, peu à peu, Sam comprit ce qu'est un mari à l'occidentale et son comportement s'en ressentit. Nous passâmes beaucoup de temps tous les quatre à discuter et à rire ; Sam observait Val et l'imitait. Quand Val caressait l'épaule de Soraya, Sam caressait la mienne. Quand Val prenait la main de Soraya, Sam tendait la main vers la mienne. Après que nous l'eûmes taquiné à ce propos, il passa une journée à ignorer ce que faisait Val. Mais, quand Soraya vint s'asseoir sur les genoux de Val, Sam se leva et s'assit lui aussi sur mes genoux.

Petit à petit, avec l'aide de nos amis, Sam se détendit face à cette femme au franc-parler, émotive et indépendante qu'il avait épousée. Et, au fur et à mesure que je découvrais les habitudes du pays de mon époux, je cessai de me sentir perpétuellement responsable de ses failles – tout au moins, j'essayais. J'appris à l'aimer davantage, en dépit de ses manières brusques. Nos relations étaient difficiles, mais jamais je n'aurais pu maintenir l'école en activité si Sam ne m'avait pas aidée. Il fallait que je m'en souvienne chaque fois que j'avais envie de lui jeter quelque chose à la figure. Il fallait que je garde en mémoire le terrible passé de mes étudiantes, et l'expression de fierté et d'espoir dont leurs visages étaient maintenant empreints. Si je continuais à lui lancer des objets à la figure de Sam, nous n'aurions bientôt plus rien dans la maison. Déjà, nous n'avions plus de torches en état de fonctionnement, car je les lui avais toutes jetées à la tête. La bataille entre nous – la guerre afghano-américaine, comme il l'appelait – cessa pour un temps. Nous devînmes davantage des partenaires, sexuels et dans tous les domaines, comme je l'avais espéré quand Val et Soraya avaient mis sur pied notre mariage.

Quand Sam m'annonça que sa première femme était enceinte, je m'effondrai. J'avais totalement occulté son existence, refusant d'envisager la possibilité qu'il ait pu partager son lit pendant que j'étais dans le Michigan et lui de retour en Arabie saoudite. Maintenant, j'avais l'impression qu'il m'avait trompée. J'empoignai sa tasse et la lançai contre le mur, où elle se brisa en mille morceaux.

— Cela fait combien de temps ? lui demandai-je.

— Cinq mois.

Cela signifiait qu'elle accoucherait en octobre. Si nous réussissions à rester mariés, nous célébrerions notre premier anniversaire de mariage ce mois-là. Mon anniversaire tombait également fin octobre. Elle allait gâcher toutes ces dates importantes pour moi, avec ce bébé.

Les nuits suivantes, je dormis dans le salon. Nous réussîmes pourtant, Sam et moi, à traverser cette tempête. Je finis par me rendre compte que tout cela était difficile pour lui aussi. Les choses s'arrangèrent tant bien que mal entre nous, même si je ne supportais pas de penser à octobre.

Bientôt, je fus rappelée à la réalité : il faut se contenter de périodes très brèves de bonheur, en Afghanistan. Cela fait partie des conditions de vie, comme la poussière et le vent. Quelque chose d'horrible vous guette toujours au coin de la rue, juste au moment où vous ralentissez pour admirer le paysage. Ce que je ne savais pas, c'était que l'horreur m'attendait dans ma propre maison.

En rentrant de l'école, un jour, je trouvai Sam assis sur notre lit, la tête entre les mains. Comme cela arrive à beaucoup d'entre nous, sa maîtrise d'une langue étrangère était moins bonne quand il avait quelque chose d'important à dire. Il balbutia quelques mots à propos d'Ali et de la petite Hama, mais je dus lui redemander plusieurs fois de m'expliquer.

— Il l'embrasse, dit Sam. Ali l'embrasse.

Je ne comprenais pas qu'il soit si bouleversé par un baiser.

— Mon oncle m'embrassait quand j'étais petite. Il n'y avait pas de mal à ça.

— Pas un baiser d'oncle.

Il me poussa contre le mur et couvrit ma bouche avec la sienne, puis s'éloigna.

— Ali l'embrasse comme ça.

Il était entré dans la chambre d'Ali sans frapper – il ne frappe jamais – et les avait trouvés ainsi. Si Sam avait eu le moindre doute quant à la nature du baiser d'Ali, il avait dû se rendre à la réalité en voyant la façon dont celui-ci avait mis sa main dans le chemisier d'Hama, et la terreur sur le visage de la jeune fille. Sam ne savait pas dire « seins » en anglais – notre code pour désigner les miens était « pommes et oranges ». Il me dit quelque chose à propos des pommes et oranges d'Hama, mais, cette fois, cette expression n'avait aucune connotation ludique.

Complètement abasourdie, je m'assis sur le lit à côté de lui. J'avais toujours été mal à l'aise en voyant Hama suivre Ali partout dans la maison, car je ne voulais pas qu'elle soit seule dans une pièce avec ses visiteurs mâles. J'essayais de la garder auprès de moi autant que possible. Ali ne s'y opposait pas. Il encourageait Hama à rester près de moi, en lui disant que j'étais comme une tante pour elle. En réalité, j'avais plutôt l'impression d'être sa mère, tant elle s'accrochait à moi. Elle ne se détendait qu'à l'école.

— Lui as-tu dit que tu le tuerais si jamais il remettait la main sur elle ?

Sam secoua la tête.

— Ali n'est pas ma famille. Ni Hama. Je peux donner ces ordres seulement à ma famille.

Furieuse, je partis à la recherche d'Ali, mais il n'était pas dans sa chambre. Je décidai de l'attendre, munie d'un verre de whisky, d'un paquet de cigarettes et d'une pile de magazines. Il arriva vers vingt-trois heures, suivi d'Hama. Son visage s'illumina quand elle me vit sur le canapé, et elle se précipita vers moi. Je lui caressai la joue. Elle portait un rouge à lèvres rouge vif, beaucoup de khôl et de l'ombre à paupières, un maquillage criard et totalement superflu pour son petit visage charmant, qui lui donnait l'air d'une enfant déguisée. Quand je lui demandai d'aller à la cuisine pour nous faire un thé, elle s'exécuta sur-le-champ.

— Que fais-tu avec cette petite fille, Ali ? lui demandai-je avec autorité. Es-tu vraiment son oncle ? Son oncle par le sang ?

— Par le sang, non.

Il se mit à fouiller dans ses poches pour trouver une cigarette. Je ne lui en offris pas.

— Je suis un ami de la famille.

— Tu n'es pas son ami si tu l'embrasses et si tu la touches. Tu vas ruiner sa réputation, et elle ne pourra jamais se marier.

— Mais, Debbie, écoute.

Il sourit et tendit les mains.

— Je vais épouser Hama.

Sa réponse me donna la nausée. Ma colère était à son comble. J'étais sûre qu'il mentait.

— Tu as au moins trente ans de plus qu'elle, Ali. Tu es trop vieux. Et même si tu dois l'épouser, tu n'as pas le droit de la toucher avant le mariage comme Sam t'a vu le faire. Je suis peut-être une Américaine stupide, mais cela, j'en suis certaine.

Il rougit.

— Ce que je fais avec Hama, je le fais avec la bénédiction de ses parents.

— Je ne veux pas que tu reviennes dans cette maison avec elle. Je ne veux pas la voir dans ta chambre, ni avec tes amis. Quand elle aura fini sa journée à l'école, je veux qu'elle rentre directement chez ses parents.

Ali était furieux, mais il n'essaya pas de discuter avec moi. Juste à ce moment-là, un autre locataire entra. Ali se retourna et lui cria en dari :

— Ramène-la chez elle.

J'entrai dans la cuisine ; Hama était debout près de l'évier, apeurée par nos cris. Je lui dis de rentrer chez elle, et de ne plus s'approcher d'Ali. Elle ne comprenait probablement pas grand-chose à ce qui se passait, mais elle voyait que j'étais contrariée. Puis il l'appela depuis le salon, et elle sortit en courant.

Sam et moi résolûmes de nous renseigner sur Ali. Très vite, des histoires louches commencèrent à nous parvenir de tous côtés. Nous avions été trop occupés, trop confiants pour chercher à connaître son passé, et cette pensée me rendait malade. Les rumeurs abondaient sur ses activités délictueuses. Cela expliquait son côté mystérieux. Pourquoi il ne semblait exercer aucun travail régulier mais avait toujours de l'argent. Pourquoi il avait, partout en Europe et en Orient, des contacts avec des Afghans influents.

Mais nous ne pouvions pas faire grand-chose. Ali était notre associé dans la maison d'hôtes de Peacock Manor et nous étions contraints de le supporter jusqu'à expiration du bail. Je n'avais même pas le droit de lui interdire de faire venir Hama à la maison ; pourtant il m'obéit. Je la voyais tous les jours à l'école – je m'assurais que quelqu'un l'amenait de chez ses parents et l'y reconduisait. Elle me montrait toujours beaucoup d'affection et semblait heureuse d'être près de moi. Un jour, je la pris à part et demandai à Roshanna de traduire pour moi.

— Est-ce qu'Ali te touche encore à des endroits intimes ? lui demandai-je.

Elle se cacha le visage.

— Dis-moi, Hama. Dis-moi ce qu'il fait.

Elle se mit à pleurer et montra du doigt sa poitrine et son bas-ventre.

— Ne le laisse pas faire. Même si c'est un ami de ta famille !

Elle acquiesça et me passa les bras autour du cou. Quand elle retourna en classe, je recommandai à

Roshanna de ne rien dire aux enseignantes ou aux autres étudiantes à propos d'Hama.

— Elles le savent déjà, Debbie, dit-elle. Elles savent qu'elle fait de mauvaises choses avec cet homme.

— Comment ?

— De tellement de façons !

Roshanna se mit à compter sur ses doigts.

— Elle sort jusque tard dans la nuit avec lui. Tu nous racontes même à l'école qu'Hama va à des soirées. Une jeune fille convenable ne sort pas avec des hommes le soir.

— J'aurais dû y penser, murmurai-je.

— Elle s'épile les sourcils, continua Roshanna. Seules les femmes le font. Et il lui a donné un téléphone portable pour pouvoir l'appeler. Tu remarques qu'elle n'achète jamais de crédit pour appeler quelqu'un d'autre. Le téléphone ne sert qu'à lui, pour qu'il puisse la joindre.

Ali essaya de rentrer dans mes bonnes grâces, mais je l'évitai. Ce qui le rendit furieux. Il ne me manifesta jamais sa colère, mais je l'entendais crier quand il parlait à Sam, comme à tous ceux qu'il croisait. Il semblait constamment entouré par un groupe d'hommes qui traînaient dans sa chambre ou dans le salon. Puis, un jour, je remarquai qu'une femme les accompagnait. Ali me la présenta comme sa fiancée, mais j'appris par la suite que c'était une prostituée. Le portable de cette femme sonnait à peu près toutes les minutes, et c'étaient toujours des hommes qui appelaient. Je le savais parce qu'un jour elle m'avait donné son téléphone en me chargeant de répondre pendant qu'elle était aux toilettes. Je me réjouissais qu'il ait cette femme pour l'occuper et l'éloigner d'Hama.

Notre téléphone satellite sonna au milieu de la nuit. J'entendis Sam faire tomber le combiné et fouiller par terre pour le retrouver. Il répondit finalement en ouzbek, puis passa à l'anglais. Je me redressai, le cœur battant. Si ma famille avait quelque chose à me dire de si important qu'elle ne pouvait pas tenir compte du décalage horaire de neuf heures et demie, c'est que la nouvelle devait être mauvaise.

— Salut, maman, me dit mon fils Zachary. Je ne me sens pas très bien ces temps-ci. J'aimerais bien venir vivre avec vous.

— Bien sûr, lui dis-je en bâillant et en retombant sur mon oreiller. Viens donc en Afghanistan.

Je le rappelai le lendemain pour mettre les détails au point. J'espérais que le pays agirait sur lui comme il avait agi sur moi : qu'il pourrait s'abstraire de ses propres problèmes pour s'occuper davantage des autres. Je lui pris un billet d'avion et il se mit en route. Ma famille était au courant de mon mariage avec Sam. Comme je le craignais, ils l'avaient lu dans un journal. Je crois que ma mère fut soulagée de savoir que je n'étais pas là-bas toute seule.

Zach nous rejoignit donc à Peacock Manor et se mit à enseigner bénévolement l'anglais et l'art dans un orphelinat pour garçons. Heureuse de retrouver mon fils chéri, avec son imposante couronne de boucles brunes, j'en oubliai Hama. Dès le lendemain de l'arrivée de Zach, des garçons de son âge défilèrent à la maison pour lui demander de venir les rejoindre pour jouer, pour aller au cinéma ou pour prendre le thé. Il ne devait pas y avoir beaucoup de jeunes Américains de son âge à Kaboul, et tout le monde était curieux de le voir. Puis, quelques jours après son arrivée, il participa à une soirée à l'école. C'était étrange de le voir là, car les hommes n'étaient pas admis à l'école ou au salon de beauté. Après la soirée, Zach me parla avec enthousiasme d'une jolie fille aux cheveux roux. Je sortis des photos de la classe, et il posa le doigt sur le visage d'Hama.

Le lendemain, à l'école, je taquinai Hama. Je lui dis que Zach la trouvait belle. Plusieurs autres filles la taquinèrent également, mais je vis Topekai chuchoter quelque chose à Roshanna.

— Qu'est-ce qu'elle dit ? lui demandai-je à voix basse.

— Elle s'inquiète que tu ne comprennes pas qu'Hama n'est pas une fille.

Roshanna posa la main sur mon bras, sentant que je m'énervais déjà.

— « Pas une fille », ça veut dire « pas pure ». Elle pense que tu ne devrais pas laisser ton fils s'intéresser à elle.

Topekai nous regardait d'un air sombre. Elle fronça les sourcils et secoua la tête.

— Pas bon, cria-t-elle à travers la pièce. Seulement des ennuis.

Pourtant, je voyais que cela faisait plaisir à Hama de savoir que Zach s'intéressait à elle. Il me semblait important qu'elle sache que d'autres hommes la trouvaient jolie. Je ne voulais pas qu'elle se sente aliénée par Ali, ou salie par ses actes.

Mais, quelques semaines plus tard, Hama se glissa furtivement dans l'école avec un œil au beurre noir et une lèvre coupée. Elle cacha son visage dans ses mains et, à travers ses doigts, chuchota qu'Ali avait entendu parler de Zach et l'avait battue. Une petite femme enveloppée dans une grande écharpe bleue l'avait suivie à l'école. C'était sa mère. Quand elle repoussa son écharpe en arrière, je vis qu'elle avait dû être jolie, mais elle avait mal vieilli. Comme beaucoup de femmes afghanes, elle paraissait le double de son âge. Elle était venue me supplier de protéger sa fille : depuis un an, Ali donnait de l'argent à son mari pour qu'il lui laisse sa fille. Elle ignorait comment la famille pourrait survivre si Ali ne leur donnait plus d'argent, mais elle savait que c'était un homme malveillant, et elle voulait éloigner sa fille de lui. En pleurant, elle me prit les mains et me demanda si mon fils pouvait épouser Hama et la faire sortir du pays.

Comment s'y prend-on pour dire à une mère aux abois que dans votre pays les choses ne se passent pas comme cela ? Qu'on n'arrange pas le mariage de son fils, même pour sauver une jeune fille qu'on aime des abus d'un monstre ? Je ne pouvais pas lui promettre mon fils, mais je lui promis de veiller sur Hama.

Quand Sam apprit cela, il pensa qu'Hama était exactement ce qu'il fallait à Zach. D'après lui, mon fils avait besoin de s'endurcir – comme tous les jeunes Américains –, et le mariage lui ferait du bien. A l'âge de Zach, lui-même avait été poussé dans un mariage arrangé. Il pensait que cela ferait de mon fils un homme.

— Epouse Hama, dit-il à Zach. Elle fera une bonne épouse afghane pour toi. Déjà elle a des idées progressistes occidentales.

Mon fils réfléchit à cette éventualité pendant quarante-huit heures, puis il prit place à table avec nous, pendant que nous dînions.

— Je vais l'épouser, dit-il.

Je ne fus pas tellement étonnée que Zach au grand cœur se range à cette idée. Il n'avait pas décidé d'épouser Hama pour devenir un homme aux yeux de Sam. La pensée de voir la douce petite Hama vendue par son père à Ali le taraudait. Il n'avait pas vécu assez longtemps en Afghanistan pour savoir combien cela est fréquent. Il ne savait pas qu'il y avait des milliers – des centaines de milliers – de tendres petites filles vendues à des brutes. Il ne pouvait pas les épouser toutes.

Ali ne cessa pas de battre Hama en apprenant que Zach voulait l'épouser. Les corrections empirèrent. Chaque jour, Hama arrivait à l'école avec un nouveau bleu ou une nouvelle coupure, qui étaient autant de manifestations de l'affection exclusive d'Ali. Zach était affolé. Il avait cru faire un geste noble en proposant d'épouser Hama, mais cela ne faisait qu'augmenter ses souffrances. Nous habitions toujours tous ensemble dans la maison d'hôtes, et Ali rentrait chaque soir, affichant un air plus lisse et courtois que jamais, parfois avec un groupe d'hommes, parfois aussi avec des femmes au regard dur. Je ne comprenais pas comment j'avais pu le trouver charmant et même séduisant.

Puis j'imaginai un moyen pour sauver Hama, moins radical que le mariage. Mon amie Karen, dans le Michigan, avait suivi l'histoire d'Hama grâce à mes e-mails. Ayant été elle-même victime d'une relation violente avec un homme plus âgé quand elle était jeune fille, elle ressentait beaucoup de compassion envers Hama. Si Hama pouvait partir pour les Etats-Unis, elle irait vivre avec Karen. A nous deux, nous réunirions l'argent nécessaire pour couvrir ses frais et commencerions à mettre de l'argent de côté pour l'envoyer à l'université.

Un jour, après l'école, je fis asseoir Hama pour lui apprendre la nouvelle : elle se mit à sauter de joie et à danser autour de la pièce.

— Je suis une fille américaine ! chantonna-t-elle.

Elle prit un magazine de mode sur la table et serra contre sa poitrine la photo d'une jeune fille court vêtue, puis prit la pose en faisant la moue comme un mannequin. Elle ressemblait à une petite fille jouant à la poupée, sauf que la poupée, c'était elle. Je lui recommandai de ne parler à personne de notre projet, surtout à Ali, et lui conseillai de l'éviter et de jeter dans un puits le téléphone portable qu'il lui avait donné pour qu'il ne puisse plus jamais la joindre.

La journée était magnifique. Au-dessus de ma tête flottait une toile de tente verte et bleue. Les enfants de mes élèves se promenaient dans la cour en grignotant des biscuits, les yeux levés vers une forêt de tournesols. Le décor allait de pair avec la lumière dans mon cœur.

Quand arriva le jour de remise des diplômes de la deuxième promotion, j'étais épuisée mais heureuse. Contre toute attente, l'école de beauté de Kaboul avait survécu et préparé un autre groupe de femmes au métier d'esthéticienne. Les modifications que j'avais apportées au programme permettraient à ce groupe de mieux réussir encore que le premier. Au cours des dernières semaines, les filles avaient travaillé d'arrache-pied sur les têtes à coiffer, dans l'espoir de gagner le prix de créativité. Elles s'étaient rendues par groupes au grand marché en plein air et en avaient rapporté paillettes, plumes, perles, rubans et toutes sortes d'autres matériaux pour décorer leurs têtes. Le soir, après leur départ, j'allais admirer leurs œuvres.

La remise des diplômes se déroulait dans la cour arrière du siège de l'association de Mary MacMakin. La cérémonie fut plus simple que la première, avec moins de dignitaires présents, mais je fus ravie d'accueillir une délégation de la fondation Care for All, avec laquelle j'étais venue pour la première fois en Afghanistan. Mes élèves et leurs familles avaient revêtu leurs plus beaux atours. Basira et quelques autres portaient de superbes robes afghanes en soie, couvertes de perles et de broderies ; d'autres, des saris à paillettes très sexy, et quelques-unes – comme la petite Hama – leurs plus beaux jeans occidentaux avec des chemisiers blancs ajustés. Sam m'avait fait cadeau, pour l'occasion, de lourdes boucles d'oreilles en or. Avec mes immenses faux cils et la quantité d'extensions que j'avais dans les cheveux, j'avais du mal à garder la tête droite. Quand les filles montèrent sur le podium pour recevoir leur diplôme, elles posèrent leurs têtes à coiffer avec soin sur la table, face au public. La tête gagnante avait, étalée en travers des yeux comme un masque, une carte de l'Afghanistan scintillante et, sur une joue, un paon fluorescent dont les plumes descendaient gracieusement le long du cou.

Après la remise des diplômes de la deuxième session, mon intention était d'augmenter la fréquentation du salon. Je voulais gagner de l'argent non seulement pour financer la troisième formation – et éventuellement une quatrième –, mais aussi pour m'éloigner d'Ali. Le bail de Peacock Manor nous liait toujours, mais rien ne nous empêchait d'installer l'école, le salon et nos appartements dans d'autres locaux, et de louer les chambres de Peacock Manor à quelqu'un d'autre. Je voulais également mettre de l'argent de côté pour le billet d'avion d'Hama, le temps que Karen et moi trouvions un moyen de lui obtenir un visa.

Topekai, Basira et Bahar augmentèrent leur temps de travail au salon. Je demandai également à Hama d'y travailler, bien qu'elle ne se fût pas montrée très douée. Je la laissais de temps en temps s'exercer sur Shaz, qui restait souvent à la porte pour regarder travailler les filles. Shaz s'améliorait de jour en jour. Je lui avais donné des vêtements pour remplacer ses haillons. Elle s'était mise à sourire et à parler davantage, surtout une fois que nous eûmes compris qu'elle ne nous entendait pas de l'oreille gauche. Elle avait perdu l'ouïe de ce côté lors de l'explosion d'une bombe. Sa façon de faire le ménage laissait toujours à désirer, mais tous les espoirs n'étaient pas perdus. Elle me rapportait des clés, des papiers importants et même de l'argent que j'avais égarés. J'avais l'impression qu'elle me protégeait, et je trouvais cela agréable. C'est pourquoi j'étais heureuse de laisser Hama prendre soin d'elle.

Puis, un jour, alors qu'Hama essayait de mettre un peu de poudre sur les joues rugueuses de Shaz, une sonnerie de portable inconnue retentit. Hama posa la poudre, courut vers son sac, en sortit un téléphone et se réfugia au fond de la salle pour parler.

— C'est un nouveau portable ? lui demandai-je quand elle eut terminé.

Elle ne me répondit pas et se remit à s'occuper de Shaz. Je soupçonnai quelque chose. Topekai et Basira semblaient également avoir des soupçons. Elles se concertèrent et parlèrent sévèrement à Hama. Elle finit par admettre qu'Ali lui avait donné un nouveau téléphone.

— Pourquoi lui parles-tu ?

Je me retins de la gifler.

— Pourquoi acceptes-tu ses cadeaux ?

Après cet incident, j'aperçus de plus en plus souvent Hama à Peacock Manor, généralement à des moments où elle me croyait sortie ou pas encore levée. Tôt un matin, elle était dans la chambre d'Ali, en train de se maquiller. Une autre fois, je la vis rentrer avec lui, tard le soir, vêtue d'une robe étincelante, avec des chaussures à talons. Je la surpris également dans sa chambre avec plusieurs hommes, fumant une cigarette et riant d'une façon artificielle. Elle essayait de se cacher quand elle me voyait. Le lendemain, quand elle arrivait au salon, je lui répétais qu'elle devait éviter Ali. Elle acquiesçait, sans jamais me regarder dans les yeux.

La situation s'aggrava. Un jour, entendant sa voix dans la chambre d'Ali, j'ouvris la porte. Hama était là avec son frère de douze ans, tous deux à moitié dévêtus, recroquevillés contre le mur. La main d'Hama était sous la tunique de son frère, et elle l'enleva aussitôt pour la cacher derrière son dos, tremblant violemment. Ali les regardait, étendu sur son toushak.

— Laisse-les tranquilles ! lui criai-je.

Puis je fis sortir Hama et son frère de la chambre, et j'appelai un taxi pour les ramener chez eux.

Hama arrivait désormais tous les jours au salon pliée en deux sous l'effet d'une douleur. Je l'allongeais, lui préparais du thé, et tentais de la convaincre d'aller voir un médecin – je pensais qu'Ali la battait à nouveau ou qu'elle était enceinte. Finalement, je demandai à Roshanna de traduire pour que je puisse comprendre ce qui se passait.

— Est-ce qu'il t'oblige à avoir des relations sexuelles avec lui ? demandai-je.

Hama se couvrit le visage.

— Hama, est-ce qu'il met son *kar* (pénis) dans ton *kos* (vagin) ?

— *Nai*, Debbie, *nai*, répondit-elle tristement.

Elle tendit la main et toucha ses fesses. Quand je compris, je me mis à pleurer. Elle était si petite, si frêle que cela devait lui faire affreusement mal.

— C'est très mal, chuchota Roshanna. Ali ne prend pas sa virginité. Il veut la vendre à quelqu'un d'autre.

— Tu peux encore lui échapper, Hama, dis-je. Karen

se prépare à t'accueillir en Amérique, tu seras bien, là-bas.

Mais le visage d'Hama ne s'éclaira pas quand je lui rappelai notre projet. Sans savoir pourquoi, je sentais que je l'avais perdue. Peut-être avait-elle peur d'Ali ou croyait-elle que sa relation avec lui l'avait coupée de toute autre possibilité d'avenir. Peut-être l'aimait-elle à sa façon, comme ces enfants battus et humiliés par leurs parents qui leur restent attachés. Elle l'appelait toute la journée depuis le salon, dès qu'elle me croyait hors de portée. Je l'apercevais constamment avec Ali, et parfois ses amis, près de Peacock Manor. Elle cessa de se cacher de moi, et je cessai de la poursuivre de ma colère.

Hama continua tant bien que mal à venir au salon chaque jour. J'étais contente de la voir – pour moi, sa seule présence était un signe d'espoir –, mais Topekai et Basira lui devinrent de plus en plus hostiles. Un jour, Basira cessa de venir travailler. Après quelque temps, je me rendis chez elle avec Roshanna pour essayer de comprendre le problème. Basira nous invita à entrer, nous fit asseoir dans la partie de la maison réservée aux femmes et nous apporta du thé et des biscuits, comme si tout allait bien. Mais quand je lui demandai pourquoi elle ne venait plus travailler, elle se mit à pleurer et noya Roshanna sous un flot de paroles.

— Elle veut travailler, expliqua Roshanna, mais elle ne se sent pas en sécurité dans le salon. Son mari ne veut plus qu'elle y aille. C'est à cause d'Hama.

Je compris alors que la présence d'Hama mettait tout le monde au salon – et l'école elle-même – en danger. Des extrémistes pouvaient décider à tout moment d'envahir l'école et de jeter de l'acide au visage de tout le monde ; le gouvernement pouvait décider de fermer définitivement l'école s'il apprenait qu'une prostituée y travaillait. Avec un peu de chance, rien de tel ne se produirait. Néanmoins, beaucoup de gens pensaient que les salons de beauté servaient de façade à la prostitution. C'était parfois le cas. Je ne pouvais pas permettre que la présence d'Hama porte préjudice à Topekai, Basira, Nahida et à toutes les autres femmes qui, en Afghanistan, essayaient de gagner leur vie comme esthéticiennes. Cette pensée me tarauda pendant des semaines. Puis, un jour, je vis sur Internet qu'une prostituée avait été lapidée et tuée par des villageois, non loin de Kaboul.

Je pris Hama à part quand elle arriva au salon pour lui demander de choisir entre Ali et moi. Je lui annonçai que j'avais trouvé une nouvelle maison et que je me préparais à déménager. J'avais l'intention de prévoir une chambre pour elle. Je dirais à mon chowkidor de tirer sur Ali s'il essayait d'entrer.

Quand nous emménageâmes dans la nouvelle maison, j'achetai de jolis rideaux et fis peindre les murs de la chambre que je lui destinais d'une couleur pêche. J'y plaçai un téléviseur, et des animaux en peluche sur le lit. Je l'attendais parce qu'elle avait promis de venir et que ses yeux s'étaient illuminés à cette perspective. Mais elle resta avec Ali à Peacock Manor. Je ne la revis qu'une seule fois, dans une réception, habillée de vêtements tape-à-l'œil, le cou et les bras dénudés. Elle servait les boissons, fumait et laissait les hommes la toucher. Je préférai partir.

8

J'étais seule dans notre nouvelle maison, et j'anticipais avec délectation un bon bain chaud à la lumière de bougies. La porte de la salle de bains était fermée, ce qui ne voulait pas dire que l'endroit était occupé. Nous maintenions toujours cette porte fermée pour conserver la chaleur à l'intérieur. Je préférai frapper, au cas où Sam serait rentré sans que je m'en aperçoive. Personne ne répondit mais, quand j'ouvris la porte, un homme, torse nu, était penché au-dessus du lavabo. Il se retourna pour me regarder : sa barbe couverte de savon lui arrivait jusqu'au ventre.

— Sortez d'ici ! lui dis-je. Vous n'êtes pas chez vous.

— *Salaam aleikum.*

Il remit rapidement sa tunique et dit quelque chose en dari, probablement pour m'amadouer, mais je ne voulais pas l'écouter.

— Prenez votre savon !

Je remarquai qu'il avait utilisé mon dentifrice, mais pas ma brosse à dents, car il serrait la sienne dans sa main. Il attrapa son turban déployé qui était suspendu sur la tringle de douche et l'enroula autour de sa tête. Puis il enveloppa sa brosse à dents et son savon dans une serviette sale et se faufila en bas des marches. Il se retourna pour voir si je le suivais, puis il ouvrit la porte d'une des dépendances et se précipita à l'intérieur. Sam devrait l'en déloger ultérieurement.

En verrouillant la porte de la salle de bains, je résolus de ne pas trop en vouloir à cet homme. C'était grâce à lui que notre loyer était si bas.

Lorsque Sam et moi avions décidé de quitter Peacock Manor, j'avais cherché une autre grande maison à l'intérieur d'une résidence, mais pas pour la transformer en maison d'hôtes, cette fois. L'école et le salon pourraient occuper le rez-de-chaussée et le premier étage, et deux chambres à l'étage au-dessus seraient réservées à notre usage personnel. Le salon serait plus grand et susceptible de rapporter suffisamment pour financer l'école. Mais Sam estimait avec raison que je n'avais pas assez d'argent pour trouver quelque chose à louer dans un immeuble neuf. Les loyers à Kaboul s'envolaient, les propriétaires ayant compris que les ONG avaient besoin de se loger. J'étais loin d'avoir économisé assez pour le déménagement. Pire encore, mon amie Chris avait accepté de venir passer dix jours à Kaboul pour m'aider à repeindre le nouveau salon et l'école que je n'avais pas encore. Désireuse d'aider les femmes afghanes, elle avait pris son billet pour début décembre.

Trois jours avant son arrivée, je pleurai toute la nuit à cause de la situation impossible dans laquelle je m'étais encore mise. Chris n'aurait rien d'autre à faire à Kaboul que de passer son temps à Peacock Manor, à me regarder travailler et m'inquiéter pour Hama. Je m'étais pourtant démenée pour trouver de l'argent. Depuis des semaines, je priais, mais j'en étais arrivée à la conclusion que Dieu me prenait pour une idiote. J'avais besoin de neuf mille dollars pour le loyer et une remise en état, mais n'en avais économisé que mille. Puis, quand je regardai mes e-mails plus tard dans la journée, je découvris qu'un miracle m'attendait. Un message de Mary MacMakin m'annonçait que Clairol et *Vogue* venaient d'envoyer des dons pour l'école. Au total, il y en avait pour neuf mille dollars.

Quand Chris arriva, j'avais l'argent, mais pas de maison. Sam n'avait toujours rien trouvé qui nous convienne dans ma gamme de prix. Le deuxième jour du séjour de Chris, mon moral était au plus bas. Sam et moi nous trouvions dans notre chambre à Peacock Manor, avec un courant électrique si faible que toutes les lampes vacillaient comme des chandelles. Le décor était mélodramatique à souhait, parfait pour une esthéticienne hystérique.

— Tu as une demi-heure pour trouver quelque chose ! hurlai-je. Elle a parcouru la moitié de la terre pour venir peindre cette école.

Il revint très vite avec une nouvelle proposition. Il s'agissait d'une grande maison blanche, entourée de murs solides, avec une jolie cour devant, qui n'était pas chère pour Kaboul. Le propriétaire vivait à Herat et cherchait désespérément des locataires. Un vieux squatter taliban s'y était installé et avait branché l'électricité, ce qui contraignait le propriétaire à payer d'énormes factures. Je demandai à Sam de signer le bail, et nous commençâmes à nous y installer le lendemain.

Outre le squatter qui faisait encore des apparitions occasionnelles, la nouvelle maison était nantie d'un plombier jovial, du nom de Zilgai. Je lui laissai, ainsi qu'à Chris, le soin de trouver des ouvriers et de commencer la peinture, pendant que j'affrontais une horde d'Occidentales désireuses de se faire faire mèches, coupes, masques, manucures, pédicures et épilations du maillot avant de partir pour les vacances de Noël.

On aurait pu croire que quelqu'un avait inscrit mon numéro de téléphone dans le ciel, comme dans *Le Magicien d'Oz*. Je n'avais guère de temps à passer dans la nouvelle maison. Chaque fois, j'y rencontrais Chris entourée par une équipe de huit hommes sidérés qu'une femme puisse peindre un plafond sans monter sur une chaise. Ils n'avaient probablement jamais vu une femme aussi grande. Ils la surnommèrent la « femme deux mètres ». Ce fut d'ailleurs Chris qui effraya le squatter et le fit partir. Ayant trouvé une pile de ses vêtements dans un coin de la maison, elle les mit dans un seau qu'elle lui tendit. Il la regarda bouche bée, déguerpit en courant, et nous ne le revîmes jamais.

Un jour, elle me réclama un plumeau pour réaliser une peinture avec des effets. Il me semblait ne jamais avoir vu de plumeau à Kaboul, mais j'en décrivis un à Zilgai et aux peintres en utilisant mon dictionnaire dari-anglais. Chris battait des bras comme un poulet, pour les aider à comprendre. Un des peintres finit par acquiescer et assura qu'il m'en trouverait un. Cela coûterait deux cents afghanis, ce qui me parut assez cher, mais je lui remis l'argent. Il revint une heure et demie plus tard avec un poulet vivant. Chris poussa un soupir et fit le geste de s'enfoncer un poignard dans le cœur pour leur dire qu'elle ne voulait pas d'un poulet vivant. Cela ne posa pas le moindre problème : le peintre alla le tuer dans la cour et le lui rapporta. Elle lui retira quelques plumes et les mit contre un bâton. Il comprit alors ; il acheva de plumer la bête, attacha les plumes à un bâton avec une ficelle, puis lui présenta son plumeau improvisé aussi fièrement que s'il lui offrait un bouquet de roses. Un peu plus tard, la voyant utiliser cette chose et constatant que le manche était rouge, je lui demandai quel mur elle avait peint avec cette couleur.

— C'est du sang, dit-elle.

Elle avait, avec les peintres, mangé le poulet pour le déjeuner.

Pauvre Chris ! Elle était venue au pire moment de l'année, même si ce n'était pas encore ce qu'on appelle la « saison terroriste » – les terroristes rentrent au Pakistan quand la température est au plus bas. L'hiver est une période difficile. Il fait froid, et personne n'a de chauffage central. On doit s'habituer à utiliser les bokaris. Avant de se coucher, il faut veiller à ce qu'ils brûlent fort – pas trop pour que cela ne vous empêche pas de dormir, mais le feu doit être suffisamment important pour brûler toute la nuit. Si le bokari meurt, votre chambre se refroidit tellement que votre haleine forme un petit nuage quand le mollah vous réveille à quatre heures et demie du matin. Chris ne resta pas assez de temps pour apprendre à maîtriser son bokari, et elle grelotta de froid pendant tout son séjour.

Malgré ces conditions de vie pénibles, mon amie américaine réussit à créer un ensemble salon-école qui n'avait rien à envier à ce qu'on pouvait voir aux Etats-Unis. La pièce principale reprenait un thème égyptien, avec des personnages ressemblant à Cléopâtre et ses servantes encadrant chaque grand miroir – chacun portant miroirs, brosses à cheveux, tasses à thé, et autres accessoires. La pièce consacrée aux manucures et pédicures était splendide. Chris avait construit une plateforme avec des lavabos encastrés et recouvert l'espace restant de tapis afghans. Le plafond était drapé d'étoffes, si bien qu'en levant les yeux on avait l'impression d'être sous une tente. Le reste de la pièce avait été peint pour donner l'apparence d'un pavillon ouvert sur la mer – avec des murs turquoise et, en trompe-l'œil, des piliers séparés par des treillages ponctués de médaillons pourpre et blanc. Plusieurs mois après le départ de Chris, je reçus au salon des collaboratrices d'une ONG dont la rue avait été bombardée. Elles s'étaient réveillées au milieu de la nuit, couvertes d'éclats de verre provenant de leurs fenêtres, et avaient grand besoin d'être dorlotées. Je bénis Chris en voyant les femmes se calmer peu à peu dans sa magnifique pièce turquoise.

Quand Noël arriva, nous avions terminé d'emménager dans nos nouveaux locaux. Le salon reçut un nouveau nom : l'Oasis. Sachant que le volume d'affaires augmenterait dans ces locaux plus spacieux et mieux décorés, je proposai à Topekai, Basira et Bahar de les engager à plein temps, à condition qu'elles m'aident à former un nouveau groupe d'enseignantes pour la prochaine session. J'ouvris donc le salon quatre jours par semaine et m'occupai de l'école les trois autres.

Nous engageâmes également d'autres personnes pour l'ensemble de la résidence : une gentille jeune fille appelée Maryam comme cuisinière, une petite Afghane farouche du nom de Laila comme traductrice, et un homme sympathique nommé Ahmed Zia comme chowkidor. Ahmed Zia et les autres hommes installèrent l'électricité dans la cabane du chowkidor pour brancher un téléviseur et un lustre en verre avec des pendeloques. Ils couvrirent les murs de posters de stars de Bollywood. Les hommes s'attardaient là-bas longtemps après le coucher du soleil. Parfois, à l'heure du dîner, je téléphonais à Sam afin de savoir pourquoi il n'était pas encore rentré : en fait, il était là depuis une heure et regardait le foot dans la cabane du chowkidor. Il arrivait que huit hommes s'entassent dans cet endroit juste assez grand pour deux.

— Ne lui parle pas la première, dit Laila. Tu dois lui montrer que tu es la plus forte !

Topekai me regarda avec des yeux sérieux, puis me passa les bras autour du cou.

— Tu es ma sœur, dit-elle. Qu'est-ce que je peux faire pour toi ?

Basira croisa les bras et pinça les lèvres en signe de mépris.

— Aucun homme ne mérite les pleurs, Debbie. Fini les larmes pour aujourd'hui.

Mes sanglots redoublèrent. Heureusement, l'école n'avait pas recommencé, et toutes mes clientes avaient quitté le pays pour les vacances. Mon visage était rouge, couvert de marbrures et enflé. Le contraire d'une publicité pour un salon de beauté.

Mes relations avec Sam étaient devenues de plus en plus difficiles depuis le début d'octobre à cause de ma hantise croissante de la grossesse de son autre femme. La sachant dans son neuvième mois, je ne pris aucun plaisir à notre anniversaire de mariage. Je ne profitai pas non plus du mien car je craignais que le bébé ne naisse le même jour que moi, et que chaque année je ne sois contrainte de me remémorer son existence. Ces deux dates passées, je me détendis un peu et attendis que Sam me tienne au courant. Il ne dit rien. Quand, aux environs de Thanksgiving, je lui demandai des nouvelles du bébé, il me répondit qu'il était né quelques semaines auparavant et que c'était un garçon.

Sachant l'importance que les Afghans donnent aux garçons, je fus anéantie. Mes amis de Kaboul prétendaient que c'était la meilleure chose qui pouvait m'arriver : les parents de Sam seraient maintenant plus gentils avec la première femme et arrêteraient de l'inciter à avoir des rapports sexuels avec elle. Je ne devais pas oublier que j'étais toujours sa femme préférée, celle avec laquelle il voulait vivre. Dans mes moments les plus sombres, je me demandais néanmoins combien de temps cela durerait. Sam n'avait pas parlé à ses parents de notre mariage, sa mère l'avait su par un parent vivant à Kaboul. Elle avait téléphoné à Sam, furieuse, pour lui dire qu'elle avait appris qu'il avait épousé une vieille Américaine. Il lui avait menti, lui assurant que j'avais seulement trente-deux ans. Elle avait demandé si nous avions des enfants. Il lui avait répondu que non et avait ajouté que, comme toute Américaine, j'avais subi une opération à trente ans pour ne plus avoir d'enfants. Sa mère aurait été encore plus courroucée de connaître la vérité, et surtout de savoir que j'avais dix ans de plus que Sam. Toutefois, j'aurais préféré que Sam puisse parler de moi autrement.

A présent, je pleurais parce qu'il était parti depuis des heures – ce qui semblait d'ailleurs toujours le cas – et que je manquais cruellement d'affection. C'était mon premier Noël en Afghanistan, et je n'avais jamais été aussi déprimée d'être loin de chez moi. Zach était reparti, il me manquait terriblement. Sam savait combien ce jour avait d'importance pour moi, mais il semblait l'avoir oublié. Cette veille de Noël avait été une journée froide, poussiéreuse et bruyante, avec le bruit des générateurs tout le long de la rue. Un jour d'hiver ordinaire à Kaboul.

Quelqu'un avait dû téléphoner à Sam pour lui dire combien j'étais malheureuse. Je levai les yeux pour le voir se précipiter dans la maison. Il me fit une petite caresse sur la tête, ce qui était de sa part un signe d'affection rare, surtout devant d'autres personnes.

— Bien sûr, nous allons fêter Noël ici, dans ce pays

musulman, dit-il. Nous aurons un meilleur Noël musulman que jamais.

Il réunit le personnel et leur dit que nous allions donner une fête. Quand il eut expliqué que les Américains mangeaient toujours de la dinde pour leur dîner de Noël, Ahmed Zia se mit en quête d'une dinde. Bientôt, un vieil homme arriva à la grille de la résidence avec six dindes vivantes attachées par les pattes, disposées autour de son cou. Je devais en choisir deux. Le vieil homme les détacha pour les laisser courir dans la résidence. Pour me déculpabiliser de leur sacrifice imminent, je leur apportai des tonnes de nourriture. Quand le moment de la mise à mort arriva le lendemain matin, Maryam, la cuisinière, s'aperçut qu'elle n'avait pas de couteau assez affûté. Toutes les boucheries étant fermées ce jour-là, elle les prit sous son bras et les emporta au poste de police pour demander aux policiers de les décapiter. Elle s'apprêtait à les faire cuire quand le courant fut coupé, et il nous fut impossible de trouver un générateur pour faire fonctionner le four. Maryam mit les dindes dans une grande Cocotte-Minute, qui se mit à tressauter et à siffler sur le feu préparé par Shaz dans le jardin. On aurait cru une bombe plutôt qu'un repas de Noël.

Le 25 décembre, Zilgai et son frère, qui était fleuriste, vinrent décorer la maison. Ils accrochèrent des branches d'olivier en plastique autour des portes et installèrent de petites forêts d'orangers en plastique dans le salon. Ils devaient penser que les oranges ressemblaient à des décorations de Noël. Puis la fête commença. Les femmes – c'est-à-dire les esthéticiennes, le personnel féminin ainsi que les épouses, mères et sœurs du personnel masculin – montèrent l'une après l'autre dans notre salon, tandis que les hommes restaient en bas dans l'institut de beauté. Dans chaque pièce quelqu'un mit un CD de musique afghane, et on commença à danser.

Je regardais Maryam et sa sœur tournoyer l'une autour de l'autre, quand soudain elles s'arrêtèrent. Sam était à côté de moi, tenant un bouquet de fleurs et une énorme boîte.

— Pour toi, dit-il

Toutes les femmes se turent quand j'ouvris mon cadeau, puis se pressèrent autour de moi. Elles retinrent leur souffle pendant que j'enlevais le papier de soie qui enveloppait un objet d'un rouge aveuglant. C'était une robe traditionnelle afghane, décorée d'une myriade de petits miroirs, de perles et de paillettes.

— Quelle robe ! m'exclamai-je en la sortant.

Elle était si lourde que son poids faillit m'entraîner vers l'avant.

— Mets-la !

Sam me fit signe d'aller dans notre chambre à coucher.

Je mis un certain temps pour enfiler la robe. Il m'aurait fallu, comme les reines, deux ou trois femmes de chambre pour m'habiller. Quand toutes les fermetures à glissière furent remontées, les boutons boutonnés, l'écharpe assortie drapée sur ma tête, je retournai au salon en titubant. Sam m'attendait, un bonnet de père Noël sur la tête. Malgré la musique afghane assourdissante, il voulut me faire danser une valse. Je pouvais à peine bouger. Ma robe de fête clinquante me donnait l'impression d'être sur une autre planète, où la force de gravité est supérieure à la nôtre. Je commençais à avoir mal partout. Ce qui ne m'empêchait pas de pleurer de joie car Sam m'avait offert un cadeau de Noël.

— Il t'aime tellement ! dit une femme quand je trébuchai devant elle dans les bras de mon mari.

La porte de l'école claqua, mais le bonjour chantant de Mina ne retentit pas comme à l'accoutumée. Elle se réfugia vers l'arrière de la maison, tête basse. Bientôt j'entendis des sanglots étouffés. J'étais avec un groupe d'étudiantes, écoutant trois nouvelles enseignantes expliquer le concept de la coloration. Nous échangeâmes des regards perplexes, la traductrice Laila et moi, puis je l'entraînai vers le couloir afin qu'elle m'aide à élucider le problème de Mina. Celle-ci se cachait dans la belle pièce turquoise réservée à la manucure et à la pédicure. Quand elle leva la tête, nous vîmes qu'elle avait dû pleurer longtemps. Elle ne s'était même pas maquillée ce matin-là, ce qui la rendait presque méconnaissable, car Mina soulignait toujours ses magnifiques yeux en amande d'un bon centimètre d'eye-liner. Laila et elle s'entretinrent quelques instants, puis Laila se tourna vers moi.

— Elle a besoin d'un logement pour son petit garçon.

— Je croyais qu'elle le laissait tous les jours chez sa mère.

— Elle ne peut plus l'y emmener

– Pourquoi ?

— Parce qu'ils l'ont reniée. Elle doit trouver un autre endroit où l'emmener, ou rester chez elle.

— Pourquoi l'ont-ils reniée ?

— Il y a une dispute avec le mari concernant la dot.

Sam avait fait venir Mina à l'Oasis quand les affaires avaient repris avec le retour des étrangers de leurs vacances de Noël. C'était une superbe jeune fille avec des cheveux noirs, des yeux noirs, et le plus grand sourire de tout l'Afghanistan.

— Ma cousine Mina, m'avait-il dit. Trouve un travail pour elle ici.

— Je n'ai pas les moyens d'engager encore quelqu'un.

J'accompagnai mon argument d'un sourire contrit pour que Mina comprenne que je refusais, mais elle parut aussi réjouie que si je venais de lui promettre un poste de directrice adjointe.

— Tu as besoin d'une femme de ménage en plus. Shaz est trop vieille et trop usée.

Shaz était beaucoup plus jeune que moi, et se révélait une travailleuse hors de pair.

— Elle n'a pas besoin d'aide, Sam.

— Tu n'as pas besoin de payer Mina.

— Je ne peux pas la faire travailler sans la payer.

— Tu la prends, Debbie ! Elle reste à la maison toute la journée avec son bébé, et pas de chauffage.

J'embauchai Mina. Elle déposa son enfant chaque jour chez sa mère et, petit à petit, se rendit indispensable.

Avec cette école et cet institut plus grands, l'entretien était beaucoup plus important. Je fis l'acquisition d'une machine à laver le linge et d'un sèche-linge, car nous étions toujours à court de serviettes. Mais ces machines n'allégèrent pas la charge de travail autant que je l'avais espéré. La machine à laver ne se remplissait pas d'eau toute seule. Nous devions nous munir de seaux d'eau chaude et froide et les verser pour obtenir la bonne température. Puis nous la mettions en marche, et la machine agitait vaguement le linge. Pour la vider, il fallait enlever le tuyau à l'arrière et laisser couler l'eau. Pour ce faire, nous devions chausser des tongs et rouler nos bas de pantalons car le sol était inondé. Nous nous mettions à trois – Shaz, Mina et moi – pour laver les serviettes. La plupart du temps, il n'y avait pas assez de courant non plus pour faire fonctionner le sèche-linge. Si on le mettait en marche, les sèche-cheveux et tous les autres appareils électriques s'arrêtaient. Nous préférions suspendre les serviettes un peu partout pour les faire sécher. Notre dernière tâche de la journée consistait à draper des serviettes sur les chaises et les meubles du salon, ce qui donnait un air sinistre à l'endroit.

Sam commença par se réjouir que j'aie fourni du travail à Mina, sa mère lui ayant donné l'ordre de s'en occuper. Mais il changea d'avis quand il vit ce qu'elle faisait. Un jour, Sam m'entendit lui expliquer que les toilettes devaient être nettoyées beaucoup plus soigneusement, avant l'ouverture du salon le matin. Je voulais donner à mes clientes l'impression d'échapper, pendant quelques heures, à la poussière de Kaboul.

— Mina ne doit pas nettoyer les toilettes, dit-il en fronçant les sourcils.

— Pourquoi ?

— Ce n'est pas convenable. Personne de ma famille ne fait ce genre de travail. Jamais de nettoyage difficile, seulement facile.

Je soupirai. Apparemment, j'avais une nouvelle fois attenté à l'honneur de sa famille.

— Qu'a-t-elle le droit de faire ? Peut-elle balayer ?

— Pas balayer.

— Dépoussiérer ?

— Dépoussiérer, d'accord. Servir le thé, d'accord. Pas les toilettes.

Mina, elle, ne semblait attacher aucune importance à la nature de son travail, mais, pour apaiser la susceptibilité de caste de Sam, je redonnai la pleine responsabilité des toilettes à Shaz. Chaque matin, Mina enlevait la poussière de toutes les étagères de produits de beauté et nettoyait les miroirs. Cela m'aidait beaucoup, car je n'avais jamais pu convaincre les esthéticiennes que le fait de veiller à la propreté de leur lieu de travail n'était pas indigne d'elles. Mina aidait également Maryam à préparer les repas pour le personnel, les esthéticiennes, les enseignantes et les élèves. Je les entendais souvent chantonner dans la cuisine en épluchant des aubergines ou en pétrissant la pâte pour l'aushak, une sorte de ravioli afghan fourré de poireaux et d'échalotes. Chaque fois qu'une cliente arrivait au salon, Mina surgissait sans bruit avec un grand sourire, deux carafes de thé et ses quelques mots d'anglais.

— Vous vouloir thé ? Vous vouloir thé noir ? Thé vert ? Sucre ?

Mina apportait à l'endroit une touche de folie joyeuse qui se révéla aussi indispensable que ses petites tâches ménagères. Etant la cousine de Sam, elle prenait davantage ses aises dans la résidence que les autres filles. Un matin, Shaz et elle secouaient les tapis devant la maison et lavaient la cour au jet. Tout à coup, elles se mirent à s'envoyer de l'eau : les vitres du salon furent complètement trempées, et l'eau parvint jusque sur le côté de la cour où quelques vieux postes de coiffure étaient stockés. Mina aspergea également Zilgai, qui se rendait de la porte d'entrée à la cuisine. Délaissant mes clientes, je ne pus m'empêcher de courir dehors et de m'emparer du tuyau pour éclabousser Mina. Elle se mit à hurler, ses vêtements larges lui collèrent au corps, et je remarquai combien elle était frêle. Elle plongea pour reprendre la maîtrise du tuyau, encouragée par les esthéticiennes et les clientes qui avaient passé la tête dehors. Elle m'aspergea d'abord, puis se retourna et vit Sam arriver en costume-cravate, sa serviette sous le bras. Il nous regarda sévèrement, ses lunettes de soleil braquées dans notre direction ; alors Mina pointa le tuyau vers lui. Malgré ses efforts pour faire dévier le flot avec sa serviette, il fut trempé de la tête aux pieds. Quand Mina s'arrêta, nous avions devant nous un moudjahid furieux. Il ramassa sa serviette et passa près de nous d'un pas lourd, des gouttelettes d'eau perlant dans sa moustache. Jamais je n'aurais eu l'audace de le traiter ainsi.

A présent, le visage de Mina n'avait plus aucun éclat. Le problème existait depuis des mois – des années même –, et elle ne pouvait plus le dissimuler derrière son sourire éclatant.

La famille de Mina, qui venait du nord-est, près du Tadjikistan, comptait six filles et deux garçons, dont l'un plus âgé que Mina. Leur père était enseignant, mais sa réputation dans le village était celle d'un ivrogne. Dès qu'il touchait sa paie, il dépensait tout son argent pour boire et se mettait à chanter jusqu'à ce que sa bonne humeur tourne à la colère. Il passait alors ce qui lui restait d'ivresse à se battre. Sa femme avait fini par trouver le moyen de lui prendre son argent, et elle le cachait. Quand il était sobre, il se ralliait à cette solution mais, quand il se mettait à boire, il se battait avec elle pour qu'elle lui rende l'argent restant. Il lui arrivait également de se battre avec son fils aîné. D'après Mina, il buvait parce qu'il était triste que sa famille soit si pauvre et ait tant de dettes.

Pendant la guerre contre les Russes, le père de Mina avait installé la famille à Kaboul. Mais, quand débuta la guerre des moudjahidin, il devint dangereux pour les enfants d'aller à l'école, et il perdit son travail. Il ramena donc la famille près de la frontière du Tadjikistan, et ils s'installèrent dans une pièce chez son frère. L'oncle de Mina était riche, mais il était mécontent de devoir accueillir la famille de son frère et les traita mal. Son père ne trouvait pas de travail. Sa famille connut la disette, parfois pendant des jours. L'oncle et les siens se réunissaient dans la pièce à côté, et mangeaient entre eux. Mina et son frère aîné les regardaient souvent manger par la fenêtre, affamés, le ventre creux. Leur tante sortait alors et les chassait en les traitant de mendiants.

Enfin, son frère obtint un poste d'enseignant à Kaboul, et la famille eut alors les moyens de louer une maison. Le frère se maria, et il vécut avec sa femme dans une chambre au premier étage. Mina aurait dû aller au collège à cette époque, mais sa famille ne voulait pas la laisser sortir, de peur que les talibans ne s'emparent d'elle. Puis un homme se présenta à la maison pour dire qu'il voulait épouser Mina. Ce n'était pas un taliban, mais ses parents refusèrent. Elle avait quatorze ans, et lui une quarantaine d'années. D'ailleurs, la famille le jugeait trop laid pour la belle Mina.

Pendant trois ans, cet homme continua à demander la main de Mina. Elle n'y pensait plus, certaine que son père continuerait à lui dire non. Plusieurs de ses cousins étaient jeunes et beaux : elle espérait que, une fois en âge de se marier, l'un d'eux persuaderait ses parents d'envisager une union avec Mina. Les filles et les garçons n'ont pas le droit de se fréquenter en Afghanistan, de sortir ou de flirter en public. Pourtant, une jolie fille peut envoûter un homme rien qu'à sa manière de draper son voile ; Mina espérait qu'un de ses cousins la remarquerait. Elle ne voulait pas d'un mari de quarante-sept ans. Compte tenu de l'espérance de vie en Afghanistan, cela équivalait à épouser un homme de quatre-vingt-dix ans.

Puis son frère emprunta de l'argent à l'affreux vieux prétendant, pour un investissement qui tourna court. Le frère ne pouvant pas le rembourser, le prétendant réclama Mina en paiement. Son père accepta à contrecœur et sacrifia sa fille pour sauver l'honneur de la famille. Mina supplia son père et son frère de ne pas l'obliger à se marier. De nombreux jeunes gens avaient déjà demandé sa main. Son père refusa ; elle devait épouser le premier des prétendants.

Après le mariage, la rancune se fit sentir parmi les hommes de la famille, puis la crise éclata. Le père de Mina et son frère s'opposaient car le frère avait quitté la maison, contrairement aux usages afghans. Le frère était très épris de sa femme, qui avait réussi à le convaincre de vivre dans leur propre maison, ce qui avait offensé le père de Mina. Il s'en prit de nouveau à son fils quand celui-ci ne put honorer sa dette ; il avait escompté obtenir une belle dot pour sa fille, mais, à cause de lui, il n'avait rien eu. Le père était également en colère contre le mari de Mina car il l'avait emportée pour presque rien. Le mari était courroucé parce qu'il avait perdu son emploi après le mariage et regrettait d'avoir prêté de l'argent au frère de Mina car il n'avait plus les moyens d'investir lui-même dans une nouvelle entreprise. Toute cette colère se focalisait sur la personne qui était le moins responsable : Mina.

Tandis que Mina continuait à sangloter, Laila m'apprit que le père et le frère de Mina s'étaient remis à se quereller. Au cours d'un dîner, le père avait frappé son fils, l'accusant d'être responsable de l'absence de dot pour Mina. Le frère rétorqua qu'il ne voulait plus se soucier des problèmes financiers de la famille. D'ailleurs, la dot ne le concernait pas. Si son père en voulait une, il n'avait qu'à aborder le sujet avec le mari de Mina. Le père se rendit alors chez le mari pour lui réclamer une dot, que ce dernier ne pouvait pas payer. Il résulta de toute cette histoire que le père décida de renier Mina tant que la dot ne serait pas payée. Il demanda à la mère de Mina de couper les ponts avec sa fille et son fils, jusqu'à ce qu'il ait reçu l'argent. Cette décision avait mis Mina et sa mère au supplice.

— Où est l'enfant ?

Je n'aurais pas été étonné qu'il soit caché sous la grande écharpe noire de Mina.

— Chez une voisine, mais uniquement pour la journée, dit Laila.

Un peu plus tard, j'expliquai à Sam tout ce micmac. Il aurait préféré ne pas s'en mêler, mais puisque Mina était une parente – bien qu'éloignée –, il me promit d'essayer. Le lendemain, Mina vint travailler avec son fils. C'était un adorable petit garçon à la peau mate, avec des cheveux roux indisciplinés et des yeux bordés de khôl.

— Pour chasser l'œil du Malin, m'expliqua Laila.

Comment pouvais-je lui refuser de venir au travail avec son enfant ? Toutefois, je ne voulais pas le voir traîner partout ; il y avait trop de ciseaux pointus et de produits dangereux. Mon chowkidor, mon plombier, mon chauffeur se proposèrent pour s'en occuper. Pendant la crise de la dot, je ne vis presque jamais le petit bonhomme pendant les heures de travail. Un jour arriva une cliente qui travaillait pour une ONG défendant à ses employés de se rendre dans des endroits qui n'étaient pas strictement sécurisés.

— Il est bien jeune, votre chowkidor, me dit-elle sèchement.

Je fronçai les sourcils.

— Il a au moins trente ans !

— Plutôt dix-huit mois !

Je sortis pour voir ce qu'il en était : Ahmed Zia avait enfermé le fils de Mina dans la cabane du chowkidor pendant qu'il était allé faire une course. Le petit garçon était assis par terre et regardait la télévision. J'appelai Zilgai et lui demandai d'attendre avec l'enfant le retour d'Ahmed Zia. Ce jour-là, après le travail, le petit garçon vint au salon avec un balai que Zilgai lui avait fabriqué, et nous aida à balayer les cheveux.

Sam réussit à calmer la crise pendant un temps. Il avait menacé les trois hommes – père, frère et mari – de faire appel à ses anciens amis moudjahidin pour leur infliger une correction s'ils n'arrêtaient pas de tourmenter Mina. Du moins, c'est ce qu'il me dit. Je crois plutôt qu'il préféra payer la dot lui-même.

Mais, quelques semaines plus tard, Mina arriva de nouveau en pleurs. Cette fois, un bleu lui couvrait la moitié du visage, et ses bras portaient des marques de coups. Une nouvelle fois, elle avait été victime des disputes entre les hommes de sa famille.

Un oncle qui habitait près du Tadjikistan – pas le méchant de sa jeunesse – était venu à Kaboul pour leur rendre visite. Il voulait tout particulièrement voir Mina. Elle fut donc invitée chez ses parents avec son mari et son enfant. Peu après leur arrivée, son mari se mit à fulminer parce que son père et son oncle buvaient, et il manifesta le désir de partir. L'oncle lui demanda de surseoir à son départ car il voulait passer un moment avec sa nièce préférée. Mina posa la main sur le bras de son mari pour le supplier de rester. Ce qui rendit son mari furieux. Il la saisit par les cheveux, l'entraîna dehors et se mit à la battre devant la maison de son père. Celui-ci sortit en trombe et ordonna au mari de s'en aller. Ce n'était pas qu'elle soit battue qui lui déplaisait, mais que ce ne soit pas lui qui inflige la correction. Une fille ne peut pas être battue par quelqu'un d'autre que son père dans la maison de celui-ci. Le mari s'en alla, dégoûté et furieux, emmenant le petit garçon avec lui. Mina, hystérique, passa la nuit avec ses parents.

Je la pris dans mes bras.

— Tu peux venir vivre avec moi. A moins que tu puisses quitter ton mari et retourner chez tes parents !

Ses sanglots redoublèrent.

— Si elle agit ainsi, elle perdra son fils, expliqua Laila. Elle ne pourra le garder que si elle retourne auprès de son mari. Mais son père menace maintenant de faire annuler le mariage. Il est dans son droit, puisque la dot n'a jamais été payée.

Même si Mina n'avait pas la moindre envie de vivre avec son mari vieux et laid, elle savait qu'elle perdrait son fils si le mariage était annulé. Mais, une fois de plus, elle n'avait pas le choix. Son père était le seul à pouvoir décider.

Alors, pour la deuxième fois, Sam alla parler avec le père et le mari. Il réussit à convaincre le père de ne pas faire annuler le mariage. Comme il n'était pas apparenté au mari, il menaça de le tuer si jamais il battait à nouveau Mina. Pendant une semaine, elle resta chez ses parents avec son fils. A la fin de la semaine, le mari vint demander l'indulgence du père, qui lui rendit Mina.

Bien que la vie eût repris son cours normal, la jeune femme était toujours malheureuse et craintive. Je savais qu'elle voulait entrer à l'école de beauté et j'avais remarqué qu'elle était douée pour la coiffure, mais elle ne m'avait jamais fait part de son désir. Je l'invitai donc un jour à prendre le thé avec Sam et moi.

— J'ai une surprise pour toi, lui dis-je, espérant faire revenir la lumière dans ses yeux. Je t'inscris pour la prochaine session.

Sam traduisit, mais Mina se contenta de secouer tristement la tête.

— Elle dit qu'elle ne peut pas. Son mari ne travaille pas. Ils ont besoin de l'argent qu'elle gagne en faisant le ménage.

— J'y ai pensé, répondis-je. Elle pourra toujours travailler quelques heures par jour comme femme de ménage, et je lui donnerai son salaire complet. Elle pourra me rembourser en travaillant au salon quand elle aura obtenu son diplôme.

— Tu la feras travailler gratuitement plus tard ? demanda Sam.

— Bien sûr que non, mais je ne veux pas qu'elle le prenne pour de la charité ! Dis-lui que si elle travaille sérieusement et se classe parmi les meilleures, je l'engagerai comme coiffeuse à plein temps.

Quand Sam lui eut traduit mes paroles, Mina retrouva le sourire. Elle pleura aussi un peu, mais se mit bientôt à sautiller dans la résidence comme si elle était redevenue une petite fille insouciante.

Elle intégra la cinquième promotion, et j'eus rapidement des doutes quant à ma promesse. Mina ne paraissait pas capable d'une attention suffisante pour apprendre la coiffure. Elle était douée, mais, dans sa classe, les autres étaient particulièrement ambitieuses, avec du talent et de la volonté. Si Mina ne sortait pas parmi les premières de la classe, elle ne pourrait rejoindre mon équipe, et je devrais affronter sa déception et la colère de la famille de Sam, en direct d'Arabie saoudite. Il appartenait à mes enseignantes de sélectionner les meilleures élèves : je ne pouvais pas m'immiscer dans leurs décisions. Cela aurait été injuste pour les autres étudiantes. Quand la classe aborda la phase des examens, je devins de plus en plus anxieuse. Mina débordait d'énergie. Quelques jours avant la remise des diplômes, elle s'entendit avec les filles au salon pour qu'elles prennent des photos et des vidéos d'elle pendant la cérémonie. Elle voulait en envoyer des copies à sa famille, partout en Afghanistan.

— Je suis si heureuse ! s'écria-t-elle. Jusqu'à maintenant, je n'avais jamais rien réussi.

La remise des diplômes eut lieu un jour d'hiver ensoleillé, dans la salle Cléopâtre. Mes élèves commencèrent à arriver des heures en avance. Elles étaient superbes ! Il y avait dans la salle assez de strass, de paillettes, de torsades dorées, de bijoux tape-à-l'œil pour illuminer un ciel sans lune. Mes élèves portaient des ensembles magnifiques qu'elles avaient probablement confectionnés elles-mêmes, et des chaussures pointues comme je n'en avais jamais vu. Mina ne portait pas de strass, mais elle s'était affublée de faux seins : quatre soutiens-gorge rembourrés sous son pull. Les enseignantes, les coiffeuses de l'Oasis et quelques-unes de mes anciennes élèves étaient également présentes, assises sur des chaises pliantes alignées contre le mur. C'était le jour de gloire des nouvelles diplômées, et personne ne voulait leur voler la vedette.

Nous avions prévu de danser ; tous les hommes avaient donc été bannis de la résidence, et les portes sur la rue verrouillées. Les filles, qui étaient venues avec leurs CD favoris, dansèrent pendant plus d'une heure, tournoyant, se balançant et s'agitant par deux pendant que les autres applaudissaient et chantaient. Personne n'avait le droit de rester assis – je fus entraînée au milieu de la salle, comme les professeurs et les quelques invitées occidentales. La façon de danser des filles était profondément sensuelle. Comme chaque fois, j'étais heureuse de constater que la musique faisait ressortir un autre aspect de leur personnalité. C'étaient souvent les plus calmes, vêtues de sombre, qui se révélaient les danseuses les plus provocantes.

Nous dûmes laisser entrer deux hommes dans le salon, mais seulement pour un instant. C'étaient Sam et Ahmed Zia, qui apportaient un énorme gâteau sur une table roulante à bigoudis. La danse cessa, et tout le monde se rassembla pour admirer le glaçage blanc et crémeux. Je m'avançai alors au milieu de la salle pour faire mon discours.

— Je suis très fière de vous toutes.

J'essayais de retenir mes larmes, qui risquaient de gâcher mon maquillage et peut-être même ma robe en soie.

— Rien ne peut me donner autant de plaisir que de vous aider à devenir esthéticiennes. Je n'ai jamais connu un groupe de femmes capables de travailler autant pour réussir. Vous avez changé ma vie en me donnant l'occasion d'être votre professeur, et je sais que, grâce à vous, l'Afghanistan changera pour le mieux.

Je répète cela à chaque formation, et c'est chaque fois vrai. Leur détermination me coupe le souffle.

Puis les filles se rapprochèrent en se tenant la main, pendant que je m'apprêtais à annoncer les quatre meilleures élèves. C'est le moment le plus délicat, parce qu'elles veulent toutes figurer sur cette liste. Si cela n'avait tenu qu'à moi, il n'y aurait pas eu de classement, mais les filles insistaient pour qu'il y ait un esprit de compétition au sein de la promotion. Je regardai tous ces visages auxquels je m'étais attachée, et je commençai à lire la liste qui m'avait été remise par les enseignantes.

— Shukria ! lançai-je.

Une fille aux longs cheveux noirs couverts de paillettes poussa un cri et vint se placer à côté de moi.

— Mazari !

Une grande fille mince tout en blanc s'avança.

— Tordai !

Une fille peu bavarde, avec des cheveux courts et bouclés, nous rejoignit au milieu de la salle.

Les autres étudiantes se pressaient les unes contre les autres, le désespoir se peignant sur leurs visages. J'inspirai longuement, puis criai :

— Mina !

Elle se mit à sauter avec tant de fougue que les filles qui la filmaient avaient du mal à la suivre. J'embrassai chacune des gagnantes et leur remis leurs prix : des ciseaux de la meilleure qualité et des cisailles pour désépaissir. Puis je distribuai des sacs-cadeaux à toutes les filles, un « salon en boîte » qui leur permettrait de travailler comme esthéticiennes n'importe où : deux serviettes, un séchoir, des petits fers à friser, une tête à coiffer, cinq peignes pour couper, deux peignes pour démêler, deux peignes pour mèches, un peigne pour coiffer, deux brosses à cheveux, des brosses métalliques rondes de deux tailles, une cape de lavage, une cape de coupe, une cape pour la coiffure, une cape pour enfants, une boîte pour mèches en aluminium, une boîte de gants, un jeu de bigoudis, un jeu de tiges pour permanente, un miroir et quantité d'autres choses pour coiffer, et faire les ongles et les pieds. Ces filles n'avaient probablement jamais reçu un cadeau de cette importance. Elles se mirent à hurler si fort en explorant leurs sacs que j'en eus mal aux oreilles

Mina fit sa première pédicure sur une cliente quelques jours plus tard. Elle plongea les pieds de la femme dans l'eau tiède en les tenant comme si c'étaient des objets précieux ; Bahar était accroupie près d'elle pour lui susurrer des encouragements Elle s'en sortit très bien et, pour fêter son premier pourboire, exécuta une petite danse de joie. Elle était radieuse. Son mari devait être satisfait de l'argent qu'elle rapportait.

Mais, un jour, je la trouvai à nouveau en train de pleurer au fond du salon. Sa belle-mère s'était installée chez elle, et elle était furieuse que Mina travaille. Elle harcelait son fils à ce sujet, et il s'était remis à battre Mina. La jeune femme était courbée en deux de douleur à cause des coups et de ce qui était probablement un ulcère causé par le stress. Elle aurait voulu retourner vivre avec sa mère mais elle savait qu'elle perdrait son fils si son père faisait annuler le mariage. Comme elle était employée à plein temps, je décidai qu'elle avait droit à un congé maladie et la renvoyai chez ses parents. Je réussis à convaincre son mari de la laisser prendre leur fils pour deux semaines de vacances. J'espérais que les choses finiraient par s'arranger, car je ne savais plus quoi faire.

9

Un soir, vers la fin du printemps 2005, je regardais par la fenêtre de notre chambre à coucher. La journée avait été particulièrement poussiéreuse à Kaboul, et le ciel était d'un gris opaque, sans la moindre trace d'étoiles ni de lune. Je me sentais claustrophobe dans cette atmosphère chargée de poussière, et j'avais du mal à respirer. Tout à coup, je vis quelque chose de brillant traverser le ciel.

— Regarde, Sam ! criai-je. Une étoile filante !

Sam vint jusqu'à la fenêtre, puis me tapota l'épaule.

— Ce n'est pas une étoile filante, Debbie, dit-il. Ce sont des missiles. On se bat à nouveau.

Le temps chaud faisait sortir les méchants de leur hibernation. Peu de temps après la remise des diplômes, tout l'Afghanistan, même notre petit quartier à Kaboul, connut une période de troubles violents. Il y eut une tentative de kidnapping dans ma rue. Notre cybercafé sauta. Une jeune femme qui travaillait pour une nouvelle chaîne de télévision fut assassinée dans sa cour. Tout le monde soupçonnait son frère, parce qu'elle s'était montrée à l'écran tête nue. Une bénévole italienne, Clementina Cantoni, fut enlevée en sortant de son cours de yoga. Des émeutes suivirent l'annonce, aux informations, que des enquêteurs américains du centre de détention de Guantanamo avaient jeté un exemplaire du Coran dans les toilettes. Le pire fut le viol suivi de strangulation de trois Afghanes employées par des ONG étrangères. Leurs corps furent ensuite jetés au bord d'une route. Une note trouvée sur elles disait que tel serait le sort réservé aux traîtres et aux prostituées.

Chacun essayait de garder le moral et de poursuivre sa tâche, malgré des nouvelles plus déprimantes que jamais. Je mis une petite annonce dans une revue de Kaboul destinée aux étrangers, ce qui me valut un afflux de clientèle, aussi bien des Occidentales que des Afghanes occidentalisées. J'ai toujours dit que l'Afghanistan était le pays idéal pour les mercenaires, les missionnaires, les marginaux et les cœurs brisés. Tous fréquentaient mon salon pour se faire dorloter et échanger les derniers potins. Il m'arrivait d'avoir cinq ou six femmes en même temps, et c'était à qui connaissait l'histoire la plus étonnante. Aucune esthéticienne au monde ne devait avoir une clientèle plus intéressante. Ces femmes faisaient les choses les plus extraordinaires dans les circonstances les plus difficiles. L'une d'elles s'occupait des femmes enceintes dans des villages reculés, accessibles seulement à cheval. Une autre aidait la police à prendre des mesures pour que les enfants circulent dans les rues de Kaboul en toute sécurité. Une autre encore travaillait avec des journalistes afghans à la mise sur pied d'un bureau d'information. J'étais persuadée de faire quelque chose d'important en préparant des femmes à la meilleure des carrières qui soit en Afghanistan – et je le pense encore aujourd'hui. Mais, en écoutant ces femmes parler de leur travail, je me sentais ramenée à plus de modestie. Et je me réjouissais de les voir échanger leurs cartes de visite. J'avais le sentiment d'offrir à ces femmes à la fois un endroit où se détendre et un lieu de rencontre, où elles pouvaient aussi trouver des partenaires pour leurs futurs projets.

L'après-midi, une fois mes employées rentrées chez elles, je continuais à offrir mes services aux hommes. Certains détonnaient dans un salon de beauté, comme les gorilles affectés à la protection de personnalités importantes. Quelques-uns de mes clients ne se déplaçaient que flanqués par un ou deux de ces individus. C'est ainsi que ces gardes du corps finirent par devenir eux aussi des clients. Un jour, j'aperçus l'un d'eux près de la cabane du chowkidor. Il observait la rue. Ses muscles étaient si puissants qu'il pouvait à peine croiser les bras. Il portait une sorte de large ceinture à outils, truffée de munitions et d'armes.

— Tu veux attendre dans l'entrée ? lui criai-je par la fenêtre.

Il se retourna et hocha la tête.

— Je dois monter la garde.

Il avait un beau sourire qui disparaissait presque sous des pattes hirsutes et asymétriques.

— Reviens quand tu auras fini ton service. Je te couperai les cheveux gratuitement !

Il revint quand toutes les esthéticiennes furent parties, accompagné d'un ami. Bientôt, de nombreux gardes du corps se présentèrent après les heures de travail. Certains soirs, le spectacle à l'intérieur du salon était comique. Deux ou trois de ces malabars entraient, posaient leurs pistolets à côté du plateau de bigoudis et s'enfonçaient dans mes fauteuils pour que je leur coupe les cheveux, leur repousse les cuticules ou leur applique un masque. Le tableau était complet avec mes capes roses imprimées de photos de Marilyn Monroe. Sam adorait ces soirées. Je l'appelais chaque fois que ses gorilles favoris étaient au salon. Il rentrait aussitôt pour le plaisir d'échanger des histoires et de comparer leurs armes.

Le temps se réchauffant, de nombreux Occidentaux restaient au salon après la fermeture, et nous pûmes bientôt commencer à organiser des fêtes dehors. Zilgai, le plombier, se révéla un fêtard invétéré. Au son de la musique, ses amis et lui sautaient au milieu de la cour et régalaient l'assistance de leurs danses endiablées. Etant, pour la plupart, assignés à résidence dans leurs quartiers généraux, sans aucune possibilité de voir la réalité de Kaboul, les Occidentaux adoraient ces fêtes. Ce n'était pas tout à fait le vrai Kaboul, mais c'était, pour eux, ce qui s'en rapprochait le plus. J'engageais des musiciens afghans et Maryam préparait des plats locaux ; Sam invitait ses amis afghans et nous dansions jusque tard dans la nuit. Quand les Occidentaux avaient des relations qui passaient quelques jours en ville pour travailler ou rencontrer des gens, ils me téléphonaient pour savoir s'il y avait fête ce soir-là.

Un groupe d'hommes s'était rassemblé devant ma porte. Ils avaient surgi de partout pour voir l'homme à la longue barbe noire réprimander Ahmed Zia, mon chowkidor. Même les chèvres qui fouillaient dans le tas d'ordures s'approchaient pour voir ce qui se passait. Ahmed Zia me lança un regard inquiet. L'homme à la barbe avait bu, mais je ne le croyais pas dangereux, seulement simple d'esprit.

— Pourquoi fait-il tant d'histoires ? demandai-je à Laila.

Elle pencha la tête vers l'homme, puis haussa les épaules avec un air dégoûté.

— Il dit qu'il veut tuer Ahmed Zia.

— Pourquoi ?

— Parce que tu as déplacé la hutte du chowkidor. Il prétend que, de l'autre côté, c'est son mur.

Je me frayai un chemin à travers les hommes jusqu'à Ahmed Zia.

— Dis-lui que ce n'est pas son mur !

Laila lui arrivait à peine à l'épaule, mais elle n'hésita pas à l'apostropher. On aurait dit une poupée montant à l'assaut – une poupée perchée sur des sandales à talons de quinze centimètres, découvrant des orteils roses. L'homme à la barbe noire la regarda en fronçant les sourcils, puis se remit à crier. Laila se retourna vers moi.

— Il dit qu'il te tuera, Debbie, ainsi que tous les étrangers qui viennent dans ta maison.

— Dis-lui que je vais le dénoncer à la police !

Notre échange continua sur le même mode pendant quelques minutes – il allait nous tuer, nous allions le remettre à la police – quand arriva un de ses frères, un homme décharné au teint cireux avec une oreille déformée. Il me regarda d'un air menaçant et reconduisit son frère chez eux.

Nous savions que ces voisins étaient des fauteurs de troubles. Tous les autres se montraient amicaux et courtois, mais la famille de ces deux-là avait mauvaise réputation dans tout le quartier. Le marchand de légumes, dans la rue d'à côté, m'avait dit qu'ils lui volaient en passant une poignée de haricots ou un chou-fleur, et ricanaient quand il protestait. L'homme qui avait une petite échoppe de fruits secs au bout de la rue – nous l'avions surnommé Karzai en raison de son chapeau en agneau, semblable à celui du président – s'était également plaint de leurs vols. Karzai fumait du haschisch toute la journée et son magasin était rempli de fumée, mais ces individus réussissaient quand même à troubler son nirvana. Mes employées aussi s'étaient plaintes que ces voisins leur faisaient des remarques désobligeantes lorsqu'ils les croisaient dans la rue.

Sam et moi avions eu notre premier affrontement avec eux quelques semaines auparavant. Nous ne recevions pas suffisamment de courant, et nos ampoules éclairaient si peu le soir qu'on y voyait à peine. Chaque fois que nous appelions les services de la ville à ce sujet, on nous répondait : « Demain. » Finalement, nous fîmes installer par un des oncles de Sam un câble d'un diamètre plus important entre la centrale et notre maison. Je m'étonne qu'il ne se soit pas électrocuté, mais on procède souvent à ce genre de réparation à Kaboul. Pour autant que l'on pouvait appeler cela « réparation » : nos ampoules éclairaient mieux le soir, mais des flammes sortaient de toutes mes prises. Les voisins malveillants étaient furieux. Ils n'arrêtèrent pas d'insulter l'oncle de Sam pendant que celui-ci, perché sur le toit, se débattait avec des câbles sous tension. Ils devaient craindre que, de là-haut, il puisse voir leurs femmes dans la cour de leur maison.

Peu de temps après, un soir, Sam et moi étions en train de regarder la télévision dans notre chambre lorsque, tout à coup, nous entendîmes le bruit de fusils qu'on armait. Je saisis mes chaussures et mon foulard, prête à aller voir dehors ce qui se passait, mais Sam me retint.

— Tu veux te faire tuer ?

Nous nous rendîmes dans la petite pièce où j'avais installé une table d'examen pour faire des massages, et nous regardâmes par la fenêtre. Sur tous les toits entourant notre maison, des hommes vêtus de noir rampaient en direction de la résidence de nos voisins. Puis ils sautèrent des toits et se précipitèrent à l'intérieur. Pendant une heure et demie, nous vîmes les hommes en noir sortir de la maison. Les femmes s'étaient rassemblées autour d'une des dépendances, et nous les entendions pleurer. Puis les hommes en noir réapparurent avec plusieurs prisonniers menottés, les firent monter dans des voitures et les emmenèrent.

Le lendemain, je fus prise d'une insoutenable curiosité. La coiffeuse que j'étais *devait* savoir ce qui s'était passé. Je mis mon foulard et me rendis chez le tailleur, mais il ne savait rien. Pas plus que le fleuriste, ni le petit salon de beauté situé plus haut dans la rue. J'allai voir Karzai. Il se leva d'un bond et me salua comme à l'accoutumée, mais il ne savait rien non plus.

Enfin, Ahmed Zia apprit ce qui s'était passé. La police soupçonnait nos voisins d'être impliqués dans le kidnapping de Clementina Cantoni. La veille au soir, nous avions été témoins d'un raid. La police n'avait pas trouvé Clementina, mais ils avaient découvert une cache d'armes et de drogue. Ils mirent aussi la main sur deux Afghans qui avaient été kidnappés. Ce fut un jour de chance pour ces deux hommes, que la police n'aurait peut-être jamais recherchés. Mais tous ceux qui vivaient, comme nous, dans ce quartier prirent conscience que ces voisins étaient véritablement dangereux.

Une semaine plus tard environ, et après que l'homme à la barbe noire fut venu protester à propos de la cabane du chowkidor, je me réveillai tard un matin et descendis en pyjama, encore plus endormie que d'habitude. Je tombai sur Ahmed Zia, son long menton ensanglanté. Il avait reçu des coups sur le visage, sa chemise était déchirée, et sa lèvre fendue.

— Qu'est-ce qui s'est passé ? demandai-je. Qui t'a cassé la figure ?

Il n'avait pas besoin de traducteur. L'air morose, il se contenta de désigner la maison des voisins.

Je ne suis pas du matin. J'ai besoin de mon café, de mes cigarettes et d'un certain temps avant de commencer ma journée. Autrement, je suis de mauvaise humeur. Je fus prise d'une colère noire. Je saisis mon foulard et la mitraillette de Sam. Suivie de tous mes employés, je me dirigeai en pyjama vers la porte de mes voisins et me mis à donner des coups de pied. Personne ne vint, mais la grille commença à céder, comme si elle était mal verrouillée. Je finis par la pousser, et entrai.

Les femmes sortirent les unes après les autres, et je leur demandai où étaient les hommes. Pas ici, répondirent-elles. Je continuai à crier que je voulais voir les hommes. Tous les voisins s'étaient rassemblés derrière moi. Je criai tous les mots de dari que je connaissais – même ceux qui n'avaient rien à voir avec la situation. Trois hommes fendirent alors la foule devant la porte et entrèrent. Deux d'entre eux étaient ceux qui nous avaient harcelés au sujet de la cabane du chowkidor, et le troisième, un grand et bel homme que j'avais déjà croisé dans la rue. Je savais que c'était leur frère, bien qu'il n'y eût entre eux aucune ressemblance. Ils restèrent là sans mot dire, souriant avec suffisance. Ce qui m'énerva encore plus.

— Lequel d'entre eux a blessé Ahmed Zia ? demandai-je à mon personnel.

Personne ne semblait le savoir ni vouloir le dire, si bien que j'empoignai le bel homme par sa chemise. Je tournai légèrement la tête vers mon personnel.

— Vous, allez chercher la police. Je les surveille.

Ensuite, les événements prirent un tour comique. Mes employées adoptèrent un air dubitatif lorsque Laila leur traduisit ma demande. Elles se mirent à parler entre elles. Apparemment, aucune ne savait comment se mettre en rapport avec la police. Personne n'appelait jamais la police à Kaboul : c'était inutile, car elle ne venait jamais. Il n'existe aucun numéro d'urgence en Afghanistan. Tout mon personnel, sauf Ahmed Zia, partit donc en quête d'une solution pour joindre la police, me laissant avec les frères au bout de ma mitraillette. Ils ne souriaient plus. Finalement, la police arriva. Etait-ce parce que je suis américaine, ou bien parce qu'ils s'intéressaient à cette famille, je l'ignore. Les autres voisins parurent plus surpris par l'intervention de la police qu'ils ne l'avaient été par mon assaut en pyjama.

La police embarqua les trois hommes, et je rentrai chez moi pour m'habiller, prendre mon café et m'occuper de mes clientes. J'étais en train de faire des mèches à une missionnaire lorsque Laila entra en courant dans le salon.

— La mère des criminels est là ! annonça-t-elle.

La mère des mauvais garçons, la grand-mère, plusieurs tantes et épouses, ainsi qu'une ribambelle d'enfants s'étaient rassemblés devant notre porte. Toute la famille venait me supplier de retirer ma plainte. La mère, une grande femme au visage triste et ravagé, était habillée comme pour un enterrement.

— Je m'habillerais de la même façon si j'avais des fils comme les siens, dis-je à Laila. Dis-lui que je ne retirerai pas ma plainte.

La mère essaya de me prendre les mains, mais je les cachai derrière mon dos. Elle parla à Laila à voix basse sur un ton conciliant, mais Laila lui répondit sèchement.

— Elle dit que ses fils t'écriront une lettre d'excuses !

Laila prenait goût à son rôle de traductrice.

— A quoi cela me servira-t-il ?

— Elle promet que ses fils ne te porteront plus préjudice.

— Depuis quand, dans ce pays, une femme peut-elle exercer la moindre autorité sur les hommes de sa famille ? Ils la maltraitent probablement comme les autres.

Je doute que Laila ait traduit cela, mais, une fois qu'elle se fut exprimée, toutes les femmes se mirent à parler en même temps.

— Elles veulent savoir si tu retirerais ta plainte pour leur rendre service.

— *Nai !*

Je secouai la tête en direction du groupe de femmes.

— *Nai ! Nai !* Vos fils sont des voyous, et cela fait trop longtemps qu'ils terrorisent le quartier. Je ferai tout pour qu'ils aillent en prison.

Je rentrai et continuai à travailler, mais, à entendre le bruit dans la rue, je savais que les femmes étaient encore là. On aurait même dit que d'autres personnes s'étaient jointes à elles. J'allai à la porte de la maison : une bonne vingtaine d'Afghans stationnaient devant la grille. Ahmed Zia et Zilgai leur faisaient face, bras croisés, et je vis Laila houspiller un vieil homme coiffé d'un imposant turban gris. Tout cela donnait l'impression que ma maison était assiégée, et pour la première fois, ce jour-là, je m'inquiétai pour notre sécurité. En plus, tous ces gens risquaient de m'empêcher de travailler ! Une de mes clientes téléphona pour me dire qu'elle était passée devant chez moi avec son chauffeur, mais qu'elle avait préféré ne pas s'arrêter, par peur de la foule.

— On dirait une émeute. A moins que vous ne fassiez une distribution d'échantillons de shampoing ?

Je pris mon téléphone pour joindre Sam. J'appelai aussi l'ambassade américaine. J'appelai les Afghanes que je connaissais dont les maris travaillaient pour le gouvernement. J'appelai le ministre de l'Intérieur. Pendant que mes relations s'efforçaient de trouver la personne qui maintiendrait ces hommes en prison et empêcherait leur famille de me tuer, la police me contacta pour me demander de venir au poste, afin que je fournisse des explications sur ce qui s'était produit.

Au poste, un policier imposant, sanglé dans un uniforme vert olive passé, m'accueillit comme si nous étions de vieux amis.

— Assieds-toi, mademoiselle Debbie, assieds-toi ! me dit-il en désignant une chaise.

Un autre policier entra avec du thé. Par l'entremise de Laila, nous échangeâmes quelques amabilités sur le temps et la circulation. Puis il en vint à notre affaire.

— Nous connaissons bien ces hommes, dit-il. Pour nous, ils font partie de la famille qui a kidnappé Clementina Cantoni. Nous n'avons trouvé aucun indice dans leur maison, mais nous avons toutes les raisons de penser qu'ils sont dans le coup.

— Ce sont des terroristes ?

— Oui, mais pas des talibans. Ils agissent seulement pour l'argent et le pouvoir.

Je fis une grimace.

— Alors vous allez les mettre en prison ?

— Nous allons essayer. Mais ils veulent porter plainte contre toi.

— Contre moi ?

Les policiers rougirent un peu en regardant les documents sur leur bureau.

— Ils veulent porter plainte pour immoralité. Ils disent que tu te mets nue sur ton balcon.

Laila éclata de rire.

— Très drôle, lui dis-je. Dis-lui de demander à ces

voyous ce que représente le tatouage que j'ai sur les fesses.

Le policier était suffisamment gêné pour qu'elle s'abstienne de traduire mes propos. Cette accusation ne tenait pas debout : je lui assurai que jamais je ne m'étais montrée nue sur mon balcon. Et même si cela avait été le cas, ces sales types n'auraient jamais pu me voir de chez eux. Il acquiesça, comme s'il avait honte d'avoir dû faire état de cette déplaisante question.

En retournant vers notre camionnette, j'aperçus des soldats du maintien de la paix, appuyés contre leur char. J'en reconnus un et je m'arrêtai pour lui expliquer ce qui se passait et lui faire part de mes craintes concernant une éventuelle vengeance de la part de la famille des terroristes.

— La prochaine fois que vous serez en patrouille, pourriez-vous emprunter ma rue et vous arrêter devant leur maison ? Et, pourquoi pas, pointer ce gros canon sur eux ?

Il me jeta un regard étonné.

— Ce n'est pas comme si je me querellais avec mes voisins parce qu'ils laissent trop pousser leur gazon. Ce sont des criminels ! Demandez à la police.

Il haussa les épaules.

— J'aviserai avec mon chef.

Laila et moi étions sur le point de remonter dans la camionnette quand un des policiers sortit en courant.

— Ah, je vois que vous avez une camionnette, dit-il.

D'après ses explications, le poste de police ne disposait pas d'un véhicule assez grand pour transporter les trois hommes jusqu'à la prison, de l'autre côté de la ville, là où ils méritaient d'aller. Puisque j'étais celle qui avait porté plainte, serait-il possible que j'aide la police en les conduisant à la prison dans ma camionnette – sous escorte, bien entendu ? Le policier était tout petit, avec un sourire anxieux. Je ne sais pas pourquoi j'acceptai. Il se précipita au poste et revint avec les trois individus soupçonnés de kidnapping au bout de son fusil. Après les avoir installés sur la banquette du milieu de ma camionnette, il sauta à l'intérieur et referma la porte. C'était donc lui mon escorte !

Ce fut certainement mon aventure la plus folle en Afghanistan. Le petit policier indiquait la route à mon chauffeur. Les voyous parlaient à leur famille sur leurs portables, se taisant parfois pour se retourner vers nous, Laila et moi, qui étions assises dans le fond, et nous sourire, en bons camarades. Finalement, l'un d'eux me tendit son portable.

— Bonjour, Debbie, dit une voix d'homme. Il paraît que tu as des ennuis avec mes frères. Pourquoi ne pas les laisser partir cette fois, à condition que cela ne se reproduise plus jamais ?

D'après les rumeurs du quartier, je savais qu'ils avaient un autre frère – réputé encore plus dangereux. On disait qu'il se cachait car il était recherché par la police. Je refermai le téléphone et le jetai sur le siège du milieu. Le policier était en pleine conversation avec mon chauffeur pour déterminer le meilleur chemin à prendre. Il ne prêtait aucune attention aux voyous, dont les suppliques à mon endroit devenaient de plus en plus pressantes. Le beau garçon se retourna pour me tapoter le genou.

— Nous ne sommes pas si méchants, tu sais !

Le barbu se retourna à son tour.

— Si tu ne nous laisses pas partir, ce sera très ennuyeux pour nous. Tu vas voir, nous allons devenir de très bons voisins.

J'appelai alors Sam sur mon portable pour lui raconter ce qui se passait.

— Tu es folle ! dit-il. Sors de la voiture avant qu'ils ne vous kidnappent tous.

Par chance, nous étions à quelques pâtés de maisons de notre rue. J'ordonnai à notre chauffeur de rentrer, pour que nous descendions tous de voiture, Laila et moi, ainsi que le policier et les voisins. Sam appela les policiers pour leur demander de venir chercher leurs prisonniers, mais ils n'en firent rien. Les voyous rentrèrent chez eux sous les acclamations de leur famille. Ahmed Zia dut reconduire le policier chez lui.

Quelques jours plus tard, cinq tanks de la Force de paix internationale empruntèrent notre rue pour s'arrêter devant notre résidence. Je courus à la maison des terroristes et frappai à leur grille jusqu'à ce que l'un des frères passe la tête au dehors. En lui montrant les tanks, je lui assurai que si sa famille s'en prenait à qui que ce soit dans le quartier, je ferais exploser leur maison. Je n'en avais pas le pouvoir, bien sûr, mais ils l'ignoraient. Dès lors, plus personne dans le quartier n'eut le moindre problème avec eux. Ils devinrent aussi cordiaux et courtois que mes voisins de toujours dans le Michigan. Et, pour autant que je sache, la police manquait de preuves pour les impliquer dans des actions terroristes.

C'était un jeudi après-midi, le moment de la semaine où mes esthéticiennes s'adonnaient aux plaisanteries et aux taquineries mutuelles concernant le sexe. Le vendredi marque le début du week-end en Afghanistan, et le jeudi soir est consacré aux relations sexuelles dans à peu près tout le pays. Le vendredi est appelé *joma*, et le jeudi soir, *rozi joma*. Ce soir-là, les femmes font une toilette soignée, s'épilent le pubis et s'apprêtent à se donner à leur mari. Suivant la coutume nationale, chaque jeudi après-midi, les filles se lançaient des œillades, se demandant les unes aux autres si elles étaient prêtes pour le *rozi joma*. Quand arrivait le moment des taquineries, Bahar faisait la grimace et détournait la tête. Elle disait à qui voulait l'entendre qu'elle détestait le sexe, et son mari par la même occasion.

Mais ce jeudi-là, Bahar s'assit devant un miroir pour retoucher son maquillage. Basira se pencha au-dessus d'elle, fit des bruits de baisers, et lui dit quelque chose de si obscène que Topekai en rougit. Au lieu de faire la grimace, Bahar eut un grand sourire. Elle fit le tour de la pièce en se déhanchant, sous les applaudissements et les cris des autres.

Je pris Laila à part.

— Je croyais qu'elle détestait son mari.

— Elle est retombée amoureuse de lui, m'assura Laila.

— Comment est-ce possible, lui qui est tellement méchant avec elle ?

Laila me regarda de ses grands yeux innocents.

— Oh, Debbie, il a changé ! Elle l'a emmené voir un médecin, et maintenant il prend des médicaments. Il est redevenu gentil.

J'avais fait la connaissance de Bahar en rencontrant des candidates pour l'école de beauté. C'était un jour de fin d'hiver où, sans crier gare, le ciel ensevelit la ville sous trente centimètres de neige. Il n'y avait pas de chasse-neige à Kaboul – pas plus qu'il n'y en a aujourd'hui, à ma connaissance –, et toute activité cessait les jours de neige.

Nous avions plus de cent candidates pour la session, mais, en raison des intempéries, une vingtaine seulement s'étaient présentées ce jour-là. Ce devaient être les plus motivées, ce qui leur donnait un certain avantage. Considérant son curriculum vitæ, je n'aurais sans doute jamais pris Bahar. Elle gagnait déjà quarante dollars par mois – ce qui n'est pas mal pour Kaboul – comme institutrice de maternelle et n'avait aucune expérience en matière de coiffure. J'essayais de n'admettre que des femmes qui avaient besoin de cette chance et qui étaient susceptibles d'en profiter au mieux. Les femmes ayant déjà un emploi étaient tout en bas de ma liste. Mais la neige fut une aubaine pour Bahar.

Elle avait vingt-huit ans, un visage avenant et des manières agréables. Elle devint rapidement une de mes meilleures élèves. Bahar savait si bien s'y prendre avec les gens que j'étais certaine qu'elle réussirait aussi bien en tant qu'esthéticienne dans mon salon que comme enseignante. Les élèves de cette classe étaient intelligentes et ambitieuses, et quatre autres filles étaient susceptibles de réussir aussi bien que Bahar. Pour faire mon choix, je dus me pencher sur leur passé. Quand Bahar me raconta son histoire, je sus que je devais l'aider à se libérer de son fou de mari. Comme beaucoup de femmes, elle était encore menacée par la violence, bien que les talibans fussent loin. Elle la subissait tous les jours de la part de son mari.

Au début, il avait été un bon époux, et elle l'avait aimé. Ils habitaient avec ses parents à lui, qui étaient très âgés, et Bahar s'en occupait, ainsi que de leurs deux enfants. Son mari avait été officier de police à Kaboul avant les talibans, et ils lui avaient permis de conserver son emploi. Mais cela se révéla bientôt très difficile. Il fut souvent contraint de faire appliquer leurs lois ridicules concernant les chaussures blanches et la musique, pour ne citer que cela. Pire encore, il dut regarder les talibans brutaliser hommes et femmes à la moindre infraction, et assurer le maintien de l'ordre pendant les exécutions publiques. A un moment donné, il se mit à dos un groupe de talibans, qui se retournèrent contre lui. Ils le battirent si sévèrement qu'ils lui infligèrent un traumatisme crânien, ce qui entraîna toutes sortes de complications – dépression, pertes de mémoire et colères irrépressibles. Il ne fut plus capable de travailler.

Il devint alors un véritable monstre. Il enfermait Bahar et leurs enfants dans une chambre et partait, parfois pendant plusieurs jours. Ses parents étaient dans la maison, mais dans un état de sénilité tel qu'ils ne s'apercevaient de rien. Comme il restait de la nourriture, les parents finissaient par trouver eux-mêmes de quoi s'alimenter. Mais Bahar et les enfants n'avaient rien à manger. Le pire survint quand Bahar fut enceinte de leur troisième enfant. Son mari l'enferma si souvent sans nourriture dans la chambre que l'enfant dépérit dans son ventre. Il la battait, aussi. Personne n'était susceptible de lui venir en aide, et certainement pas les talibans, eux qui refusaient aux femmes le droit d'émettre la moindre plainte envers leur mari. Le troisième enfant de Bahar naquit handicapé à cause des mauvais traitements qu'elle avait subis. A six ans, sa petite fille ne marche toujours pas.

Après la chute des talibans, Bahar put enfin sortir de la maison. Elle se querella avec son mari, et lui annonça qu'elle allait travailler, puisque lui en était incapable. Quand elle obtint le poste d'institutrice de maternelle, sa famille put de nouveau se nourrir.

Après la remise des diplômes, elle commença à travailler au salon. Son talent de manucure et de pédicure ainsi que sa douceur enchantèrent les clientes, qui se montrèrent particulièrement généreuses en pourboires : son revenu mensuel fit un bond de quarante à près de quatre cents dollars. Son seul problème demeurait son mari. Il l'appelait toute la journée sur son portable pour savoir ce qu'elle faisait. Il lui arriva de devoir partir précipitamment en milieu de journée car il battait les enfants dans un accès de colère. Bahar sursautait chaque fois que son téléphone sonnait : elle vivait perpétuellement dans l'angoisse.

A mesure que ses rentrées d'argent furent plus importantes, Bahar devint plus forte et plus indépendante. A plusieurs reprises, je l'entendis demander à son mari de cesser de la persécuter. Elle finit même par ne plus répondre quand il appelait trop souvent. Elle parlait de lui avec mépris.

Un jour, Bahar me demanda si elle pouvait prendre une semaine de congé. Elle avait économisé pour emmener quelqu'un de sa famille consulter un médecin réputé au Pakistan. Supposant qu'il s'agissait de son enfant infirme, je m'abstins de la moindre question.

A la fin de la journée où Bahar se prépara pour *rozi joma*, je la suivis dehors pour voir son mari. Il l'attendait dans un shalwar kameez impeccable, la barbe soignée, le visage fier et avenant, méconnaissable. Le médecin du Pakistan avait réussi à le faire redevenir l'homme qu'il avait été avant les mauvais traitements des talibans. Je ne le connaissais pas sous ce jour, mais, de toute évidence, Bahar était folle de joie de l'avoir retrouvé.

Le téléphone satellite retentit au milieu de la nuit. A la troisième sonnerie, je rampai par-dessus Sam pour répondre. Un homme parla en dari : il ne s'agissait donc pas d'un problème survenu dans le Michigan. Mais j'avais d'autres raisons de m'inquiéter quand le téléphone sonnait en pleine nuit. Je secouai Sam et lui posai le combiné contre l'oreille.

— Il ne s'agit pas de Robina ?

Il leva la tête et écouta.

— Non, ce n'est pas Robina. Pas de problème.

J'eus de la peine à me rendormir. La nuit, je me faisais toujours du souci pour Robina et ses sœurs.

J'avais rencontré Robina quelques mois après avoir aménagé l'Oasis. Elle entra un jour dans la résidence alors que je buvais mon café, assise dehors. Aucune des esthéticiennes n'était encore arrivée, et je la pris pour une cliente. Elle portait une élégante veste bleue et des chaussures qui auraient pu venir d'Italie. Elle devait faire partie du personnel des Nations unies – une Française ou une Espagnole, peut-être – et avait défié les consignes de sécurité et bravé la poussière pour se faire faire les ongles. Mais, quand je la vis de plus près, il devint évident qu'elle n'avait pas besoin de manucure. Elle était parfaitement soignée, de la tête aux pieds.

— Bonjour, dit-elle. Suis-je bien à l'Oasis ?

Elle tenait un numéro de l'*Afghan Scene*, le magazine local dans lequel je faisais de la publicité pour le salon.

J'acquiesçai.

— Je viens pour du travail.

De nombreuses Afghanes s'étaient présentées pour travailler au salon, mais je ne voulais engager personne qui n'ait reçu au moins un semblant de formation dans une école. Pour Robina, je fis pourtant une exception. Rien qu'en la regardant, je sus qu'elle serait capable de s'occuper d'une clientèle occidentale.

Robina avait trente-trois ans et venait de rentrer en Afghanistan, après de nombreuses années d'exil en Iran. Elle se présenta comme ayant une longue expérience de coiffeuse. Avec son visage en forme de cœur, ses pommettes saillantes, ses cheveux roux aux reflets subtils et ses vêtements à la mode, elle apporta à l'Oasis une dimension nouvelle. Topekai avait déjà une clientèle importante, mais nombre de mes clientes doutaient que les deux autres employées soient capables de les coiffer exactement selon leurs désirs. Une des raisons était que Basira et Bahar n'avaient pas elles-mêmes une allure assez chic. Mes clientes n'hésitèrent pas une seconde quand je leur dis que Robina se chargerait de leur coupe et de leur couleur. Le fait qu'une coiffeuse ait l'apparence qu'elles souhaitaient pour elles-mêmes les rassurait.

Mais ce n'était pas seulement son apparence qui la rendait unique. Chez elle, tout était différent – tout, sauf la difficulté d'être une femme en Afghanistan.

La famille de Robina avait quitté Kaboul quand elle avait cinq ans, juste avant le début de la guerre contre les Russes, et bien avant que quiconque ait entendu parler des talibans. Ils s'installèrent en Iran, car son père était un grand admirateur du chah Mohammed Reza Pahlavi, souverain pro-occidental dont les efforts de modernisation impliquaient d'instaurer le suffrage pour les femmes. Mais le chah suscitait aussi un grand ressentiment parmi les religieux islamiques et les démocrates. Sa destitution en 1979 ouvrit la voie à l'ayatollah Khomeyni et à la révolution qui verrait la création d'une République islamique en Iran. Le père de Robina considérait le chah comme une personnalité éclairée et une source d'inspiration pour le Moyen-Orient. Il donna même à l'une de ses filles le prénom de la troisième femme du chah.

Le fait de vivre en Iran apporta à Robina des avantages que la plupart de mes élèves n'auraient jamais pu imaginer. Ses parents ne regrettaient nullement d'avoir trois filles ; ils les aimaient autant que leurs trois fils. La famille étant plutôt aisée, les enfants ne manquèrent jamais de rien. Le père vendait des vêtements et des parfums en gros, et il rapportait souvent à la maison des échantillons pour sa femme et ses filles. Quand elles sortaient, les femmes de la famille se couvraient avec de grandes écharpes, surtout quand la vie en Iran devint plus difficile pour les femmes. Mais, à la maison, elles portaient des pantalons et des chemisiers à manches courtes, exactement comme les filles du Michigan.

Contrairement à la plupart des parents afghans, le père et la mère de Robina n'avaient pas l'intention de l'obliger à épouser quelqu'un qu'elle n'aimait pas. De jeunes Iraniens demandèrent sa main ; s'ils ne lui plaisaient pas, son père les renvoyait. Des Afghans vivant à Kaboul lui proposèrent le mariage, mais son père la supplia de dire non, ne supportant pas l'idée de la voir partir si loin. Elle refusa, et continua à vivre chez ses parents. Elle et ses sœurs menaient une vie sociale qui n'existait pas en Afghanistan : elles avaient la permission de sortir en groupe, jeunes hommes et jeunes filles ensemble, pour des pique-niques, des excursions ou des petites soirées tranquilles.

L'Iran avait d'abord bien accueilli les immigrants afghans, mais sa bienveillance diminua à mesure qu'ils traversèrent la frontière en plus grand nombre pendant les guerres. Bientôt, le gouvernement iranien imposa des restrictions aux Afghans vivant sur son territoire. Tout devint difficile : trouver un emploi, être propriétaire d'une maison ou d'une voiture, et même posséder le téléphone. D'après Robina, beaucoup d'Iraniens devinrent hostiles aux Afghans qui vivaient parmi eux, se plaignant qu'ils accaparent tous les bons emplois et que leurs enfants encombrent les écoles.

Les sœurs cadettes de Robina commencèrent des études universitaires, mais Robina suivit des cours de couture donnés par les Nations unies aux femmes afghanes. A cette période, la jeune fille acquit la réputation de quelqu'un qui se plaignait ouvertement du mauvais traitement subis par les Afghans en Iran. On la prévint qu'avec de tels propos elle risquait de se faire tuer, ce qui ne l'empêcha pas de continuer à avoir des opinions tranchées et à les exprimer. Mais elle finit par abandonner la couture car son père craignait qu'elle ne s'abîme les yeux ; d'ailleurs, un salon de beauté près de chez elle avait accepté de la former comme coiffeuse.

Cela lui causa des problèmes parmi les immigrés afghans, car, pour beaucoup, les salons de beauté – et particulièrement les salons iraniens – servaient de façade à des maisons de passe. Robina s'éloigna de la communauté afghane et s'immergea dans sa nouvelle profession. Malgré les mesures de rétorsion du gouvernement envers les Iraniens employant des Afghans, la patronne du salon veilla sur elle. Si un fonctionnaire du gouvernement venait enquêter dans le quartier pour savoir s'il y avait des Afghans employés, la propriétaire du salon jurait que Robina était une amie ou une cliente.

La vie devint de plus en plus pénible pour Robina et les autres Afghans en Iran. Son père perdit son travail de grossiste. Il s'associa avec un Iranien dans une entreprise industrielle, mais fut escroqué par lui et n'eut aucun recours légal. Deux de ses fils devinrent tailleurs, mais ils peinaient à trouver assez de travail pour subvenir aux besoins de toute la famille. Robina venait d'ouvrir son propre salon : sa clientèle était encore trop restreinte pour qu'elle soit d'un grand secours à sa famille. Ses deux sœurs cadettes trouvèrent alors du travail dans un des rares domaines ouverts aux jeunes filles afghanes :

elles s'occupèrent des enfants d'une famille britannique faisant des affaires en Iran.

Au bout de deux ans, cette famille annonça aux sœurs de Robina qu'elle allait être transférée aux Etats-Unis. A l'idée de perdre leur emploi en même temps que leurs amis étrangers, les sœurs s'affolèrent, mais les Anglais leur proposèrent de les accompagner en Amérique, où elles continueraient à travailler pour eux. Robina pouvait également venir comme chaperon. Ils essaieraient de trouver des répondants pour les jeunes filles, après quoi elles devraient toutes obtenir un visa. Ce plan présentait un défaut majeur : il n'y avait plus d'ambassade américaine en Iran. Elle avait été fermée à la suite de la crise des otages, juste après le renversement du chah. Pour avoir un visa, il fallait que les jeunes filles retournent en Afghanistan et passent par l'ambassade américaine à Kaboul.

La vie en Iran devenant de plus en plus dure pour les Afghans, les trois sœurs décidèrent de saisir l'opportunité d'une vie meilleure en Amérique, même si cela impliquait un bref passage à Kaboul. Le tableau qu'on leur avait fait de la ville était terrible – surpeuplement, saleté, dégâts causés par la guerre, pauvreté. La situation des femmes y était également pire qu'ailleurs. Elles décidèrent pourtant de prendre le risque. Leur mère pleura, les supplia de rester en Iran, mais leur père les jugeait suffisamment fortes et intelligentes pour parvenir à leurs fins. Pour lui, il ne s'agissait que de quelques mois, le temps qu'elles obtiennent leurs visas pour les Etats-Unis.

Robina et ses sœurs firent ce qu'aucune femme en Afghanistan n'oserait faire : elles voyagèrent seules, sans escorte masculine. Des parents les attendaient à l'aéroport, chez qui elles habitèrent pendant quelques semaines. Puis elles trouvèrent un appartement, où elles s'installèrent toutes les trois.

Les Occidentaux peuvent difficilement comprendre à quel point cela était révolutionnaire. En Amérique, on considère presque comme un rite de passage le fait pour une jeune fille d'aller vivre dans une autre ville, et de s'installer dans un appartement avec des amies de son âge. En Afghanistan, une telle manifestation d'indépendance n'avait pas de précédent, c'était une rupture totale avec la façon d'agir depuis des millénaires. Partout où elles allaient, les jeunes filles étaient précédées par leur réputation. Pour la plupart des gens, vivant seules, elles étaient forcément des prostituées. Quand elles se présentèrent à des entretiens d'embauche et que l'on apprit qu'elles vivaient seules, elles reçurent des appels d'hommes travaillant dans les entreprises où elles avaient postulé. Ils les invitaient à des dîners ou à des soirées : le comportement habituel d'un Afghan vis-à-vis des prostituées.

Je suis prête à parier qu'il n'y avait pas d'autres jeunes filles comme celles-là dans tout l'Afghanistan. Il ne doit pas y en avoir beaucoup plus aujourd'hui. Des Occidentales, peut-être. Des Afghanes ayant vécu en Occident la plus grande partie de leur vie, éventuellement. Mais pas des jeunes filles afghanes n'ayant jamais quitté l'Orient. Robina et ses sœurs étaient sans aucun doute victimes de leur éducation et des idées modernes de leurs parents sur les femmes. Idées qui ne correspondaient pas au pays dans lequel elles étaient revenues.

Au dernier moment, leur projet échoua. Les Anglais perdirent leur emploi aux Etats-Unis et rentrèrent chez eux. Robina et ses sœurs ne savaient plus où aller. Elles ne pouvaient pas retourner en Iran, car elles avaient été contraintes d'abandonner leurs cartes d'identité en revenant à Kaboul, et les visas pour l'Iran étaient si onéreux qu'il n'était même plus question pour elles de rendre visite à leurs parents. En réalité, l'Iran ne voulait plus d'elles. Les sœurs furent contraintes de rester à Kaboul et de continuer à vivre seules. Sachant le danger que cela représentait, elles parvinrent, avec l'aide de quelques amis étrangers, à rassembler assez d'argent pour envoyer la plus jeune à l'université en Inde. Robina refusait de partir tant qu'elle n'aurait pas trouvé la somme nécessaire pour envoyer également son autre sœur à l'étranger.

On aurait pu penser que les femmes afghanes manifesteraient de la sympathie à Robina et à ses sœurs, mais ce ne fut pas le cas. Même mes étudiantes, qui s'efforçaient de faire tomber des barrières en allant à l'école et en devenant soutiens de famille, traitèrent Robina avec dédain quand elles apprirent qu'elle vivait seule avec ses sœurs. Comme si cela ne suffisait pas, Robina osa briser un autre tabou : elle sortit à une ou deux reprises avec un Occidental. Dès lors, les autres filles du salon la mirent en quarantaine.

Il y eut d'autres sujets de division entre les filles, bien que je ne fusse jamais consciente des tensions quand elles se produisaient. J'avais délibérément accentué ces divisions en imposant la diversité dans chaque classe. Au début, quand je me battais pour garder l'école en activité, je ne m'étais pas rendu compte qu'il n'y avait aucune diversité dans mes promotions. Sam vint un jour pendant un cours de la troisième session, il regarda tout autour de lui et prit un air mécontent.

— Pourquoi toutes les étudiantes sont-elles hazaras ? demanda-t-il.

Je ne m'en étais pas aperçue, mais il s'avéra que deux de mes enseignantes étaient hazaras, et elles avaient sélectionné une classe qui était entièrement hazara. A partir de ce moment, Sam assista à tous les entretiens et m'aida à ne pas favoriser un groupe ethnique plutôt qu'un autre, ni une religion ou une région. Mais les conflits qui opposaient de longue date les groupes se répercutaient parfois dans l'école et le salon. Dans ces moments-là, il fallait que je réunisse les élèves pour leur faire un sermon.

— Pourquoi ne pouvons-nous pas toutes nous entendre ? Comment l'Afghanistan peut-il avancer si nous qui nous côtoyons ici ne pouvons pas faire abstraction de nos différences ?

Jusqu'à ce que Laila me le signale, je n'avais pas remarqué que les filles avaient mis Robina à l'écart. Elles se précipitaient dans la salle à manger en laissant Robina en arrière. Elles chuchotaient pendant qu'elle lisait en s'efforçant de les ignorer. Il m'arriva de la trouver en sanglots : la situation devait être terrible pour que cette jeune femme au comportement hautement professionnel s'abandonne ainsi.

La tension finit par s'apaiser à l'intérieur du salon. Peut-être était-ce dû à Laila, qui avait décidé de passer dans le camp de Robina. Laila était, avec elle, la seule célibataire travaillant pour moi. Elle aussi avait des parents modernes qui voulaient qu'elle continue ses études, et qui ne l'obligeraient pas à épouser quelqu'un qu'elle n'aimait pas. Pendant les années de guerre, sa famille s'était enfuie au Pakistan, où la vie était particulièrement difficile. Laila, tout enfant, y gagnait déjà de l'argent : elle passait cinq heures par jour à tisser des tapis, ce qui permettait de payer le loyer familial. A présent, elle vivait à Kaboul avec ses parents, mais elle savait à quel point la vie y était difficile pour une femme seule. Pour éloigner les hommes, elle affichait un air menaçant dès qu'elle avait franchi la porte de sa maison, et le gardait jusqu'à ma résidence. Parfois elle mettait un certain temps à se détendre et à retrouver le sourire. Ce fut une alliée hors de pair pour Robina.

Néanmoins, il fallait à Robina et à sa sœur d'autres armes pour se défendre à l'extérieur du salon. Elles avaient choisi ce qui leur semblait être l'appartement idéal, situé dans un quartier sûr – tout près du ministère de l'Agriculture –, avec une entrée fermée à clé, et un propriétaire aimable. Malheureusement, le propriétaire devint de moins en moins aimable quand il comprit que ni frère ni mari ne viendraient occuper dans leur foyer la place qui leur revenait.

Robina me racontait tous les jours l'attitude de plus en plus hostile du propriétaire. Le téléphone sonna un matin, alors que le salon était fermé et les cours près de commencer. J'étais en train de fixer les têtes à coiffer sur les comptoirs et je ne reconnus pas mon interlocutrice.

— Ils me poussent, dit une voix haletante. Ils me poussent dans l'escalier !

— Robina ?

Quand elle s'était réveillée, il n'y avait pas d'eau. Robina était scrupuleusement propre – elle venait tous les jours au salon avec sa tasse enveloppée dans une feuille d'aluminium –, et l'idée de ne pas pouvoir se laver lui était intolérable. Elle frappa à la porte d'un de ses voisins pour demander s'ils avaient de l'eau : ils en avaient. Elle se rendit alors chez le propriétaire pour lui demander pourquoi les voisins avaient de l'eau et pas elle. Il haussa les épaules d'un air maussade. Elle insista, voulant savoir si l'arrivée d'eau correspondant à son appartement avait été fermée, car c'était la tactique utilisée par les propriétaires qui voulaient harceler un locataire. Il explosa alors de rage, les traitant, elle et sa sœur, de prostituées et d'imbéciles – cela parce qu'il était pachtoun et elles hazaras. A ce moment-là, la famille du propriétaire au grand complet sortit de son appartement et la poussa jusqu'à ce qu'elle tombe dans l'escalier.

Je pris quelques pansements et une pommade, ainsi qu'un paquet de lingettes que je gardais pour des cas d'urgence, et je me rendis immédiatement sur les lieux avec Sam. Mon mari alla tancer le propriétaire. Zilgai, qui nous avait accompagnés, remit l'eau en service. Sam retourna ultérieurement voir le propriétaire avec un général de ses amis ; celui-ci recommanda au propriétaire de veiller sur Robina, qui était une de ses cousines éloignées. Les généraux ont beaucoup d'influence en Afghanistan. Mieux vaut être accompagné d'un général que d'un policier.

La situation s'arrangea pendant un moment, mais il n'en demeurait pas moins que Robina et sa sœur couraient toujours un danger mortel. Elles n'avaient pas leur place en Afghanistan, bien que ce fût leur pays. Le terrorisme revêt de nombreuses formes ; Robina et sa sœur durent braver au quotidien celui qui vise en permanence toute femme osant prendre ses distances avec l'ordre social. A chaque coup de téléphone en l'absence de Robina, je craignais d'apprendre qu'on s'en était pris à elle et à sa sœur, qu'elles avaient été violées, ou tuées, ou les deux à la fois.

10

Maryam, la cuisinière, ne s'était pas présentée au travail depuis deux jours. A l'approche de l'heure du déjeuner, des étudiantes regardèrent avec regret en direction de la pièce réservée aux pédicures et aux manucures, où Maryam servait habituellement le repas. Elles venaient de passer plus de deux heures à faire des permanentes en spirale sur des têtes à coiffer avec des cheveux longs, enroulant des mèches de cinquante centimètres autour de centaines de petits bigoudis lavande, veillant à ne pas friser les extrémités et à ce que chaque mèche subisse exactement la même tension sous le même angle. Quelques-unes semblaient épuisées. Je savais qu'elles avaient besoin de déjeuner. Je demandai à Ahmed Zia d'aller acheter pour nous toutes des hamburgers de Kaboul – du pain plat contenant de la salade, des frites, des œufs durs et de la viande.

Topekai et Basira, assises l'une à côté de l'autre sur les chaises de jardin en plastique vert, n'avaient conscience ni de l'heure, ni des étudiantes rassemblées autour d'elles. Topekai mit ses deux mains devant elle et les tourna comme si elle conduisait avec difficulté un énorme vaisseau spatial. Ses yeux s'agrandirent d'horreur, puis se refermèrent tandis qu'elle décrivait la scène à Basira, dans un dari rapide. Elle poussa un cri perçant, et trembla comme si elle avait heurté quelque chose, puis les deux complices se mirent à rire. Les étudiantes les dévisageaient, et je me demandai un instant si leur petite scène avait quelque chose à voir avec la permanente en spirale. Non : Topekai racontait que son mari et elle s'étaient acheté une voiture. Elle apprenait à conduire et avait embouti quelque chose.

Une de mes enseignantes étant malade, j'avais demandé à Topekai et à Basira de la remplacer. Il me semblait souhaitable que les élèves rencontrent deux coiffeuses afghanes qui avaient réussi.

— Raconte-leur comment tu donnes de l'argent à ton mari, demandai-je à Basira pour distraire les étudiantes en attendant qu'Ahmed Zia revienne avec le déjeuner.

Elle leur expliqua comment elle devait supplier son mari pour obtenir vingt afghanis. Parfois il refusait de les lui donner ; parfois, il ne pouvait pas. Après avoir obtenu son diplôme, et commencé à travailler pour moi, elle cessa de lui demander de l'argent. S'étant aperçue que, quelquefois, il n'en avait pas, elle prit l'habitude de lui mettre l'équivalent de vingt dollars dans sa poche de temps en temps. Elle ne lui donnait jamais d'argent ouvertement, pour ne pas lui faire honte : toutefois, il savait qu'elle gagnait plus d'argent que lui et semblait apprécier cela. Ils finirent par mettre leur argent en commun pour s'acheter une voiture. Basira et Topekai, l'une comme l'autre, avaient plus de liberté que la plupart des femmes. Elles travaillaient aussi tard qu'il le fallait chaque jour et partageaient avec leur mari les tâches ménagères et le soin des enfants. Topekai avait toujours été forte, mais, depuis trois ans que je la connaissais, Basira l'était devenue également.

J'ignorais ce que Basira avait raconté aux élèves à propos de sa nouvelle vie, mais elles paraissaient impressionnées. Certaines semblaient pourtant incrédules. Trois d'entre elles venaient de rentrer en Afghanistan après avoir vécu la majeure partie de leur vie comme réfugiées au Pakistan. Ayant grandi bercées par les récits de leurs parents contant les merveilles de l'Afghanistan, elles trouvaient leur pays natal rude et intolérant. Au Pakistan, il y avait de l'électricité toute la journée et toute la nuit, l'eau courante, des routes praticables et de bonnes écoles. Elles n'étaient pas obligées de se couvrir la tête et de rendre des comptes pour chaque geste en dehors de chez elles. Malheureusement, le Pakistan avait durci sa position envers les réfugiés afghans. Trouver du travail était devenu plus difficile, aussi leurs parents insistèrent pour qu'elles rentrent avec eux à Kaboul. A Kaboul, le chômage atteignait quarante pour cent, mais au moins personne ne refusait aux hommes de postuler pour un emploi sous prétexte qu'ils étaient afghans. Pour ces jeunes filles, en revanche, le retour fut synonyme d'une cruelle régression. L'école de beauté était leur seule raison d'espérer.

Ahmed Zia revint enfin avec les hamburgers. Les filles se précipitèrent dans la pièce de pédicure-manucure, à nouveau gaies et bavardes. En les suivant, je m'aperçus que le sol de l'entrée n'avait pas encore été balayé. Shaz ne l'avait d'ailleurs pas nettoyé la veille non plus, et la poussière sur le sol était telle qu'on pouvait suivre les filles à la trace.

— Où est Shaz ? demandai-je à Topekai et à Basira. Elle est venue travailler aujourd'hui, pourquoi n'a-t-elle pas fait le ménage ici ?

Elles échangèrent un regard.

— Elle n'est pas sortie voir Farooq, j'espère ?

— *Nai*, Debbie, s'empressa de répondre Basira. Je crois qu'elle travaille chez toi, en ce moment.

Elle désigna la maison, à côté de l'école, où Sam et moi nous étions installés au sein de la résidence. L'école et le salon occupaient maintenant toute la première maison.

— Elle plie encore des écharpes ?

Il me semblait que chaque fois que je partais à la recherche de Shaz, je la trouvais assise par terre dans mon dressing, occupée à plier mes écharpes ou mes dessous.

— Pourquoi se préoccupe-t-elle tant de mes écharpes ?

Elles échangèrent à nouveau un regard. Je partis chercher Shaz, bien décidée à lui parler encore une fois de Farooq.

Quatre mois auparavant, un changement qui m'avait semblé positif était intervenu chez Shaz. Elle arriva un matin avec du rouge aux lèvres, une touche de khôl et une jolie écharpe neuve, verte à motif cachemire. Quand elle l'enleva, je remarquai que ses cheveux noirs, courts, avaient été soigneusement brossés et maintenus avec deux peignes scintillants. J'appelai les esthéticiennes pour leur montrer comme elle était à son avantage. Elle n'était pas vraiment jolie, le visage grêlé, les yeux et la bouche trop petits pour son visage, avec un gabarit de rugbyman. Mais il y a toujours quelque chose de charmant dans l'effort que fait une femme pour se rendre plus séduisante. Peut-être est-ce le soin apporté à chaque détail ou l'espoir que procure l'acte d'embellir ce qui existe déjà. Quoi qu'il en soit, j'étais enchantée par la nouvelle apparence de Shaz. Cela prouvait qu'elle avait un peu plus de considération pour elle-même que par le passé. Naïvement, je me félicitai d'y avoir contribué.

En général, toutes les employées partaient en même temps à la fin de la journée, et Ahmed Zia les raccompagnait chez elles dans la camionnette. Quelques mois plus tard, en entrant dans le salon après la fermeture, je trouvai Shaz en train de se coiffer.

— Ahmed Zia est parti sans toi ?

J'étais disposée à monter au créneau pour elle. Les derniers temps, j'avais cru voir les filles se comporter d'une façon un peu hautaine envers elle. Parfois les hostilités se déclenchaient en dari, et je ne pouvais pas les comprendre ; parfois, je saisissais un regard distant, ou une voix méchante qui dominait les bruits du salon. Il arrivait qu'elles acceptent de me dire ce qui se passait, mais, le plus souvent, elles gardaient pour elles ces rivalités et ces tensions. Elles ne venaient jamais dénoncer l'une d'entre elles, même si le grief était légitime. Même si cela pouvait se répercuter sur moi ou sur l'école.

— Pourquoi ne t'ont-ils pas attendue ? demandai-je.

— Pas de problème, Debbie, me répondit-elle en rougissant.

Elle enfila son manteau, mit son écharpe, me tapota le bras et sortit en direction de la grille. Quelque chose dans la façon dont elle m'avait touché le bras – comme pour me dire de ne pas la suivre – éveilla mes soupçons, et je décidai de lui emboîter le pas. Entendant le bruit d'un caillou dans l'allée, elle se retourna et revint vers moi pour me tapoter de nouveau le bras.

— Pas de problème, répéta-t-elle un peu nerveusement.

Elle continua vers la grille à reculons, en souriant et en me faisant des signes de la main, mais je continuai à la suivre.

— Que se passe-t-il ? demandai-je. Que me caches-tu ?

Elle fit brusquement demi-tour et franchit la grille en courant. Près du mur de la résidence, une berline noire, toute cabossée, démarra. Elle monta à l'arrière et se couvrit le visage avec son écharpe. Avant que la voiture s'éloigne, le conducteur se retourna pour me regarder avec un air de familiarité et m'adressa un petit signe de la main. Il paraissait aussi abîmé que sa voiture, avec son nez cassé et une épaisse moustache entamée par une cicatrice sur la lèvre. Il inclina la tête et partit.

Le lendemain, je happai Laila dès son arrivée.

— Qui est venu chercher Shaz, hier soir ?

Laila affichait encore son air renfrogné, destiné à impressionner les passants. Elle enleva son foulard et me regarda froidement.

— C'est son petit ami, Debbie. Il s'appelle Farooq.

Il me semblait avoir déjà entendu ce prénom.

— Je croyais que c'était son cousin !

— Cousin, peut-être, petit ami aussi. Mais il n'est même pas son cousin.

— Depuis quand cela dure-t-il ?

— Je ne sais pas. Longtemps peut-être.

— Pourquoi ne pas me l'avoir dit ?

Elle haussa les épaules tout en pliant son foulard en un parfait petit rectangle.

Comme Shaz était mariée, cela constituait une violation sérieuse des convenances – qui risquait même de lui coûter la vie. Si son mari l'apprenait, il pouvait la traduire en justice et la faire lapider à mort. Comment Shaz pouvait-elle se conduire aussi stupidement ? Je me postai près de la grille pour lui parler dès son arrivée, lui demander de choisir entre Farooq et son emploi. Mais, quand elle passa la grille, son apparence me fit tant de peine que je me mis à pleurer. Son maquillage ne parvenait pas à cacher sa tristesse : je connaissais les effets pervers d'un couple mal assorti, et le désir d'amour que cela pouvait engendrer.

Plusieurs filles nous regardaient par la fenêtre, et j'emmenai Shaz vers l'arrière de la résidence. Je ne voulais pas lui faire honte ni demander à Laila de traduire. Même si elles adoraient plaisanter à propos du sexe, les filles étaient parfois intransigeantes envers les femmes qui avaient dépassé les bornes. Dans tout autre pays que l'Afghanistan, j'aurais été ravie que la pauvre Shaz ait trouvé un amant, elle qui était si peu attrayante, et affublée d'un vieux mari avare vivant dans une autre ville. Mais nous étions en Afghanistan, et je ne voulais pas risquer de la laisser aux mains d'une foule déchaînée.

— Pas de Farooq, lui chuchotai-je.

Je ramassai une pierre et fis semblant de me frapper la tête.

— Pas de voiture avec Farooq, pas de téléphone avec Farooq. Trop dangereux !

Elle acquiesça et se dirigea vers la maison en traînant les pieds. Elle enleva sa jolie écharpe et se couvrit les cheveux d'un chiffon gris pour se protéger de la poussière qu'elle produirait en secouant les tapis.

Les autres filles me regardèrent entrer dans le salon, mais elles savaient qu'il valait mieux ne rien dire.

Comme j'aurais pu m'en douter, mon évocation de la lapidation ne servit à rien. Pendant quelques jours, je veillai à ce que Shaz monte dans la camionnette avec les autres, mais je n'avais pas le temps de le faire régulièrement. D'ailleurs, Shaz s'arrangeait pour voir Farooq même quand elle rentrait en camionnette. Ahmed Zia vint me dire un jour qu'elle lui avait demandé de la déposer à un nouvel endroit. En redémarrant, il l'avait vue, dans son rétroviseur, monter dans la voiture de Farooq. Et, chaque fois qu'elle le pouvait, elle téléphonait à Farooq. Je la surprenais souvent, cachée dans un recoin de la maison, en pleine conversation avec lui, le visage illuminé de plaisir. Il lui arriva même de téléphoner sur mon portable, un jour où le sien était déchargé.

— Pas de Farooq ! criai-je.

Mais je conservai son numéro pour savoir si elle recommençait à l'appeler sur mon téléphone.

En montant à ma chambre ce jour-là, je pensais trouver Shaz en conversation avec Farooq. Mais elle était assise par terre dans ma penderie, le visage rêveur. Elle avait vidé ma boîte à écharpes ainsi que mon tiroir à dessous, et repliait tout en petites piles impeccables.

— Tu ne l'as pas déjà fait hier ? demandai-je.

Elle me regarda comme si elle ne me connaissait pas.

— *Nai.*

— Tu te sens bien ?

Elle semblait toujours perturbée.

— Tu veux du thé ?

— *Nai.*

— Quand tu auras fini ici, descends balayer, lui dis-je par gestes.

Elle acquiesça et commença à se relever, puis se rassit d'un coup. Elle prit une écharpe rouge arachnéenne et l'étala avec des gestes langoureux. Elle la souleva dans la lumière du soleil, puis la fit voler jusqu'au sol et la caressa.

— Shaz, dépêche-toi. Je préfère que tu ailles balayer.

Je redescendis avec le sentiment que quelque chose m'échappait, et faillis me heurter contre Maryam en pénétrant dans l'entrée de l'école et du salon. Elle avait l'air en deuil. Ses yeux étaient rouges et gonflés, et elle était serrée dans un grand châle noir. Jusque-là, Maryam avait été la personne la plus gaie et de l'humeur la plus égale. Elle chantait en épluchant les légumes, elle chantait en plumant un poulet, elle chantait en faisant la vaisselle. Elle avait un bon mari, une bonne famille, un bon emploi. La seule fois où je l'avais vue malheureuse était le jour où tout le monde était parti pour je ne sais plus quelle raison, et où on l'avait laissée seule dans la cuisine. Elle fut alors prise de panique, et elle pleurait quand nous revînmes. A présent, elle semblait ne pas avoir cessé de sangloter pendant deux jours.

— Où est Laila ? criai-je devant la porte fermée du salon.

J'allais avoir besoin d'aide pour comprendre.

Maryam s'assit sur les marches en sanglotant ; Basira et Mina accoururent depuis le salon. Laila arriva de la véranda.

— Il se passe quelque chose de grave, lui dis-je. Essaie de savoir ce que c'est.

Laila se pencha au-dessus de Maryam, qui se mit à parler très vite, en serrant les poings. Puis Laila se redressa et échangea quelques propos avec les esthéticiennes.

— Nous connaissons déjà une partie de l'histoire, dit-elle.

Deux jours avant, Ahmed Zia raccompagnait Maryam et Shaz chez elles lorsqu'un pneu de la camionnette avait éclaté. Le pneu de secours étant également crevé, il dut laisser les filles seules dans la voiture pendant qu'il allait faire réparer la roue de secours. Shaz proposa alors de téléphoner à Farooq pour savoir s'il pouvait les conduire toutes les deux. Prétextant que son forfait était épuisé, elle emprunta le portable de Maryam. Farooq arriva, et bientôt il emprunta le chemin de terre menant au quartier où habitaient Shaz et Maryam. Tout à coup, à un coin de rue, Farooq ralentit, Shaz ouvrit la portière et sauta du véhicule. Farooq repartit et fila à une telle allure dans les rues que Maryam ne put sortir de la voiture. Elle était affolée. Mais, tout en conduisant, Farooq regarda Maryam dans son rétroviseur et lui déclara qu'il était amoureux d'elle. Il l'avait vue en venant chercher Shaz, et il la voulait pour lui. Il désirait qu'elle quitte son mari pour partir avec lui.

— Pourquoi Shaz aurait-elle sauté de la voiture pour le laisser avec une autre femme ? demandai-je.

— Farooq lui a dit que c'était une preuve d'amour, affirma Laila. Il lui a avoué qu'il était attiré par Maryam et a demandé à Shaz de les laisser seuls, juste pour cette fois.

— Pourquoi aurait-elle été d'accord ?

Laila fit une grimace.

— Parce qu'elle est folle, Debbie. Folle d'amour, et folle de drogue.

J'agrippai la rampe de l'escalier et m'assis à côté de Maryam.

— Qu'est-ce que tu racontes ? Elle fume du haschisch avec les hommes ?

— Elle est accro à l'opium. Tous les jours, elle se met une petite pilule sous la langue, et s'en va toute seule plier tes écharpes. Farooq est son fournisseur.

— Mais elle travaille si dur ! Comment peut-elle être toxicomane et continuer à travailler comme elle le fait ?

Je n'y comprenais rien.

Maryam releva la tête et parla de nouveau à Laila. Si je l'avais entendue au téléphone, je n'aurais jamais reconnu sa voix. Elle avait perdu toute son allégresse et sa chaleur. Laila et les filles l'écoutaient, l'air horrifié, puis elles me regardèrent comme si elles attendaient quelque chose.

— Quoi ? demandai-je.

Farooq avait finalement laissé descendre Maryam, au comble de l'hystérie, et elle était rentrée chez elle à pied. Elle arriva en retard, mais expliqua à son mari que la camionnette était tombée en panne et qu'elle n'avait pas voulu attendre seule le retour d'Ahmed Zia. Elle n'avait pas pu prendre de taxi, faute d'argent, et n'avait pas pu non plus lui téléphoner car l'appel ne passait pas. Les connexions étaient si mauvaises dans la ville qu'il n'avait aucune raison d'en douter. Il ne s'étonna pas non plus de l'agitation de sa femme, sachant combien elle était peureuse et n'aimait pas marcher seule dans la rue. Mais, plus tard dans la soirée, voulant s'assurer que le portable de sa femme fonctionnait à nouveau, il trouva un long sms scabreux de Farooq, disant qu'il désirait Maryam comme jamais après leur bref moment passé ensemble, et qu'il était maintenant certain qu'elle le désirait tout autant. Le mari de Maryam jeta alors le téléphone à travers la chambre et quitta la maison en hurlant qu'il divorcerait si elle voyait un autre homme.

A ce moment du récit, Shaz ouvrit la porte de l'entrée. Elle avait encore un air un peu rêveur, mais, quand elle aperçut Maryam, elle alla se recroqueviller contre le mur extérieur. Laila et Basira lui crièrent à plusieurs reprises d'entrer, mais elle refusa. Alors Mina poussa un cri. En regardant le téléphone de Maryam, elle avait reconnu le numéro de Farooq. Dernièrement, elle avait été harcelée par de nombreux appels, venant tous de ce numéro. Mina ne voulait pas donner à son mari une nouvelle raison pour la battre. Elle se mit à pleurer, craignant que Farooq ne lui ait laissé à elle aussi un sms compromettant. Laila et Basira sortirent également leurs téléphones.

Le même numéro y était enregistré, aussi bien dans les appels reçus que dans les appels émis. Chacune se souvenait que Shaz lui avait emprunté son téléphone au cours des derniers jours. Il devenait évident que Shaz livrait toutes les filles à Farooq, prête à jouer les proxénètes pour lui plaire. L'entrée résonnait de cris et de pleurs, et les quelques clientes du salon sortirent prudemment en silence. Ahmed Zia passa la tête à la porte et nous regarda avec inquiétude.

Deux jours plus tard, je renvoyai Shaz. Je voulais qu'elle nous emmène jusqu'à Farooq. Sam s'apprêtait déjà à lui rendre visite et à le menacer de mort s'il continuait à harceler mes filles. Mais Shaz refusa. Son visage se ferma, et elle secoua la tête ; elle ne voulait pas me regarder en face. Elle fit voler de la poussière partout en balayant et en secouant les tapis, pour me montrer qu'elle était indispensable. Elle l'était presque, et je l'aimais, mais je ne pouvais pas laisser ses démons mettre mes filles en danger. Quand elle franchit la porte, j'eus l'impression de perdre une partie de moi.

J'aurais voulu parler à quelqu'un de cette affaire, quelqu'un qui puisse m'aider à y voir clair. La première personne qui me vint à l'esprit fut Roshanna. Depuis mon arrivée en Afghanistan, elle m'avait aidée à surmonter tous les problèmes causés par la différence de culture. Mais Roshanna n'était plus là.

Après la nuit traumatisante de sa soirée de fiançailles et la consommation de son mariage, j'étais rentrée chez moi et j'avais passé la journée à pleurer. Sam était en voyage et n'avait pu venir à la soirée avec moi ; je lui téléphonai pour lui raconter ce qui s'était passé.

— Tout ira bien, assura-t-il. Elle épouse un bon Afghan cette fois, et elle va partir dans un pays où il n'y a jamais eu de talibans.

Je n'avais en effet plus aucune raison de m'inquiéter. La consommation avait été un cauchemar, mais les lendemains seraient meilleurs avec son mari. Je versai encore quelques larmes, pourtant, sachant combien Roshanna me manquerait.

Son mari partit pour Amsterdam, comme prévu, trois jours après leur mariage. En deux mois, Roshanna obtint son visa pour le rejoindre. Sa famille et moi, nous l'emmenâmes à l'aéroport, où nous sanglotâmes en la regardant disparaître.

Deux semaines plus tard, elle téléphonait à son frère, complètement paniquée. A Amsterdam, c'était sa belle-mère qui était venue l'accueillir. Cette femme d'un certain âge lui expliqua que les choses n'étaient pas tout à fait comme on les lui avait décrites à Kaboul. Le nouveau mari de Roshanna n'était pas, comme il l'avait prétendu, un ingénieur qui avait réussi ; il travaillait comme simple employé dans une grande entreprise hollandaise. Qui plus est, il ne vivait pas chez ses parents en permanence : il n'y séjournait que deux fois par an. Quand elle arriva, il était absent pour quatre mois encore. Pendant les deux semaines suivant son arrivée, elle avait servi d'esclave à la famille, récurant les sols, faisant la cuisine et servant les repas, obéissant aux ordres de sa belle-mère. Comme beaucoup d'épouses afghanes, elle avait été privée de toute possibilité de communication. Elles doivent couper les liens avec leur famille pendant plusieurs mois, pour s'acclimater à la famille de leur mari.

Scandalisé, son frère voulut sauter dans un avion Mais la famille de Roshanna fut incapable de localiser la famille du mari, donc de la retrouver. N'ayant pas assez d'argent pour engager un détective, ils durent se résigner à attendre. L'attente me semblait longue, et je pensais à elle tous les jours avec inquiétude.

Enfin, après plusieurs mois, elle téléphona. La situation avait encore changé. Son mari était revenu. Il lui avait pris les mains et lui avait demandé si elle l'aimait, même s'il n'était qu'un simple employé, issu d'une famille sans fortune. Et, Roshanna étant ce qu'elle est, elle lui répondit que oui. Il s'était alors mis à rire, et lui avait avoué qu'il était vraiment ingénieur, et que sa famille était vraiment riche. Ils l'avaient mise à l'épreuve. Maintenant qu'il voyait combien elle lui était dévouée, il était certain qu'ils formeraient un couple heureux. Sa famille ne devait plus s'inquiéter pour elle. Sa vie était belle.

Je n'ai pas parlé à Roshanna depuis son départ de Kaboul. A-t-elle dit la vérité ou a-t-elle voulu sauver la face ? Sa famille non plus n'a plus aucune nouvelle d'elle. Quand je les vois, nous nous efforçons d'être gais et de faire comme si elle était heureuse, loin de la poussière de Kaboul.

Quand je broie du noir, je me demande si j'ai agi pour le bien de Roshanna en donnant mon sang la nuit de la consommation. Parfois, je me demande même si ce que je fais sert à quelque chose ici. Nous sommes de nombreuses Occidentales à vouloir aider les femmes afghanes, mais nos efforts ne portent pas toujours leurs fruits. Ces femmes ont tellement d'attaches qui les retiennent, dont la plupart ne sont même pas perceptibles pour un regard occidental... Il faut très longtemps pour comprendre la complexité de leurs vies, et à quel point elles diffèrent des nôtres. Et quand nous les comprenons, nous devons parfois reconnaître que nous ne pouvons rien faire. Les mentalités évoluent bien plus lentement que leurs rêves.

J'aperçus le reflet de la lune dans mon verre, et je bus une gorgée de vin. Nous faisions un pique-nique à la belle étoile dans notre cour avec un petit groupe d'amis, afghans et étrangers. La nuit était belle. Nous avions sorti le tapis du salon et l'avions entouré de toushaks et de bougies. Au milieu, trônaient des plats de fruits et de gâteaux. Je n'avais pas voulu engager de musiciens : la musique venait du lecteur de CD, posé sur l'encadrement de la fenêtre, et, parfois, nous nous mettions à chanter en même temps.

Il m'arrivait une histoire amusante. La veille, Sam avait rapporté des kebabs pour le dîner, et il en était resté beaucoup. Au milieu de la journée, Ahmed Zia vint à la porte de l'école me dire que Sam, retenu par une réunion dans son bureau, voulait servir le reste des kebabs. Mais les filles et moi les avions déjà mangés. J'appelai Sam, tout en regardant une élève essayer une coiffure compliquée sur une tête à coiffer.

— Nous avons mangé la viande, chuchotai-je.

— Debbie ? Debbie, c'est toi ? dit une voix au bout du fil.

— Oui, je voulais que tu saches qu'il n'y a plus de viande.

— Comment ?

— Nous avons mangé la viande !

Il y eut un silence de l'autre côté, puis la voix reprit :

— Debbie, tu me fais peur. Est-ce un code ? Faut-il que je fasse évacuer la ville ?

— Sam ?

Puis, en regardant mon téléphone, je compris que j'avais appelé un de mes clients par erreur.

— Seigneur ! C'est Viani, n'est-ce pas ?

Nous en rîmes pendant dix bonnes minutes. Je le rappelai plus tard dans la journée et chuchotai une nouvelle fois :

— Nous avons mangé la viande.

— L'aigle a atterri ! chuchota-t-il en réponse. Interrompez mission ! Arrêtez tout !

Quand je racontai cette histoire à mes amis, ils comprirent aussitôt ce qu'elle avait de comique. Où, ailleurs dans le monde, pourriez-vous entendre quelqu'un chuchoter « Nous avons mangé la viande », et penser d'emblée qu'il s'agit d'un signal codé pour évacuer la ville ? Cela voulait-il dire que nous étions tous fous de vivre ici ? Nous ne pouvions plus nous arrêter de rire. Puis le téléphone de Sam sonna, et il nous fit signe de nous taire. Je sursautai quand il passa du dari à l'ouzbek, car l'appel devait provenir de sa famille. Sam s'éloigna pour continuer sa conversation. Quand il revint, il était contrarié.

— Tout va bien chez toi ?

— Oui.

Il prit une pomme et se mit à la découper en morceaux.

— Pourquoi ont-ils téléphoné ?

— Mon père est en ce moment à l'aéroport, en Arabie saoudite. Il sera ici demain matin.

— Penses-tu que cela lui soit égal que tu habites à côté d'un salon de beauté ? demanda un de nos amis, sceptique.

Sam grommela quelque chose.

— Le connais-tu ? me demanda un autre ami.

— Il ne sait pas que nous sommes mariés, dit Sam. Seule ma mère le sait.

— Elle ne le lui a pas dit ? demandai-je. Il ne connaît toujours pas mon existence ?

Lorsque Sam secoua la tête, toute ma gaieté disparut. Je ne lui avais jamais entièrement pardonné de ne pas avoir parlé de moi à ses parents. Maintenant, je savais qu'après trois ans de mariage il me cachait encore.

Je m'efforçai pourtant de faire bonne figure. Le lendemain, le salon était ouvert, et Sam ne pouvait pas l'éviter : on ne pouvait entrer chez nous qu'en traversant l'école de beauté. Au fur et à mesure que les esthéticiennes et les clientes arrivaient, je leur expliquai la situation. Quand Sam me téléphona pour me dire qu'ils approchaient, nous nous réfugiâmes toutes dans la pièce où j'entreposais les produits pour la coloration. Nous retînmes notre souffle. J'entendis Sam et plusieurs hommes traverser la cour, puis il claqua la grille entre notre habitation et l'école.

— Nous sommes sauvées, annonçai-je à la cantonade comme si tout ce drame n'était qu'une plaisanterie. Papa Sam a atterri.

— Il s'appelle Sam aussi ? demanda une cliente.

— Je ne connais même pas son prénom.

— C'est tellement passionnant ! dit une autre cliente.

La moitié de sa chevelure était prise dans des petits paquets d'aluminium réguliers, tandis que l'autre moitié révélait trois centimètres de racines grises.

— Il va falloir que je revienne la semaine prochaine pour connaître la suite, ajouta-t-elle.

Je décidai de laisser Sam passer vingt-quatre heures tranquille avec son père. Ce soir-là, je dînai avec des amis, tandis que mon mari emmenait son père au restaurant. Dans la soirée, il me téléphona chez mes amis pour me dire qu'il avait ramené papa Sam chez nous. Il voulait venir me chercher pour que nous arrivions ensemble à la maison. Mais quand nous nous arrêtâmes à la grille, Ahmed Zia vint vers la voiture. Plusieurs amis moudjahidin de Sam étaient arrivés et s'étaient installés dans la cour avec papa Sam.

— Reste ici, me dit Sam. Je vais emmener mon père à l'intérieur de la maison.

— Tu vas me le présenter ?

— Oui, mais à l'intérieur. Pas devant la foule.

Dès qu'il se fut éloigné, je commençai à fulminer. Si papa Sam était comme tous les autres Afghans, je risquais d'attendre dans la voiture pendant un bon moment. En Afghanistan, on ne peut pas simplement prendre congé de ses invités et rentrer. Papa Sam allait devoir leur servir du thé ou des boissons sans alcool, ainsi que des biscuits et des fruits, prendre des nouvelles de leur famille, ainsi que des villages où habitaient leurs grands-pères, et de leurs enfants mâles, et j'en passe. Si Sam revenait, ce dont je doutais, ce serait pour me faire entrer en catimini, en passant par la ruelle où tout le monde mettait ses générateurs et ses poubelles. Au bout de dix minutes, je m'installai au volant et m'en allai. Mon téléphone se mit à sonner, mais je l'ignorai. Je sillonnai la ville pendant une vingtaine de minutes. Quand je revins, Sam faisait les cent pas devant la résidence. Il était fou furieux.

— Tu ne pouvais pas attendre ? cria-t-il.

— As-tu l'intention de lui parler de moi ? Ce soir, tu dois choisir : soit je suis ta femme, soit je ne suis pas ta femme ! criai-je à mon tour.

Il montra mon écharpe, qui avait glissé de ma tête par terre.

— Mets ton écharpe et entre !

Nous entrâmes dans la cour. Papa Sam était assis au milieu d'un groupe d'hommes. C'était un petit bonhomme rond, édenté, avec un turban presque aussi gros que lui. Il ne se leva pas pour m'accueillir ; ici, les hommes ne se lèvent pas quand une femme entre. Certains se levèrent pourtant, me saluèrent chaleureusement en anglais en me prenant les mains. C'étaient des hommes du général Dostom, que Sam avait connus autrefois. Ils venaient souvent à la maison. Quand Sam me les avait présentés un an auparavant et m'avait invitée à prendre le thé avec eux dans notre salon, j'avais considéré cela comme un tournant important dans notre mariage. Lorsqu'un Afghan reçoit ses amis, sa femme reste généralement cloîtrée dans une autre pièce jusqu'à leur départ. C'était un honneur que Sam me présente Dostom et ses hommes. Dostom était le héros de Sam, et ces hommes, comme de la famille pour lui. Cette présentation valait presque une présentation à sa vraie famille : c'était une façon de déclarer au monde son amour pour moi.

Je pris place sur un toushak ; les hommes s'assirent de nouveau et recommencèrent à parler en ouzbek. Je ne pouvais pas suivre la conversation, je ne pouvais pas fumer en présence de papa Sam, aussi me contentai-je de grignoter un biscuit. Je savais que Sam était furieux que ses amis aient entendu notre querelle et pensent qu'il ne pouvait pas contrôler sa femme. C'était tant mieux : il était temps qu'ils le sachent. Papa Sam me jetait un regard de temps en temps. Peut-être m'avait-il reconnue ? En réalité, je l'avais déjà rencontré quand Sam et moi habitions à la maison d'hôtes de Peacock Manor. Cette fois-là, il était également arrivé par surprise. Ni Sam ni moi n'étions prêts à annoncer notre mariage à nos familles. Durant les quelques semaines de son séjour, nous nous épuisâmes à jouer à cache-cache. Nous passions sans arrêt d'une chambre à l'autre pour qu'il ne nous voie pas ensemble. Pour lui, j'étais une enseignante bénévole travaillant à l'école et, en apprenant que je vivais seule, il avait secoué la tête avec inquiétude. Je faillis me trahir un matin quand je lui préparai son petit déjeuner en l'absence du cuisinier. S'il se souvenait de moi, il devait se demander pourquoi je rôdais toujours autour de son fils. J'espérais qu'il ne me prenait pas pour une prostituée.

J'avais l'impression qu'un des hommes de Dostom parlait depuis une heure sans s'arrêter. Des histoires d'anciens combattants, pensai-je, un peu lasse. Il était évident que Sam n'allait pas se lever pour me présenter comme sa femme. Il était évident aussi que ces hommes allaient continuer à m'ignorer. Je mourais d'envie de me glisser dans mon lit, mais j'ignorais ce que Sam avait décidé ; je ne savais même pas où aller dormir. Je bâillai, et papa Sam me regarda d'un air inquisiteur. Il dit quelque chose à l'un des hommes et, subitement, le ton de la conversation changea. Tous les hommes me regardèrent, en faisant, à tour de rôle, un commentaire. L'un d'eux montra du doigt Sam, puis moi. Sam baissa les yeux, mais papa Sam sourit.

— Maintenant il sait, dit un des hommes de Dostom avec un grand sourire. Il dit : bienvenue dans la famille. Il dit qu'il a toujours su, même il y a deux ans, mais il attendait que Sam lui dise.

Sam devint tout rouge, et je me mis à pleurer. Puis je m'approchai du toushak de papa Sam et tombai à ses pieds. Je pris sa main, l'embrassai et la posai sur ma tête. Sam m'avait dit que c'était ainsi que ses enfants l'accueillaient.

— Mon père est mort il y a quatre ans, dis-je à papa Sam dans mon mauvais dari. J'espère que tu seras mon père maintenant. Je voulais te dire cela depuis que j'ai épousé ton fils.

Il mit sa main sur mes cheveux et les caressa. Je continuai à pleurer et, quand je relevai les yeux, des larmes coulaient le long de ses joues grisonnantes. Sam et plusieurs des vieux moudjahidin balafrés essuyèrent leurs pleurs. J'étais enfin la femme de Sam. Au grand jour.

Le lendemain, papa Sam m'attendait dans le salon. Il avait décroché tous les tableaux des murs pour pouvoir prier sans avoir à regarder des images *haraam*, de choses vivantes. En enlevant mon tableau de chérubins nus, il avait dû frémir. Il était maintenant prêt à se faire servir le thé par la femme de son fils. Il me dit qu'en Arabie saoudite il avait des bijoux en or pour moi. Il espérait que je viendrais bientôt faire la connaissance de toute la famille, dont la première femme et ses huit enfants. A moins qu'il ne les fasse tous venir à Kaboul pour visiter la résidence ! Sam avait eu raison de prendre une deuxième femme, et il espérait que je lui donnerais de nombreux fils.

J'emmenai papa Sam dans un café voisin. Nous nous assîmes avec nos cafés au lait, au goût de caramel. Il regardait avec intérêt les gens autour de nous, mais je ne voyais rien. Je pensais, non sans appréhension, aux joies et aux devoirs qu'implique le rôle d'une véritable belle-fille afghane.

Quelques semaines plus tard, ce fut presque la fin. Non pas celle de mon mariage : le feuilleton continue toujours. Ce fut presque la fin de l'école de beauté de Kaboul.

Ce jour-là, le salon était plein. Toutes les filles étaient occupées. Robina faisait un brushing à une Américaine dotée d'une invraisemblable masse de cheveux blonds ; Mina, une pédicure à une boulangère française récemment installée à Kaboul, et Bahar, une manucure à une Américaine d'origine afghane travaillant pour les Nations unies. Topekai coupait les cheveux d'une avocate que l'on payait des sommes folles pour subir un été encore à Kaboul. Basira était à l'étage au-dessus, occupée à masser. De mon côté, j'essayais de persuader une missionnaire de se faire faire des mèches.

Tout à coup, j'entendis des pas lourds le long de l'allée : Sam passa à toute allure devant les fenêtres. Puis il entra dans l'école et ouvrit la porte avec force.

— On va nous mettre en prison ! cria-t-il, à bout de souffle.

Mes esthéticiennes et mes clientes se retournèrent. Sam se tenait dans l'embrasure de la porte, son portable serré contre son cœur. Sa chemise sortait de son pantalon, ses lunettes de soleil étaient de travers.

— Qu'est-ce que tu racontes ?

Je n'avais jamais vu Sam aussi bouleversé.

— On veut te faire payer vingt mille dollars d'arriérés d'impôts.

— Je ne paie pas d'impôts, lui répondis-je, je suis une ONG.

— Pas des impôts pour l'école, rétorqua-t-il en faisant un geste circulaire du bras, des impôts pour le salon !

— C'est la même chose. Les fonds pour l'école proviennent de l'argent du salon, qui est, de toute façon, un centre d'apprentissage. Il n'y a pas de bénéfices.

— Ils disent que tu es une entreprise.

— Je suis une entreprise *sociale.* C'est écrit dans mon contrat ONG.

L'avocate se mêla à la conversation.

— Je t'enverrai par e-mail un document sur les règles d'imposition pour les entreprises à but social. En tout cas, on a l'impression que tu t'y conformes.

Sam l'ignora.

— Debbie, ils disent qu'ils surveillent tous les gens qui entrent et qui sortent. Ils ne plaisantent pas.

Il nous fallut quelques jours pour comprendre ce qui se passait. Aujourd'hui, je ne comprends d'ailleurs pas encore tout. Apparemment, un organisme gouvernemental avait décidé de m'imposer sur ce qu'ils prétendaient être des milliers de dollars de bénéfices annuels. Ce genre de tentative d'extorsion se produit parfois en Afghanistan, parce que les lois, les impôts et tout le fonctionnement du gouvernement sont relativement nouveaux. Il y règne aussi une méfiance grandissante envers les ONG étrangères, car les Afghans ne comprennent pas pourquoi tout est encore en ruine, malgré l'argent qui entre à flots dans le pays pour la reconstruction. L'argent n'entrait pas à flots dans l'école, et je pouvais démontrer à qui le voulait que le revenu familial de mes élèves augmentait de quatre cents pour cent une fois qu'elles avaient obtenu leur diplôme. Mais, même si la réclamation était infondée, elle nous causerait du tort. Sam et moi devrions nous présenter devant le tribunal qui juge ceux qui falsifient des passeports ou fabriquent des faux billets. Toute la ville parlerait de l'école de beauté, mais en mal. Notre réputation serait entachée, même si nous gagnions notre procès. Les pères et les maris ne laisseraient plus leurs femmes et leurs filles s'inscrire à l'école. Et si nous perdions, ce qui était toujours possible, j'irais en prison pour deux ans. Sam, lui, serait condamné à cinq ans.

Je consultai des amis avocats à Kaboul. D'après eux, si nous attendions d'être officiellement inculpés, nous perdrions tout. Nous choisîmes donc de recourir à un procédé depuis longtemps consacré, qui consiste à payer – modestement – quelqu'un s'engageant à ce que les plaintes contre nous prennent le chemin de l'incinérateur.

Je pus respirer à nouveau, mais pas pour longtemps.

Au moment où j'écris, en mai 2006, l'école de beauté de Kaboul et le salon Oasis sont fermés. Des émeutes, des incendies et des pillages ont fait suite à un tragique accident au cours duquel des véhicules de l'armée américaine ont heurté des voitures civiles et tué plusieurs personnes. Tandis qu'une foule en colère se rassemblait, des troupes américaines et des policiers afghans tirèrent – au-dessus des têtes, selon eux –, mais plusieurs civils furent tués et beaucoup d'autres blessés. Quelques ONG étrangères furent incendiées. Le gouvernement de Karzai imposa le couvre-feu, comme après le départ des talibans. Durant toutes mes années ici, je n'ai jamais vu un tel état de tension dans la ville, ni les habitants aussi furieux et terrorisés. Notre résidence n'a pas souffert car les hommes du général Dostom sont arrivés peu après le début des émeutes. Leur présence nous a permis de ne pas être incendiés ou envahis, mais je ne parvenais pas à m'habituer à voir des hommes barbus et des mitraillettes à la place de mes élèves.

J'espère que le calme reviendra, et que tous ceux qui veulent aider à reconstruire ce pays pourront continuer. Le rôle joué par l'école de beauté de Kaboul peut sembler mineur en comparaison de beaucoup d'autres entreprises, mais il est en réalité énorme. Je sais combien la vie de celles qui sont passées par l'école a changé. Alors qu'auparavant elles dépendaient financièrement des hommes, elles gagnent leur vie et les font profiter de leurs revenus. Alors qu'elles étaient des esclaves chez elles, elles sont aujourd'hui des décisionnaires respectées. Pas toutes, et pas en permanence, c'est vrai.

Mais assez pour leur donner de l'espoir, à elles et à beaucoup d'autres femmes.

Voici une histoire amusante. On me fait souvent des dons pour l'école : j'ouvre soigneusement les paquets et je distribue leur contenu. Parfois, il s'agit de produits de coiffure, toujours appréciés, car nos réserves fondent rapidement et reconstituer nos stocks de shampoing n'est pas facile ici. Parfois, les dons sont destinés aux femmes elles-mêmes : sacs à main, métrages de tissu, écharpes tricotées, cadeaux éminemment appréciés par leurs destinataires. Mais, un jour, Laila ouvrit une des boîtes et me l'apporta, perplexe.

— C'est quoi, ces choses ? me demanda-t-elle pendant que les autres filles se rassemblaient autour d'elle.

Je regardai dans la boîte : c'étaient des strings ! En dentelle, en cuir, en satin, brodés de fleurs... Je contemplai la boîte en riant avant de tenter une réponse.

— Ce sont des slips. Ce que les femmes portent sous leurs vêtements.

Laila traduisit à l'intention des autres, et elles froncèrent toutes les sourcils.

— Non, Debbie, dit Basira. Ça ne peut pas être des slips.

— Mais si, certaines femmes aiment les porter. Elles trouvent que cela les rend sexy.

Topekai en prit un et le tint en l'air.

— Ils ne couvrent rien.

— C'est justement le but. Cela couvre un peu devant, mais derrière, c'est si fin qu'on ne voit pas la marque du slip sous les vêtements.

— Cette partie rentre dans les... ?

Mina se tapota les fesses, et j'acquiesçai.

Ces strings provoquèrent l'hilarité pendant des semaines. Elles se les jetaient à la figure de temps en temps, et quand elles étaient d'humeur à faire des bêtises, l'une d'elles s'en mettait un sur la tête. Je crois qu'on a fini par les jeter au feu.

Voilà un bon exemple de ce qu'il ne faut pas faire pour aider les femmes afghanes !

Il y a peu de temps, je me rendis avec un groupe d'amis à Istalif, le village de montagne où l'on fabrique une superbe porcelaine turquoise. Nous nous promenâmes pour regarder les tasses, les plats et les cruches, et chacun de nous acheta plusieurs articles aux marchands qui étaient assis au soleil en attendant les chalands. Nous nous arrêtâmes ensuite devant un des anciens palais des seigneurs de guerre, et visitâmes une serre remplie de géraniums, où le jardinier posa pour une photo, entre un énorme poster de Massoud et un cœur rouge peint sur le mur. Puis nous allâmes jusqu'à une source dont Sam prétendait qu'elle avait des propriétés curatives, et il remplit une cruche d'eau pour la rapporter à la maison.

En redescendant de la montagne, nous croisâmes une longue file d'enfants qui marchaient sur la route boueuse pour aller à un match de foot dans un champ qui avait été nettoyé des bombes. Tous portaient des bottes en caoutchouc, flambant neuves, aux couleurs éclatantes. Un enfant avait des bottes mauves, un autre des rouges, un autre des vertes, un autre des jaunes, un autre des orange, et ainsi de suite, transformant la route de montagne en un arc-en-ciel de pieds d'enfants. Quelque part dans le monde, des gens bien intentionnés avaient collecté ces bottes pour les envoyer en Afghanistan. Ces gens devaient savoir qu'elles seraient utiles aux enfants, que toutes ces couleurs leur mettraient la joie au cœur.

Les jours où tout va bien, je suis certaine que l'école de beauté de Kaboul emmènera mes filles bien plus loin que des bottes de caoutchouc.

Si quelqu'un m'avait dit, il y a seulement quelques années, que je vivrais en Afghanistan et que je dirigerais une école de beauté, j'aurais bien ri. Mais, en mettant le pied sur le sol afghan, j'ai su que j'étais arrivée chez moi. L'atmosphère qui règne ici m'a revigorée, et les défis m'ont poussée à agir. J'ai la chance d'avoir ici une famille merveilleuse, et je suis particulièrement riche en sœurs. Parfois, je me demande si j'ai fait autant pour elles qu'elles ont fait pour moi. Elles m'ont aidée à réparer mon cœur brisé, et à croire de nouveau en moi. J'essaie de leur rendre l'amour qu'elles m'ont donné avec tant d'enthousiasme. Les Afghanes ont beaucoup à faire pour se guérir elles-mêmes. Elles ont été maintenues dans l'obscurité pendant longtemps, et, au cours des années les plus difficiles, elles ont souffert bien plus que je ne peux l'imaginer. Mais l'obscurité a cédé du terrain, et la lumière commence à briller pour elles. Elles ont besoin que le reste du monde soit vigilant et veille à ce que cette lumière ne s'éteigne plus jamais.

Remerciements

J'ai l'impression d'être aux Oscars avec une longue liste de gens à remercier et pas assez de temps pour le faire. Tant de personnes sont intervenues dans ma vie et m'ont apporté leur soutien pour ce projet. Ce livre n'aurait pu être écrit sans l'aide de ma grande amie Kristin Ohlson, un formidable auteur au cœur généreux, qui est venue à Kaboul, a vécu au quotidien les tribulations de l'école et m'a accompagnée pas à pas pendant que je me battais pour écrire cette histoire au milieu de ma vie chaotique. Merci pour ton travail, pour ton dévouement et pour les longues heures passées à organiser mes journaux, mes pensées et mes expériences. Ensemble nous avons traversé des moments difficiles et merveilleux et cela a soudé notre amitié. Tu es une femme extraordinaire et talentueuse.

Un remerciement particulier à mon adorable mari ; sans sa présence à mes côtés, j'aurais certainement trébuché beaucoup plus que je ne l'ai fait. Tu réussis toujours à me faire rire quand je suis triste. Tu es aussi rude, âpre et aimant que ce pays. Tu incarnes l'Afghanistan et, grâce à toi, j'ai retrouvé le goût d'aimer.

J'aimerais aussi remercier ma mère, Loie Turner, et mes deux fils, Noah et Zachary Lentz, de m'avoir donné l'autorisation de venir en Afghanistan et de réaliser le rêve de toute une vie. Vous m'avez toujours soutenue en tout. Maman, tu as toujours été mon roc. Tu m'as appris qu'il me suffisait de vouloir pour pouvoir et tu m'as encouragée même quand tu n'étais pas d'accord avec mes choix. Quand j'étais en pleurs à l'autre bout du monde, tu m'as toujours donné l'impression que tu étais à mes côtés pour me soutenir.

Zach, tu es aussi fou que ta mère. Tu as saisi l'occasion de venir en Afghanistan alors que tout le monde te disait que c'était une idée folle. J'espère de tout mon cœur que tu as appris autant que moi en vivant ici. Je sais que ce séjour en Afghanistan n'a pas toujours été facile pour toi et que plus d'une fois tu as été frustré par ce qui se passait à Kaboul, mais merci d'avoir partagé ces moments avec moi.

Noah, tu me manques terriblement. Je sais que mon absence a été dure pour toi. Parfois, je me suis dit que je te sacrifiais à un pays qui n'est même pas le mien. Mais je sais aussi que tu n'aurais pas été heureux en Afghanistan. Les e-mails et les coups de téléphone que nous avons échangés m'ont aidée à tenir le coup.

Un énorme merci à ma meilleure amie, Karen [illegible], et à ses enfants, Josh, Gabe et Claire. Karen, tu es restée au bout du fil quand les bombes tombaient comme des mouches, tu m'as fait rire et tu ne m'as pas abandonnée quand j'étais morte de peur. Merci d'avoir pris soin de mes affaires pendant que j'étais en Afghanistan. Savoir que je pouvais compter sur toi m'a rendu la vie plus facile. Merci, Karen, d'être la meilleure amie dont je puisse rêver.

Merci à Christine Gara, mon avocate et décoratrice, pour m'avoir aidée à peindre l'école avec un poulet mort. Merci aussi de m'avoir pardonné de t'avoir privée d'eau chaude et de douche pendant une semaine. Tu as non seulement changé ma vie, mais montré aux femmes de l'école de beauté ce qu'était une femme forte et indépendante. Tu as changé de nombreuses vies.

Merci à Gay-LeClerc Qaderi, qui m'a appris comment être la femme d'un Afghan sans me perdre moi-même. Tu es toujours mon professeur et tu es devenue une présence indispensable.

Betsy Beamon, que puis-je te dire ? Tu es aussi folle que moi. Nous avons traversé beaucoup de routes cahoteuses ensemble, et je sais que je trouverai toujours en toi quelqu'un qui me comprend et à qui je peux faire totalement confiance. Merci de me téléphoner simplement pour prendre de mes nouvelles. Savoir que je peux toujours t'appeler et même te demander de venir m'aide à me sentir moins seule.

C'est grâce à Nick et Halima que je suis mariée à mon merveilleux mari afghan. Je vous en remercie, même si parfois, je dois l'admettre, il m'arrive aussi de vous maudire. Vous avez été la clé de notre mariage et nous avez aidés à surmonter beaucoup de difficultés. Vous nous avez montré comment traverser ces frontières culturelles sans sauter sur trop de bombes. Vous serez toujours un père et une mère pour moi.

Je voudrais aussi remercier Mary MacMakin pour sa vision du peuple afghan et son dévouement.

J'aimerais remercier Sima Calkin et Lindy Walser, deux merveilleuses coiffeuses qui sont venues à leurs frais enseigner à l'école. Grâce à vous, j'ai pu enfin faire des pauses bien nécessaires. Je ne peux pas vous dire ce que cela a représenté pour moi que vous quittiez vos vies américaines pour venir ici nous aider.

La présence constante de John Paul DeJoria et Luke Jacobellis du John Paul Mitchell System m'a donné la force de surmonter les obstacles. J. P. et Luke, vous ne saurez jamais l'importance que vous avez prise dans ma vie et combien je me sens en sécurité grâce à vous.

Vogue et Clairol ont toujours été à mes côtés. Ces deux compagnies ont été pour moi le rocher de Gibraltar. Sans vos dons généreux, l'école aurait disparu. Je veux aussi remercier toutes les compagnies et tous ceux qui ont contribué à faire vivre cette école grâce à leurs dons.

A tous mes clients de Holland, dans le Michigan, dont les cheveux sont devenus trop longs et les racines grises à cause de mes longues absences : merci de votre fidélité quand je revenais et merci aussi de votre soutien et de vos prières.

A mon agent, Marly Rusoff : tu as cru en moi quand personne d'autre ne l'aurait fait. Je ne sais même pas comment te remercier. Sans tes conseils et ton appui, je n'aurais jamais pu écrire ce livre.

A Jane von Mehren, mon éditrice à Random House : tu as eu l'intuition que cette histoire valait la peine d'être racontée et tu m'as donné les moyens de le faire. Tu as pris ce risque et il n'y a pas de mots assez forts pour te dire ma reconnaissance.

Quelle équipe à Random House ! Je crois que j'ignorais ce qu'était une équipe avant de vous rencontrer. Vous êtes généreux, et vous me donnez l'impression d'être une reine. Je me sens incroyablement chanceuse de travailler avec des éditeurs tels que vous.

Enfin, je voudrais remercier tous les étrangers et tous les Afghans qui sont venus dans notre salon quand nous n'avions pas d'eau chaude pour laver leurs cheveux ou d'électricité pour brancher les séchoirs.

Mais surtout je veux remercier toutes les femmes qui ont été élèves à l'école de beauté. Si nous touchions dix centimes à chaque larme versée dans cette école, nous serions toutes millionnaires. Ce qui est formidable avec les femmes afghanes, c'est qu'elles ne vous laissent jamais pleurer seules. Sans votre honnêteté, votre amitié, votre amour et votre désir de partager vos histoires, ce livre n'aurait jamais existé. Merci de m'avoir permis de pénétrer dans vos vies et de m'avoir donné la chance de les partager avec le reste du monde. Vous m'avez toujours traitée plus comme une sœur que comme un professeur ou une patronne. Sachez que je vous considérerai toujours toutes comme faisant partie de ma famille, et que vous m'avez changée à jamais.

Achevé d'imprimer sur les presses de

BUSSIÈRE

GROUPE CPI

à Saint-Amand-Montrond (Cher)
en mai 2007

Composition et mise en pages : FACOMPO, LISIEUX

N° d'édition : C 07404. — N° d'impression : 071646/1.
Dépôt légal : mai 2007.

Imprimé en France